S0-BBE-063

N'AYONS PAS PEUR DES

dictionnaire du français argotique et populaire

COLLECTION LE SOUFFLE DES MOTS

N'AYONS PAS PEUR DES

dictionnaire du français argotique et populaire

FRANÇOIS CARADEC

17, RUE DU MONTPARNASSE - 75298 PARIS CEDEX 06

Illustrations :
Denis HORVATH
MOREZ

Collection dirigée par Claude Kannas
assistée de Christine Ouvrard
Secrétariat : Janine Faure

ISBN 2-03-330006-4

Aujourd'hui, Mesdames, je vais vous donner de l'argot, du patois, c'est-à-dire du bas langage, du langage populaire, trivial...

PIERRE LAROUSSE

Lors nous jecta sus le tillac plenes mains de parolles gelées, et sembloient dragée perlée de diverses couleurs. Nous y veismes des motz de gueule, des motz de sinople, des motz de azur, des motz de sable, des motz dorez. Lesquelz, estre quelque peu eschauffez entre nos mains, fondoient comme neiges, et les oyons réalement, mais ne les entendions, car c'estoit languaige barbare.

FRANÇOIS RABELAIS
le Quart Livre, chapitre 56.

SOMMAIRE

PRÉFACE

Si l'on en croit les mentions *pop., fam.* ou *vulg.* qui figurent à côté de certains mots dans les dictionnaires de langue, il existerait en France une « langue populaire » aux confins de la langue écrite.

Ces dictionnaires, du *Petit Larousse* au *Dictionnaire de l'Académie française,* ne sont d'ailleurs pas toujours d'accord sur ces niveaux de langage, et leur tolérance varie d'une édition à l'autre. On comprend l'embarras des lexicographes : depuis plus de cinquante ans, on ne fait plus grief à Raymond Queneau ou à Louis-Ferdinand Céline de ne pas écrire en un français « correct » ; au contraire, des citations de leurs œuvres accompagnent les définitions au titre de citations littéraires.

Les écrivains ont toujours été les premiers conscients des petites difficultés de leur métier. Pour Raymond Queneau, qui s'est préoccupé toute sa vie de résoudre entre autres problèmes ceux du langage, il s'agissait d'abord de réconcilier dans un « néo-français » le langage écrit et le langage parlé, dont l'opposition, remarquait-il, avait « pris en français moderne les proportions d'une catastrophe ». Or, vingt ans plus tard, en 1969, dans un article intitulé *Errata,* il constate que « les Français se sont mis à surveiller la façon dont ils s'expriment »... Et les raisons qui l'amènent à reconnaître son erreur sont intéressantes à relire aujourd'hui :

« Le "français écrit" non seulement s'est maintenu, mais s'est renforcé. On doit en chercher la raison, paradoxalement (ou dialectiquement), dans le développement de la radio et de la télévision (des moyens de communication audiovisuels comme on dit) qui a répandu une certaine manière (plus ou moins) correcte de parler, et qui a appris aux locuteurs à se surveiller. Si l'orthographe se montre parfois déficiente (même chez des gens assez cultivés), si certaines expressions se propagent bien que déplaisant aux puristes, si le franglais et le langage publicitaire sont parfois menaçants, dans l'ensemble, il faut bien le dire, le français normal poursuit son cours. »

Qu'aurait-il dit s'il avait connu l'engouement de ces Français (même cultivés) pour les championnats d'orthographe et leur quart d'heure quotidien d'anagrammes télévisées ! Une nouvelle fois Raymond Queneau s'est trompé. Et nous continuerons nous aussi à nous tromper, car la langue évolue, plus vite que nous.

Souvenez-vous : en 1975, le public avait été choqué d'entendre un préfet s'adresser à un malfrat assiégé, dans ce qu'on croyait jusqu'alors être la langue des voyous et d'eux seuls (« Tu vas te faire piquer, eh ! con ! ») et non celui des préfectures, conservatoires supposés du bon goût. Douze ans plus tard, le Premier ministre déclare qu'il « va au charbon » et, l'année suivante, crée des difficultés aux traducteurs d'une réunion internationale en qualifiant de « couillonnades » (ou pire, mais nous n'étions pas là pour l'entendre) les propositions du Premier ministre britannique ; un ministre d'État se voit publiquement traité de « faux derche » ; un ancien Premier ministre fait un « bras d'honneur » dans un meeting public ; et pendant ce temps-là une affiche de publicité commerciale propose en grand format sur les murs « toutes les fringues, sauf les pompes »... Raymond Queneau devrait publier de nouveaux *errata,* et les lexicographes se demander si ces mots sont bien encore *pop.* ou *fam.,* ou s'ils ne sont pas tout simplement les mots justes, les mots vrais qui se cachent derrière ce qu'on appelle la « langue de bois », ou même le « français cultivé ».

Qu'est-ce donc que le « français populaire », ce *pop.* dont le niveau devient si vague que les Français eux-mêmes ne s'y retrouvent plus ? Cette langue, si elle existe encore, était définie en 1920 par Henri Bauche : « l'idiome parlé couramment et naturellement par le peuple », ce qui revenait à partager la langue populaire parlée et le langage écrit en idiomes de classes.

Ce n'était pas inexact ; mais déjà, au lendemain de la guerre de 1914-1918, la promiscuité des combattants dans les tranchées – « de

Belfort à l'Yser et d'Ouessant aux Dardanelles », écrivait Gaston Esnault dans *le Poilu tel qu'il se parle,* en 1919 – avait déjà bouleversé cette division commode. Depuis la IIIe République, depuis plus d'un siècle : service militaire pour tous, deux guerres, enseignement laïque obligatoire, puis prolongation de la scolarité, uniformisation des loisirs (la chanson depuis le café-concert du second Empire, le cinéma, la radio, la télévision, les clubs de vacances...), on assiste à une démocratisation progressive du vocabulaire qui rend de plus en plus fragile la mention *pop. :* il est devenu faux de dire aujourd'hui que cette langue est seulement « populaire », elle est devenue la langue française « parlée » connue de tous les Français, même si certains feignent de l'ignorer, ou si, par une pudeur encore imposée par les conventions sociales, ils lui préfèrent, mais de moins en moins, un langage plus châtié, plus proche de ce qu'il est convenu d'écrire.

En 1965, pour Pierre Guiraud, le « français populaire » est une « parlure vulgaire, langue du peuple de Paris, dans sa vie quotidienne ». On retrouve dans cette définition la localisation déjà adoptée par Henri Bauche qui avait effectué son enquête à Paris, mais aussi une appréciation méprisante (« parlure vulgaire ») qui laisserait entendre que le mot « peuple » ne signifie pas encore « population » et qu'il conserve son caractère péjoratif de classe inférieure, la basse classe opposée aux classes supérieures, cultivées et de bon ton.

Il est vrai que Pierre Guiraud avait été amené « par nécessité didactique (disait-il) à forcer le trait » ; emporté par sa fougue, il ajoutait même plus loin : « entre le français populaire et le français cultivé il y a la distance de la Nature à l'Art »...

Cette localisation parisienne – qui ferait du français populaire une langue régionale, une sorte de « patois urbain » – est devenue elle aussi inutile et inexacte. Des enquêtes linguistiques récentes en milieux lycéens, c'est-à-dire auprès de générations qui n'ont connu que la société de consommation audiovisuelle, indiquent que le langage commun de générations entières comporte de moins en moins de termes régionaux, de plus en plus de mots diffusés par la télévision, la radio et la presse, elles-mêmes concentrées dans la capitale. Il y a eu, il n'y a plus de différence très sensible entre la langue des jeunes provinciaux et celle des Parisiens et des habitants des grandes villes. Ce qu'on a appelé, qu'on appelle encore le « langage des jeunes » provient peut-être de cette différence dans le comportement, les modes et donc le vocabulaire, entre les cultures régionales des générations antérieures, les parents, et celle, uniformisée, des générations nouvelles, leurs enfants.

Si l'on veut encore délimiter le niveau *pop.* du lexique français, il semble bien qu'il soit plus facile de dire ce qu'il n'est pas que ce qu'il est. Si l'on en croit le *Lexis,* par exemple, le contraire de « populaire », quand on dit « langue populaire », serait l'adjectif « savant », ce qui n'est valable qu'en ce qui concerne la provenance souvent double des mots d'origine latine ; ce même dictionnaire oppose d'ailleurs au latin populaire son contraire « littéraire », ce qui nous ramène aux considérations sur l'existence de deux langues françaises, la langue parlée et la langue écrite, ce « latin populaire » étant paradoxalement pour l'essentiel à l'origine de notre langue écrite.

On dit de façon courante d'un roman policier qu'il est « écrit en argot », ou qu'il contient des « mots d'argot ». C'est faux. L'*argot* est un « idiome artificiel » dont les mots sont créés pour n'être pas compris par les non-initiés. Et les dictionnaires dits « d'argot » ne peuvent donc, par définition, que recenser des mots qui perdent au moment où ils sont publiés leur valeur d'argot. *Argotique* semble plus juste pour qualifier ce langage, dans la mesure où l'adjectif paraît moins précis et formel que le substantif *argot*.

Quand les mots d'argot sortent de leur domaine (il ne s'agit pas seulement de l'argot des malfaiteurs, mais aussi de celui de milieux fermés qui désirent conserver la cohésion du groupe), ils entrent alors généralement plutôt dans le champ *pop.* que dans celui de la langue d'usage, disparaissent même par manque de fonction, ou se maintiennent encore quelque temps de façon ludique (provocatrice ?) dans le lexique d'une classe prétendument cultivée (on y revient !) qui, de Vadé à San Antonio en passant par Aristide Bruant, aime à s'encanailler à bon compte : on pourrait attribuer à ce vocabulaire, qu'Albert Paraz qualifiait d'« argot de cheftaine », la mention *snob,* plus justifiée que la mention *arg.* On se demande ce que dirait l'auteur du *Gala des vaches* de ce qu'on appelle aujourd'hui le « français branché » (ou « chébran ») qui n'apporte que des mots éphémères, aussitôt disparus en fin de saison avec la mode qui les a fait naître. Ces mots à la mode, qui apparaissaient déjà autrefois sur le « boulevard », laissent quelquefois des traces dans les dictionnaires (y compris dans celui-ci), mais il faut faire vite ! La plupart des *Mots dans le vent* (recueillis par Jean Giraud, Pierre Pamart et Jean Riverain au début des années 70) ont été emportés par les courants d'air, en même temps que *l'Hexagonal* dont Robert Beauvais avait daté l'apparition du moment où la France est devenue l'« Hexagone », c'est-à-dire de l'avènement de la Ve République et des années 60.

Pour l'argot, créer des mots a toujours été une nécessité, et pour les jargons de métiers un besoin. Aujourd'hui, ce n'est souvent qu'un jeu. Les mots à la mode offrent à ceux qui les emploient un intérêt ludique, mais il leur manque presque toujours la petite musique *pop.,* et cette absence trahit leur origine, plus « cultivée » que « populaire ».

L'argot, au moment où il passe dans le français populaire, finit toujours par s'altérer, comme la plupart des mots abstraits de la langue classique avant d'entrer dans le vocabulaire courant. Une locution telle que *ras le bol* eût mérité il y a vingt ans dans tout dictionnaire d'argot la mention *vulg.* sinon *obsc. Bol* est synonyme de *cul. Avoir du bol,* c'est littéralement *avoir du cul,* c'est-à-dire de la chance. *En avoir plein le cul,* c'est « en avoir assez », ce qui est peu dire ; *en avoir ras le bol* est une variante plus imagée encore, et plus vulgaire. Et pourtant, sans nous soucier de ce que le pronom *en* peut représenter, ni de ce que nous pouvons *avoir* en telle abondance au *bol,* nous avons fait de cette locution un nom masculin, *le ras-le-bol* (« exaspération », dit le *Petit Larousse*), qui s'affaiblit encore par confusion du mot *bol* quand nous entendons dire : *ras la casquette.* Plus rapide encore l'évolution de la locution *en faire une pendule,* c'est-à-dire « faire des histoires », qu'il faut lire : *chier une pendule,* étymologiquement *pendula merda.*

Il ne faudrait pas en déduire qu'il n'y a plus d'argot : ce serait oublier son rôle social. Mais sans doute a-t-on tendance à croire que l'argot est la langue exclusive des malfrats et qu'il se répand seulement par contagion dans les prisons et la police. Sans le confondre avec les jargons professionnels (médecins, par exemple), ni les mots de métiers, il existe bien « des » argots. En 1966, Jean Follain avait pu faire paraître, sans aucune malice anticléricale, un *Petit Glossaire de l'argot ecclésiastique.* Il existe un argot de la banque et de la Bourse comme il existe un argot de la police ; un argot des P.-D.G. (« dégraisser », « placard ») et un argot de la prostitution ; un argot de la drogue et un argot de l'informatique (« bidouiller », « bourriquer »). Ainsi des professions que l'on était tenté d'accuser de répandre le *franglais* continuent de créer ou d'adopter les mots français dont ils ont besoin, en puisant aux sources de la langue populaire la plus savoureuse. Cela devrait rassurer ceux qui craignent tant un appauvrissement de notre langue : son génie vit encore aujourd'hui *au rade* ou *à l'annexe,* à défaut de la Halle et du Port-au-Foin, sans tenir compte des recommandations des comités et des commissions interministérielles dont les trouvailles sont rares si l'on en juge par le nombre de mots réellement adoptés dans les laboratoires, les bureaux et les ateliers ; tant il est vrai qu'on ne décrète pas l'existence ou la mort d'un mot.

Ces mots d'argot, y compris parfois les mots nés de la mode, sont la part vivante de la langue française. Leur sens peut évoluer, ils peuvent mourir parce qu'ils ont fait leur temps, qu'ils sont tombés dans l'oreille des sourds, ou qu'ils ont été chassés par de nouveaux venus. Les traducteurs savent qu'il est nécessaire de reprendre périodiquement les traductions, surtout celle des grands classiques de la scène, pour qu'ils demeurent audibles et lisibles. C'est même une chance qu'ont les littératures étrangères dont nous rajeunissons périodiquement la langue, alors que nos grands classiques, dont nous osons seulement moderniser l'orthographe, finissent, aux dires des enseignants, par ne plus être compris par les élèves.

Mais ces mots, après leur mort, figurent encore dans les dictionnaires. D'où ces discussions interminables entre amateurs d'argot, qui sont de vaines querelles de générations. « Il n'y a pas, écrit Raymond Queneau, plus puriste que l'argotier. Un argotier trouve toujours plus argotier que lui. Chacun trouve artificiel l'argot de l'autre, mais c'est bien ainsi que naît l'argot. » Trois générations peuvent vivre sous le même toit sans se comprendre. *Prendre son pied* a pour le père le caractère érotique que son fils ignore quand il proclame que *c'est le pied :* le père avait appris l'expression dans un de ces *bobis* dont la loi fit des *clandés,* et le fils, au cours d'une *concentre.* L'argot des prisonniers des stalags de 40-45 différait déjà de celui de leurs pères dans les tranchées de 14-18. Il serait tentant, pendant que les témoins sont encore vivants, de faire la différence, dans le corpus actuel, entre l'argot des années 30 et ceux des années 50 et des années 80 ; on constaterait quelques disparitions, quelques nouveautés, mais il serait surtout intéressant de comparer les variations de sens et les diverses acceptions.

Ce sont ces mots disparus qui nous ont donné le plus de tracas dans l'établissement de ce dictionnaire. Tout le monde n'a pas l'expérience de Cinoc, le « tueur de mots » de *la Vie mode d'emploi* de Georges Perec. Il est toujours difficile de retirer un mot d'un dictionnaire lors de sa mise à jour : est-ce le défaut d'usage, ou son absence dans le dictionnaire, qui rend le mot obsolète ? L'introduction des mots nouveaux pose moins de cas de conscience. Or, la langue se fait et se défait non seulement avec des mots nouveaux, des inventions, des trouvailles plus ou moins heureuses de la mode, mais aussi avec des redécouvertes, des repentirs, des remords, pourrait-on dire, d'avoir laissé tel ou tel mot vieillir, et mourir. On ne sait jamais comment les mots renaissent. La littérature, le roman, contrairement à ce qu'il serait si simple de croire, n'en sont pas toujours les causes : les mots reviennent dans les paroles qu'échangent les hommes, et, ce qui est miraculeux, c'est que ces mots jamais entendus ni lus, proprement inouïs, sont immédiatement saisis, compris et adoptés par ceux qui les entendent pour la première fois. Ce qui prouve bien qu'on avait eu grand tort de les écarter.

Il nous a fallu pourtant omettre un grand nombre de mots figurant dans les dictionnaires d'argot classiques. (On en trouvera un certain nombre à titre d'exemple dans le tableau de la page ci-contre). Il faut croire que ces dictionnaires cèdent souvent à la tentation du pittoresque, car ce sont des mots que nous n'entendons plus. Certains vivent encore dans les mémoires (et dans l'histoire), et peut-être reviendront-ils un jour en surface, mais en attendant ce sont des fossiles.

Leur retour dans les dictionnaires qui les avaient écartés n'est pas toujours aisé. Le cas du *grisbi* (mot d'argot ancien remis à la mode par un roman d'Albert Simonin en 1953) est assez rare, et il semble être plus vite entré dans les dictionnaires et la langue écrite que dans la langue parlée. À l'inverse, bien des mots qui traînent au café, à la cantine ou sur le chantier tardent à s'y faire accepter. Il leur faut la verve et la caution d'une forte personnalité, comme Charles de Gaulle, pour que les lexicographes admettent leur existence. Il est instructif à cet égard de feuilleter le *Petit Larousse.* En 1936, *chienlit* (*chie-en-lit,* que certains, par ignorance, prononçaient en 1968 *chien-lit*), n.m. ou f., est un masque de carnaval, une mascarade, un déguisement ; ce mot, à la suite de l'intervention du président de la République qui l'exhumait du vocabulaire de sa jeunesse, a reçu l'acception nouvelle de « désordre, situation politique et sociale très confuse » ; puis aujourd'hui, tout simplement, en un seul genre : « n.f. *Fam.* Désordre ». Un *quarteron* (dont le sens exact est « quart de cent ») celui, péjoratif, de « petit nombre ». Mais le *tracassin,* avec le sens d'« humeur inquiète et agitée » fait sourire, car si tel était bien

Mots d'argot fossiles

abbaye de Saint-Pierre (ou de *cinq pierres*), prison de la Grande-Roquette, à Paris (démolie en 1900).
abîme n. m. Poche de culotte de zouave (second Empire).
alphonse n. m. Souteneur (*Monsieur Alphonse,* pièce d'A. Dumas fils, 1873).
anarcho n. m. Anarchiste (1892-1894), que certains, comme François Coppée, prononçaient *anarko.*
Anastasie n. pr. La censure (presse).
arlequin n. m. Reliefs des restaurants vendus à bas prix.
as de carreau n. m. Sac de soldat.
astic n. m. Tripoli servant à astiquer.
aubergine n. f. Auxiliaire féminine de police. En changeant d'uniforme, elles sont devenues *pervenches.*
avarie n. f. Syphilis (*les Avariés,* pièce d'Eugène Brieux, 1905).
azor n. m. Havresac d'infanterie.
bat'd'Af' n. m. Bataillon disciplinaire d'infanterie légère d'Afrique du Nord.
bédou n. m. Tirailleur algérien.
biscayen n. m. Obus (1914-1918).
blindé n. m. Cuirassier.
bono adv. Bon. *Bono bézef,* bon. *Macache bono,* mauvais.
boucher bleu n. m. Chasseur d'Afrique.
boum' ou *v'là boum !* interj. des garçons de café.
bromure n. m. Vin ordinaire (1939-1940).
cage à poule n. f. Avion biplan (1914-1918).
cagoulard n. m. Membre du comité secret d'action révolutionnaire 1932-1940).
camisard n. m. Soldat des Bat'd'Af'.
carapatin n. m. Fantassin.
Carrelingue (la) n. pr. La Gestapo (1940-1944).
castor n. m. Prostituée. *Demi-castor,* demi-mondaine.
cent n. m. Cabinets d'aisance.
chamberlain n. m. Parapluie (1937-1939).
choix n. m. Ensemble des filles d'une maison close au salon.
citrouillard n. m. Cuirassier.
cliquet n. m. Revolver.
collignon n. m. Cocher de fiacre.
cul rouge n. m. Fantassin à pantalon garance.
david n. m. Casquette de souteneur (1850-1880).
deffe n. f. Casquette (1880-1930).
doryphore n. m. Soldat allemand (1940).
dos ou *dos vert* n. m. Souteneur, le maquereau (poisson) ayant le dos vert.
douanier n. m. Verre d'absinthe.
enfant de chœur n. m. Pain de sucre.
entifler v. t. Épouser.

. . . .

vanterne n. f. Fenêtre.
vert-de-gris n. m. Soldat de l'armée allemande (1940-1945).
verte n. f. Absinthe.
vitrier n. m. Chasseur à pied.
zazou n. m. et adj. Jeune excentrique (1940-1942). Au f. *zazoute, zazounette.*
zèbre n. m. Déporté des camps nazis (1942-1945).
zéphyr n. m. Fusilier des bataillons d'Afrique.
zig-zig (faire) loc. Faire l'amour (troupes d'occupation allemandes, 1940-1945).
zouzou n. m. Zouave.

le sens que lui attribuait le général, la langue populaire connaît aussi l'acception moins familière d'« érection matinale ».

Quelle est donc la frontière de la langue populaire acceptée ou rejetée par les dictionnaires ? Le *Petit Larousse,* bon exemple de dictionnaire d'usage courant, tolère une centaine de mots d'*argot* et plus de huit cent cinquante mots qualifiés de *populaires.* Et cependant, beaucoup d'étrangers possédant une sérieuse culture française se plaignent de ne pouvoir lire la presse française qui, pour ne pas simplifier les choses, se laisse tenter par les jeux de mots et les calembours dans les titres des articles. La plupart du temps, ces difficultés ne proviennent pas de locutions ou de mots nouveaux (ils ne seraient, en ce cas, ni mieux ni moins compris par les lecteurs français que par les étrangers), mais de mots de souche bien française, populaire ou familière, qui, de la langue parlée omise dans les lexiques, montent peu à peu à la surface de la langue écrite, une langue qui devant la concurrence de la radio et de la télévision se veut et se doit d'être plus directe et plus immédiate.

Il existe encore une catégorie de mots qui entrent rarement dans les dictionnaires d'usage courant : ce sont des mots tabous, des mots obscènes que nous connaissons tous, mais que nous n'oserions pas écrire et que nous sommes choqués de lire. La seule pudeur qu'autorise un dictionnaire est de les dissimuler dans l'ordre alphabétique. Ces mots du langage refoulé ne sont d'ailleurs pas seulement du domaine érotique. Quand on recense les mots de la langue parlée, on est étonné du nombre de termes insultants qu'elle contient. Nous les avons accompagnés de la mention *péjor.* (péjoratif) pour inciter le lecteur à la prudence ; mais on peut tout de même remarquer que la langue populaire n'est généralement pas plus raciste, xénophobe et injurieuse que la langue écrite n'est aussi savante que l'abondance des termes scientifiques dans un dictionnaire classique pourrait le laisser croire.

Les puristes pourront par contre s'étonner de trouver dans les pages suivantes des tournures incorrectes, des solécismes ou des barbarismes, et ceci dès la première ligne de la lettre A. Personne n'est obligé d'employer *à* possessif pour *de (le vélo à ma sœur)* ou pour *chez (aller au coiffeur),* mais force est de constater que c'est ainsi que de nombreux Français s'expriment. D'autres prononcent le pronom personnel *i* (pour *il* ou *ils*) devant une consonne *(i m'a dit, i sont v'nus) :* ce n'est pas une faute, c'est tout simplement du français parlé.

On croyait il y a quelques années (on le croit peut-être encore) que pour « parler populaire » il suffisait de prendre l'« accent parigot » (toujours cette localisation parisienne du français populaire), un accent traînard que les chanteurs des années 30 possédaient naturellement, de Mistinguett à Maurice Chevalier en passant par Fréhel et Henri Garat, dès qu'ils chantaient : « Pârih, c'est-uneu blon-on-dâeu !... » Or, les accents ne font que s'atténuer. C'est peut-être le plus grave danger, s'il en existe, que devrait affronter la langue française dans les prochaines années. Déjà, la langue parlée détermine souvent le genre des mots sur leur forme et féminise les mots masculins terminés par un *e muet (la belle âge, une grosse légume, une clope) ;* elle répugne à adopter le singulier où le sens appelle le pluriel *(aucun de nous ne l'avons cru) ;* à la première personne du pluriel, le pronom *nous* est remplacé par l'*on* singulier *(on s'emmerde).*

La négation *ne* est systématiquement omise *(J'en veux pas. Y a personne. Il en a qu'une).* Dans l'interrogation par contre, la langue familière a créé une particule, *ti* ou *til (Tu viens-ti ? Qui c'est-(t)il ?) ;* une autre forme de l'interrogation consiste à rejeter l'interrogatif à la fin *(On est où ? Ça fait combien ? Il est comment ?).*

Des prépositions deviennent adverbes *(Ça va avec. Je suis pour. Je sors jamais sans).* La préposition *en* indique la matière *(Un cheval en bois) ; de,* la privation ou une relation *(Il n'y a pas de chambre de libre) ; après,* le rapprochement *(Il a demandé après toi). Que,* pronom relatif, se substitue aux prépositions *où* et *dont (C'est une chose que tu peux être fier),* mais il est remplacé par *comme* dans les comparaisons *(Un chapeau pareil comme le mien).*

Il y a longtemps que l'on se plaint de ces atteintes au « code », mais cette évolution semble irréversible. Les linguistes aujourd'hui parlent moins au public d'atteintes aux « règles », comme ils le faisaient autrefois, que de « difficultés », preuve que les fautes sont de plus en plus courantes, de plus en plus naturelles. D'ailleurs, la plupart des Français tolèrent les incorrections lorsqu'il s'agit d'affronter les verbes irréguliers, soit en les remplaçant par une locution *(bruire = faire du bruit),* soit par substitution *(mouvoir = remuer, déplacer).* Le passé simple est réduit aux modèles des verbes du premier et du deuxième groupe ; il est confondu avec l'imparfait ou remplacé par le passé composé *(Je vins = Je suis venu).* Quant au futur, certains craignent de le voir disparaître peu à peu *(J'irai demain = Je vais demain).*

Cet essai d'inventaire de la langue populaire, familière, parlée aujourd'hui en France n'est évidemment pas un manuel de conversation. Tout au plus pourra-t-il aider à mieux comprendre, et pour les étrangers à mieux traduire. Les tableaux qu'on trouvera plus loin ne sont pas des exercices de thème, tout juste de version. Il ne s'agit après tout que du vocabulaire courant qu'un Français moyen, comme vous et moi, emploie en famille, au travail, au cours de ses distractions innocentes ou non, dans ses rapports avec l'argent, les femmes (et les hommes), et épisodiquement (car tout arrive dans la vie) avec la pègre ou la police. Rien ne doit permettre non plus de croire que ce vocabulaire, tel qu'il est imprimé ici, demeurera figé. Au contraire ! Car ce serait nier la vie même de ce français parlé.

Pratiquer une langue ne s'apprend pas dans un dictionnaire, mais par l'usage. Aussi serait-il imprudent d'utiliser sans une certaine circonspection les mots et les locutions de celui-ci : il est inutile de demander à un courtier en Bourse « s'il a dérouillé ce matin », car il pourrait mal l'entendre, ou à votre concierge « si elle en croque », ça pourrait la vexer. Les exemples d'usage accompagnant chaque mot devraient permettre, en principe, de discerner le niveau de langage.

Ce serait aussi une grave erreur de vouloir faire passer du jour au lendemain cette langue parlée dans la langue écrite, ou plus simplement d'« écrire comme on parle ». D'ailleurs, comment écrire ? Voyez déjà ce qui arrive à certains mots d'argot (qui ne sont bien souvent que de l'argot de polar) lorsqu'ils entrent dans les dictionnaires, affublés d'orthographes qui les défigurent et ne sont même pas justifiées par leur origine. Il vaut mieux écrire « à croume » qu'« à kroume » (qui fait zouave) et « encrister » qu'« enchrister » (doux Jésus !).

Ce serait enfin une autre erreur que de croire que les mots populaires ont tous une signification précise : c'est l'argot qui est une langue technique, mais non le français parlé, familier ou populaire, qui adopte parfois les mots pour leur seule sonorité et leur verve, et en modifie ou en détourne le sens. En indiquer l'étymologie (ce qui est parfois tentant) serait prendre le risque de détourner l'attention de leur sens actuel : on peut consulter pour cela Gaston Esnault, Albert Doillon ou Jacques Cellard. Nous nous sommes contentés de quelques indications d'origine :

– *argot,* quand le mot est encore principalement employé dans un sens particulier dans des milieux relativement fermés ;

– *largonji,* jargon qui substitue la lettre *l* à la première consonne et rejette celle-ci à la fin du mot avec un suffixe libre : *largonji* pour « jargon », *linvé* pour « vingt », *loucherbème* pour « boucher ». Le *loucherbème* est d'ailleurs proprement l'argot des bouchers et des abattoirs ; c'est un véritable code que les bouchers emploient entre eux ou parfois devant les clients pour ne pas en être compris. Le *loucherbème* est encore vivant et permet de préserver les liens corporatifs ;

– *verlan,* jargon revenu à la mode, qui consiste à retourner le mot à « l'envers », syllabe par syllabe : *brelica* pour « calibre », *chicha* pour « haschich », *laisse béton* pour « laisse tomber ». En *verlan,* l'*e* muet des finales se prononce [œ] et non [e] : *chetron* (« tronche ») = *cheutron* et non *chétron.* Les jeunes amateurs de *verlan* ont été jusqu'à créer un... verlan de verlan, le *lanvère,* ce qui révèle une certaine lassitude de ce jeu ;

– *javanais,* jargon qui introduit dans un mot une ou plusieurs fois la syllabe *av* ou *ag : gravosse* pour « grosse ». Ces jargons *(largonji, loucherbème, verlan)* sont nés il y a un peu plus d'un siècle, sous le second Empire. (On vendit même sur le boulevard une *Gazette de Java* entièrement rédigée en *javanais* !) Ils sont restés des jeux de langage, mais contribuent encore à enrichir la langue ;

– *pataouète* enfin, que les pieds-noirs d'Algérie ont introduit en France, avec sa syntaxe : « Plus beau que moi, tu meurs », « Ça va pas, la tête ? ».

Voici enfin que se pose une dernière question : les mots que recense ce dictionnaire – mots entendus dans les cafés et les lieux publics, dans la rue, dans les salles d'attente, dans les transports en commun, aux portes des écoles, dans la presse, à la radio, à la télévision, dans les livres récents, mots écoutés aux portes – vont-ils un jour entrer dans les dictionnaires d'usage ? Nombreux y sont déjà (mais non toutes leurs acceptions), qui n'y figuraient pas il y a seulement dix ans. Les lexicographes les y font entrer, sur la pointe des pieds et surtout sans le crier sur les toits, de crainte d'effaroucher le lecteur puriste ou pudibond. Nombreux aussi sont les mots qui n'auront pas cette chance, parce qu'ils seront sortis du langage parlé ou que leur usage restera limité à un métier ou à un groupe restreint. Aucun danger, par conséquent, de contamination du *Dictionnaire de l'Académie française.*

François Caradec

BALADE EN JARGONS

Petite anthologie
poétique de l'argot

Au fait, y a-t-il une « littérature argotique » ? Est-ce vraiment de l'argot, ou ce qu'on appelle généralement la langue populaire ? Il est bien difficile de lui assigner un niveau de langage – et qu'elle n'en sorte pas !

Cette littérature (au sens noble du mot « littérature ») est le plus souvent populacière. Si elle eut une fonction, ce fut plutôt, à diverses époques de notre histoire sociale, de répondre au goût des lecteurs (et des auteurs) de s'encanailler. Des *Écosseuses* du XVIIIe siècle aux auteurs et traducteurs de la « Série Noire », en passant par Aristide Bruant qui engueulait la clientèle bourgeoise de son cabaret montmartrois, la complaisance couvre parfois la sincérité.

Pourtant, à la langue des poètes l'argot apporte, l'avait remarqué Robert Desnos, une « imagerie aiguë », une densité, et la rime une richesse nouvelle qui favorise la mémorisation d'un vocabulaire à la fois insolite et familier. C'est pour cette raison que cette petite anthologie ne regroupe volontairement que des poètes.

En prose, nous n'aurions pu donner que des extraits, alors que la plupart des poèmes qui suivent sont publiés intégralement. Quel dommage de ne pas lire en leur entier les œuvres d'Henri Monnier (*les Bas-Fonds de la société,* 1862), de Louis Forton (*les Pieds nickelés* sont nés en 1908), de Marc Stéphane (*Ceux du trimard,* 1928), de Fernand Trignol (dont on a oublié de rééditer *Vaisselle de fouille* depuis 1955), d'Albert Simonin, d'Auguste Le Breton, de Jo Barnais (sous le pseudonyme de cet auteur de polars se cache le chanteur Georgius), et naturellement de Louis-Ferdinand Céline, d'Alphonse Boudard et de San Antonio (Frédéric Dard). On les retrouvera d'ailleurs dans *l'Anthologie de la littérature argotique* de Jacques Cellard (Mazarine, 1985).

Nous avons écarté aussi les chansons, souvent anonymes, des chansons du bagne au répertoire des chanteuses « réalistes » des années 20 et 30 (l'une d'elles avait choisi le pseudonyme de « Piaf »), en passant par les chansons de café-concert du siècle dernier, qui ont si longtemps bercé au coin des rues ce que Jehan

Rictus appelait « le Cœur populaire ». C'est que leur véritable anthologie demanderait une cassette, chantée, paroles et musique, et accueillerait de nombreux compositeurs contemporains, Mac Orlan, Georges Brassens, Pierre Perret (qui a publié son propre glossaire d'argot), Renaud. Cette anthologie reste encore à faire.

L'étude de cette poésie argotique montrerait qu'elle est le plus souvent d'origine savante et rarement populaire. Mais nous n'y pouvons rien : la poésie est un art, et l'art est difficile.

On peut regretter que Victor Hugo ne nous ait pas laissé, en vers, une « Légende de la cour des Miracles », plutôt que les leçons d'argot de Gavroche dans *les Misérables.* On touche ici aux choix secrets du poète : pourquoi Max Jacob ou Léon-Paul Fargue (des jargons plein les fouilles), pour ne citer qu'eux, n'ont-ils pas écrit en argot ? Pourquoi Francis Carco mêle-t-il l'argot à ses romans, et si peu dans ses vers ? C'est sans doute parce qu'ils sont poètes, et qu'un seul langage (le « noble » *ou* la « langue verte ») ne saurait leur suffire : ils ont besoin de *tous* les mots, quitte à en créer de nouveaux, et se limitent rarement à n'employer qu'un seul jargon.

Autant qu'il a été possible, nous avons accompagné les poèmes d'un essai de traduction, lorsque les mots, oubliés, rejetés, vieillis ne figurent pas dans le dictionnaire. Ce n'est pas toujours aisé. On connaît pour certains poèmes anciens plusieurs traductions différentes (et Pierre Guiraud a donné trois interprétations contradictoires des *Ballades en jargon* de François Villon suivant la position qu'on adopte pour les lire). Peut-être vaut-il mieux ne pas trop savoir : le plaisir que l'on prend à la lecture d'un poème peut s'évanouir devant une traduction juxtalinéaire.

Le but de cette anthologie n'est pas de proposer un recueil d'exercices de version sur une langue morte ; c'est au contraire un hommage à la musicalité du français populaire et de l'argot.

François Villon est le plus grand de nos poètes en argot. Le plus sincère, est-ce bien certain ? Expression spontanée ou jeu savant, jargon authentique ou corrompu, au fond peu importe.

Six, parfois sept des onze ballades connues ont été authentifiées. Quand parurent les six premières *Ballades en jargon* dans l'édition Levet, en 1489, Villon pouvait alors avoir cinquante-huit ans. En est-il l'auteur, ou même le seul auteur ?

Nous avons choisi deux ballades : la troisième et la cinquième, pour leurs rythmes différents ; la première avec ses irrégularités de nombre, comme si certains mots devaient être élidés et qu'elle pouvait être chantée ; la seconde au contraire pour son habileté prosodique. Les essais de traduction sont évidemment très contestables.

TROISIÈME BALLADE

Spelicans
Qui en tous temps
Avances dedans le pogoiz
Gourde piarde
Et sur la tarde
Desboursez les pouvres nyais
Et pour soustenir voz pois
Les duppes sont privés de caire
Sans faire haire
Ne hault braire
Metz plantez ilz sont comme joncz
Par les sires qui sont si longs

Souvent aux arques
A leurs marques
Se laissent tous desbouses
Pour ruer
Et enterver
Pour leur contre que lors faisons
La fee les arques vous respons
Et rue deux coups ou trois
Aux gallois
Deux ou trois
Nineront trestout au frontz
Pour les sires qui sont si longs

Et pour ce bevardz
Coquillars
Rebecquez vous de la montjoye
Qui desvoye
Vostre proye
Et vous fera du tout brouer
Par joncher
Et enterver
Qui est aux pigons bien chair
Pour rifler
Et placquer
Les angelz de mal tous rons
Pour les sires qui sont si longs

De paour des hurmes
Et des grumes
Rasurez voz en droguerie
Et faierie
Et ne soiez plus sur les joncs
Pour les sires qui sont si longs

Cette ballade semble être une mise en garde contre les taverniers qui prennent tout l'argent des buveurs, et provoquent des bagarres pour faire intervenir le guet.

Spoliateurs / qui tout le temps / plongez dans le seau / le pot à vin / et le soir / videz la bourse des pauvres niais ; / et pour compenser le poids *(du liquide)* / les dupes sont dépouillés de leur argent / sans faire de bruit / ni pousser de hauts cris, / mais ils sont « jonchés » *(roulés)* / par les mecs qui sont si habiles.

Souvent dans les caveaux / chez eux / ils se laissent voler / pour avoir un prétexte de cogner / et faire en sorte / que nous nous défendions. / Le guet des tavernes répond à leur appel / et cogne deux ou trois coups / sur les compagnons. / Deux ou trois *(d'entre eux)* / prendront tout sur la gueule / à cause des mecs qui sont si habiles.

C'est pourquoi, naïfs / Coquillards / méfiez-vous de la *(?)* / qui détourne / votre proie / et vous fera enfuir / par tromperie / et ruse / ce qui est cher payé pour comprendre / pour une querelle / et jeter à terre / les archers *(les « anges gardiens » atteints de sales maladies)* / à cause de ces mecs qui sont si habiles.

De peur des « hurmes » et des « grumes » *(du gibet)* / méfiez-vous de ces rôdeurs *(le guet)* / et de leur troupe / et ne soyez plus roulés / par les mecs qui sont si habiles.

CINQUIÈME BALLADE

Joncheurs jonchans en joncherie
Rebignez bien ou joncherez
Quostac nembroue vostre arerie
Ou accolles sont voz ainsnez
Poussez de la quille et brouez
Car tost seriez rouppieux
Eschec quacollez ne soies
Par la poe du marieux

Bendez vous contre la faerie
Quant vous auront desbouses
Nestant a juc la rifflerie
Des angelz et leurs assoses
Berard si vous puist renversez
Si greffir laisses vos carrieux
La dure bien tost renverses
Pour la poe du marieux

Entervez a la floterie
Chanter leur trois sans point songer
Quen astes ne soies en surie
Blanchir voz cuirs et essurgez
Bignes la mathe sans targer
Que voz ans nen soient ruppieux
Plantes ailleurs contre sieges assegier
Pour la poe du marieux

Prince bevardz en esterie
Querez couplaus pour ramboureux
Et au tour de vos ys luezie
Pour la poe du marieux

Cette ballade met en garde les « joncheurs » contre les archers qui ont pour habitude de dépouiller pour leur propre compte les voleurs et les escrocs qu'ils attrapent ; si vous êtes pris, niez tout et surtout prenez la fuite.

Trompeurs experts en tromperie / faites attention ou bien vous serez trompés, / si bien que votre (arerie) en mourra / où sont déjà pendus vos aînés. / Jouez de la jambe et filez / sinon vous seriez vite quinauds. / Faites attention de ne pas être pendus / par la main du bourreau.

Groupez-vous contre la confrérie (le guet) / quand ils vous auront dépouillés. / Il est constant (il n'a pas de repos), le pillage / par les archers et leurs acolytes. / Vous êtes bons à pendre s'ils peuvent vous faire tomber / et si vous vous laissez prendre (carrieux ?) / le sol sera bientôt à l'envers / grâce à la main du bourreau.

Comprenez la combine / racontez une histoire sans y croire (fausse) / pour que vous ne soyez vite au gibet, / pour vous disculper, et fuyez l'endroit sans attendre / que vous soyez en mauvaise santé, / allez ailleurs plutôt que d'être saisis (?) / par la main du bourreau.

Prince naïf en escroquerie / échappez au bourreau (chargé de vous pendre) / et autour de vous faites attention / à la main du bourreau.

. . .

Marc de Papillon, seigneur de Lasphrise (1555-1599), a laissé un recueil de sonnets baroques fort apprécié des amateurs. On peut penser que cet authentique capitaine, qui prit sa retraite à trente-cinq ans, pratiquait couramment le langage des soudards.

SONNET
en authentique langage soudardant

Accipant du marpaut la galière pourrie,
Grivolant porte-flambe, enfile le trimart ;
Mais en dépit de Gille, ô gueux, ton girouart,
A la mette on lura ta biotte cônie ;

Tu peux gourd-piailler, me credant, et morfie
De l'ornion, du morne ; et de l'oygnan criart,
De l'artois blanchemin. Que ton riflant chouart
Ne rive du courrier l'andrinelle gaudie.

Ne rousse point du sabre au mion du taudis,
Qu'il n'aille au Gaul farault, gergonant de tesis ;
Que son journal, o flus, n'empoupe ta fouillouse.

Embiant et rouillarde, et de noir roupillant
Sur la gourde fretille et sur le gourd volant,
Ainsi tu ne luras l'accolante tortouse.

Prenant à un pauvre type sa jument pourrie, / Soldat portant l'épée, prends la route ; / Mais en dépit de Gille *, ô gueux, ton saint patron, / Au lever du jour on verra ta bête morte.

Tu peux bien boire, crois-moi, et mange / Du poulet, du mouton ; et de la graisse animale, / Du pain blanc. (Mais) que ton brûlant membre viril / N'enfile pas la fille enceinte du valet.

Ne rosse pas avec ton bâton le garçon de la maison, / Pour qu'il n'aille au patron, se plaignant de toi ; / Que son salaire journalier, au jeu de cartes, n'emplisse ta poche.

Allant avec une bouteille, et la nuit dormant / Sur la bonne paille et sur une bonne couverture, / Ainsi tu ne verras pas la corde s'enrouler autour de ton cou.

* « Faire Gille », c'est s'enfuir. Cette expression populaire, inspirée sans doute par un personnage de la foire, n'a rien à voir naturellement avec saint Gilles.

Un saut de plus de deux cents ans : au XVIIIe siècle, Jean Vadé (1720-1757) est l'auteur de *Bouquets poissards* et de *la Pipe cassée,* poème « poissard » maintes fois réédité, d'une prosodie laborieuse qui ne nous touche plus. Les débuts du XIXe siècle ne seront pas plus heureux, malgré les romantiques et leur attirance pour le crime et la misère. Eugène Vidocq (1775-1857), bagnard et policier, cite d'intéressantes chansons dans ses *Mémoires* en 1828 : nous entrons dans une ère où les authentiques truands se flattent de savoir écrire. Et l'assassin Pierre-François Lacenaire (1800-1836), qui a aussi écrit ses *Mémoires* en prison, taquine la muse Argot au pied de la guillotine :

DANS LA LUNETTE

Pègres traqueurs, qui voulez tous du fade,
Prêtez l'esgourde à mon der boniment :
Vous commencez à tirer en valade,
Puis au grand truc vous marchez en taffant.
Le pante aboule,
On perd la boule,
Puis de la taule on se crampe en rompant.
On vous roussine ;
Et puis la tine
Vient remoucher la butte en rigolant.

Voleurs poltrons, qui voulez tous une part du butin, / Prêtez l'oreille à mes dernières paroles / Vous commencez par voler dans les poches, / Puis au cambriolage vous allez en tremblant. / Le propriétaire arrive, / On perd la tête, / Puis de la maison on s'enfuit. / On vous dénonce ; / Et puis la foule / Vient vous voir guillotiner en riant.

Dans les *Goualantes de La Villette et d'ailleurs,* parues en 1929, Émile Chautard cite cette « romance trouvée dans les vallades de Fanfan Chaloupe, chifforton, cané d'une apoplexie de cochon, à l'âge de 73 longes, à la lourde du sieur Riffaudez-nous, mannezingue, à l'enseigne de la "Sauterelle éventrée", barrière de la Courtille. – Paris, 1850, placard in-quarto. »

Nous commençons à avoir quelques doutes. Chautard, à qui il ne faut pas accorder trop de confiance, supposait lui-même que cette romance avait été « poétisée ». Toutefois, si la datation est exacte, elle annonce les couplets qu'Aristide Bruant chantera trente ans plus tard dans les cabarets.

L'ASSOMMOIR DE BELLEVILLE

Bifins qui n'avez que dix rades,
J'vas vous montrer un chouett' courant,
Pour abreuver les camarades,
Au plus bas blot, c'est délirant !
Quant vot' gonzess' vous entortille,
Filez à gauch' de la Courtille,
Vous payer un coup d'arrosoir
À l'Assommoir.

Faut pas blaguer, le trèpe est batte,
Dans c'taudion, i's'trouv' des rupins,
Si queuq's gonziers traîn'nt la savate,
J'en ai r'bouisé qu'ont d's escarpins.
Pour lâcher d'un cran l'genr' canaille,
Il n'leur manqu' que des gants de paille ;
Mais on n'est pas t'nu d'en avoir
À l'Assommoir.

Les méness's s'aboul'nt par douzaines
R'nifler leur petit fad' d'eau-d'af,
Si leurs chass's coul'nt comm' des fontaines,
Un' chopin' ne leur coll' pas l'taf :
Des fois quand l'temps s'tourne à la lance,
C'est épatant comm' tout ça danse...
Vl'à coup dur du matin au soir,
À l'Assommoir.

J'en r'mouch' qui frisent pas mal leur naze
À cause des propos incongrus
Qu'mon chiffon, qui n'aime pas la gaze,
Leur lâche en mots un peu trop crus.
C'est qu'j'ai fait, foi d'Fanfan Chaloupe !
Mes études au Camp de la Loupe :
Aussi j'conobr' c'qu'on doit savoir
À l'Assommoir.

Un tas d'bibons à douilles blanches,
Sitôt qu'ils ont du carm' de trop,
N'attend'nt pas fêt's et dimanches
Pour y pincer un coup d'sirop.
Après tout, moi, je les excuse,
Faut bien qu'la vieillesse s'amuse ;
Ell' tient si proprement l'crachoir
À l'Assommoir.

Comm' je n'fais pas fi d'la lichance,
Je m'pouss' quéqu'fois de c'côté-là !
Un courant d'air, pas plus qu'ça d'chance,
J'visite les aminch's, et voilà...
Ces gens qu'd'aucuns trait'nt de crapule,
Moi j'trinque avec eux sans scrupule ;
On est égal d'vant l'abreuvoir
À l'Assommoir.

Chiffonniers qui n'avez que dix sous, / Je vais vous mettre au courant d'un chouette truc / Pour payer à boire à vos camarades / au prix le plus bas, c'est délirant ! / Quand votre femme vous ennuie, / Prenez à gauche de la Courtille / Pour vous payer un coup à boire / À l'Assommoir.

Sans blague, le public est bien. / Dans ce bistrot, il y a des gens riches. / Si quelques individus n'ont pas d'argent, / J'en ai remarqué qui ont des escarpins. / Pour ne pas être tout à fait du genre canaille, / Il ne leur manque que des gants de peau jaune ; / Mais on n'est pas tenu d'en avoir, / À l'Assommoir.

Les filles arrivent par douzaines, / Boire leur petit coup d'eau-de-vie. / Si leurs yeux coulent comme des fontaines, / Un client (ou une chopine ?) ne leur fait pas peur. / Parfois, quand le temps tourne à la pluie, / C'est épatant comme tout le monde danse... / C'est la noce du matin au soir. / À l'Assommoir.

J'en remarque qui pincent le nez / À cause des propos incongrus, / Que ma langue, qui dit les choses sans détour, / Leur lâche des mots un peu trop crus. / C'est que j'ai fait, foi de Fanfan Chaloupe, / Mes études au cabaret le « Camp de la Loupe », le champ des fainéants. / Aussi, je sais ce qu'on doit savoir, / À l'Assommoir.

Un tas de poivrots à cheveux blancs, / Sitôt qu'ils ont de l'argent en trop, / N'attendent pas les jours de fête et les dimanches / Pour s'enivrer. / Après tout, ils sont excusables, / Il faut bien que vieillesse s'amuse ; / Elle cause si bien / À l'Assommoir.

Comme j'aime bien boire, / Je vais quelquefois de ce côté. / Un petit moment, pas plus que ça de chance, / Je rends visite aux amis, et voilà... / Ces gens-là que certains traitent de crapules, / Je trinque avec eux sans scrupule. / Les hommes sont égaux devant un verre, / À l'Assommoir.

La plus importante production de poésie argotique commence avec le second Empire. C'est l'âge d'or de la chanson de café-concert, qui s'épanouit dans les milieux populaires. Les poètes eux-mêmes sont emportés par la mode. Paul Verlaine (1844-1896) comme les autres. Ce poème date de 1868 ; il a été repris plus tard dans le journal *le Chat Noir.* Il est plus canaille qu'argotique : Paul Verlaine est plus libre dans l'obscénité.

L'AMI DE LA NATURE

J'crach' pas sur Paris, c'est rien chouett' !
Mais comm' j'ai une âm' de poèt',
Tous les dimanch's j'sors de ma boît'
Et j'm'en vais avec ma compagne
À la campagne.

Nous prenons un train de banlieu'
Qui nous brouette à quèques lieu's
Dans le vrai pays du p'tit bleu,
Car on n'boit pas toujours d'champagne
À la campagne.

Ell' met sa rob' de la Rein'Blanch'
Moi, j'emport' ma pip' la plus blanch' ;
J'ai pas d'chemis', mais j'mets des manch's,
Car il faut bien qu'l'éléganc' règne
À la campègne.

Nous arrivons, vrai, c'est très batt' !
Des écaill's d'huîtr's comm' chez Baratt'
Et des cocott's qui vont à patt's,
Car on est tout comme chez soi
À la camp – quoi !

Mais j'vois qu'ma machin' vous em... terre,
Fait's-moi signe et j'vous obtempère,
D'autant qu'j'demand'pas mieux qu'de m'taire...
Faut pas se gêner plus qu'au bagne,
À la campagne.

Rappelons seulement que le *petit bleu* est un vin aigrelet tel qu'on le produisait encore à cette époque sur les pentes de Montmartre, sur les coteaux de Suresnes et à Bagneux. Quant à la Reine Blanche, c'est un bal que doit fréquenter assidûment (et professionnellement) la « compagne » du poète.

Mais c'est Jean Richepin (1849-1926), normalien et bohème, qui publie en 1876 le premier recueil où fleurissent la langue populaire et l'argot, *la Chanson des gueux.*

LA CHANSON DES GUEUX

Venez à moi, claquepatins,
Loquèteux, joueurs de musettes,
Clampins, loupeurs, voyous, catins,
Et marmousets, et marmousettes,
Tas de traîne-cul-les-housettes,
Race d'indépendants fougueux !
Je suis du pays dont vous êtes :
Le poète est le Roi des Gueux.

Le livre fut saisi et Richepin condamné pour « outrage à la morale publique et aux bonnes mœurs » : la petite sœur du dernier quatrain de *Voyou* ne passait pas. Les deux autres poèmes que nous citons, *Dab* et *Dos,* n'étaient pas non plus tout à fait dans l'esprit de l'« Ordre moral ».

VOYOU

J'ai dix ans. Quoi ! ça vous épate ?
Ben ! c'est comm' ça, na ! j'suis voyou,
Et dans mon Paris j'carapate
Comme un asticot dan' un mou.

Sous l'bord noir et gras d'ma casquette,
Avec mes doigts aux ongue' en deuil,
J'sais rien m'coller eun' rouflaquette
Tout l'long d'la temp', là, jusqu'à l'œil.

J'peux m'parler tout ba' à l'oreille
Sans qu'personne entend' rien du tout.
Quand j'rigol', ma gueule est pareille
À cell' d'un four ou d'un égout.

Mes jamb's sont fait's comm' des trombones.
Oui, mais j'sais tirer – gar'là d'ssous ! –
La savate, avec mes guibonnes
Comm' cell's d'un canard eud' quinz' sous.

J'ai l'piton camard en trompette.
Aussi, soyez pa' étonnés
Si j'ai rien qu'du vent dans la tête :
C'est pac'que j'ai pas d'poils dans l'nez.

Près des théâtres, dans les gares,
Entre les arpions des sergots
C'est moi que j'cueill' les bouts d'cigares,
Les culots d'pipe et les mégots.

Ben, moi, c't'existence-là m'assomme !
J'voudrais posséder un chapeau.
L'est vraiment temps d'dev'nir un homme.
J'en ai plein l'dos d'être un crapaud.

Les pant's doiv'nt me prend' pour un pître,
Quand, avec les zigs, sur eul' zinc,
J'ai pas d'brais' pour me fend' d'un litre,
Pas mêm' d'un mêlé-cass' à cinq.

Mais crottas ! si j'suis pas d'la haute,
Quoi qu'en jaspin'nt les médisants,
Faut pas dir' qu'ça soye d'ma faute :
– Ma sœur a pa' encor dix ans.

Tous les mots d'argot sont dans notre dictionnaire. À noter seulement que les *guibonnes* sont les *guibolles,* et les *pantes,* mot qui a disparu de la langue, les « bourgeois ».

DAB

Paraît que j'suis dab ! ça m'esbloque.
Un p'tit salé, à moi l'salaud !
Ma rouchi' doit batt' la berloque.
Un gluant, ça n'f'rait pas mon blot.

Qué qu'j'y foutrai dans la trompette,
À c'lancier-là, s'il vient vivant ?
À moins qu'il sorte un jour que j'pète
Et qu'il veuill' tortorer du vent.

Et puis, quoi, Fifine a trop d'masse
Pour s'coller au pucier. Mais non !
Pendant qu'elle y f'rait la grimace,
Quoi donc que j'bouff'rais, nom de nom ?

Moi, j'ai besoin qu'ma Louis' turbine.
Sans ça j'tire encore un congé
À la Maz ! Gare à la surbine !
J'deviens grinch' quand j'ai pas mangé.

La *rouchie* de ce père putatif est sa compagne ; *ce lancier-là,* un individu quelconque ; la *masse,* le travail. Quand il a faim, ce proxénète devient voleur *(grinche) ;* il risque alors de ne pas échapper à la surveillance (la *surbine*) de la police, qui l'enfermera à *Maz* (la prison de Mazas).

DOS

Alors, vrai, vous trouvez qu'je m'goure ?
Et puis après ? J'ai un chouette moure,
La bouche plus p'tite que les calots,
L'esgourde gironde comme une Ostende.
Aussi j'm'ai dit : Vivons d'not'viande !
J'aim' mieux êt'dos.

D'ailleurs, c'est pas rien que d'ma faute.
J'ai voulu masser comme un aut'e ;
J'ai eu des jours pas rigolos ;
Mais ça m'rend malade quand que j'chine.
J'ai une arête en place d'échine.
J'aim' mieux êt'dos.

Franchement, quoi foute ! De l'épic'rie ?
Débiter d'la morue pourrie,
Aussi pourrie qu'les aristos ?
Là, sans blague, c'est-y dans l'commerce
De l'hareng saur qu'un maquereau perce ?
J'aim' mieux êt'dos.

P't'êt' qu'en maquillant dans la banque... ?
Avec d'la galette à la manque,
On fait suer l'pognon des gosos.
Bon p'tit truc ! J'y dirais bien tope !
Mais bath ! L'mien est encor plus prop'e.
J'aim' mieux êt'dos.

J'ai pensé, pour me tirer d'peines,
À m'faire frère des écoles chrétiennes.
Ah ! ouiche ! Et l'taf des tribunaux ?
Puis, j'suis pas pour les pantes en robe.
Avoir l'air d'un mâle, v'là c'que j'gobe.
J'aim' mieux êt'dos.

J'ai bien quèqu'part un camerluche
Qu'est dab dans la magistrat'muche.
Son jaspin esbloue les badauds.
Il veut m'insinuer dans la rousse.
Pourquoi pas m'faire bouffer d'la mousse ?
J'aim' mieux êt'dos.

Final'ment, sur tout ça j'me mouche.
L'turbin, c'est bon pour qui qu'est mouche.
À moi, il fait nib dans mes blots.
Avec une frime comme j'en ai une,
Un mariol sait trouver d'la thune.
J'aim' mieux êt'dos.

C'est la raison pourquoi qu'je m'goure.
Mon gniasse est bath : j'ai un chouette moure,
La bouche plus p'tite que les calots,
L'esgourde gironde comme une Ostende.
Aussi, j'm'ai dit : Vivons d'not' viande !
J'aim' mieux êt'dos.

Le *dos* est un proxénète, un *dos vert* (ou *maquereau*). Il est méfiant. Avec sa bonne gueule, sa bouche plus petite que les yeux, sa jolie oreille, il s'est dit : Vivons de notre corps ! Il aurait bien voulu travailler comme un autre, mais ça le rend malade, le travail. Il a une arête dans le dos, ce qui est normal pour un *maquereau.* L'épicerie n'est pas un métier. Alors travailler dans la banque ? Il aurait pu devenir frère des écoles chrétiennes, mais... il a peur des tribunaux. D'ailleurs, il n'aime pas les hommes qui portent une robe. Bien sûr, il a un ami qui est quelque chose d'important dans la magistrature et dont le bagout éblouit les badauds ; il veut le faire entrer dans la police ! Pourquoi pas manger de la merde ? Le *dos* crache sur tout ça. Le travail est bon pour les ratés : il ne lui convient pas (*nib dans mes blots,* pas dans mes « comptes », mes convenances). Avec une gueule comme la sienne, un malin sait trouver de l'argent. C'est la raison pour laquelle il se méfie des autres métiers : lui (*mon gniasse,* moi) est très bien comme ça : il préfère être proxénète.

Auguste de Châtillon (1813-1881), qui était peintre, fut connu en son temps pour un recueil de poèmes, *À la Grand'Pinte* et surtout un monologue, *la Levrette en pal'tot.*

LA LEVRETTE EN PALETOT

Y a-t'y rien qui vous agace
Comme un' levrette en pal'tot !
Quand y'a tant d'gens su' la place
Qui n'ont rien à s'mett' su' l'dos ?

J'ai horreur de ces p'tit's bêtes,
J'aim' pas leux museaux pointus ;
J'aim' pas ceux qui font leux têtes
Pass' qu'iz'ont des pardessus. (...)

Ça m'fait suer, quand j'ai l'onglée,
D'voir des chiens qu'ont un habit !
Quand, par les temps de gelée,
Moi j'n'ai rien, pas même un lit. (...)

Ça doit s'manger, la levrette.
Si j'en pince une à huis clos...
J'la f'rai cuire à ma guinguette
J't'en fich'rai, moi, des pal'tots !

Ami d'André Gill (1840-1885), caricaturiste de grand talent, Auguste de Châtillon passe pour être l'auteur de la plupart des poèmes de *la Muse à Bibi* (1879), qui avaient précédemment paru dans le journal d'André Gill, *la Petite Lune.*

NOCTURNE

[...]
Zinguer tout seul, c'est pas mon blo'.
Qui ça ? Joseph el machinisse,
Un homme d'théât', un artisse,
Boir' tout seul ? – Oh ! la la. – Tableau !

Tiens ! Pig's-tu la lun' qui s'balade ?
Qué qu'a boit donc, c'te bourriqu'-là
Pour avoir la gueul' blanch' comme ça ?
Y a pas d'bon sens ; vrai, qué panade !

Si j'y payais un lit' ! – Tableau !...
Un peu plus longue, un peu moins ca'me,
On dirait la gueule à ma femme ;
C'est tout craché... sauf el' bandeau

Qu'a s'coll' chaqu' fois su' l'coin d'la hure
Après qu'nous nous somm's expliqués.
C'est pas qu'j'aim' y taper dans l'nez ;
J'haï ça ; c'est cont' ma nature.

Mais pourquoi qu'a m'fait des ch'veux gris ?
Faudrait qu'j'y fout' l'argent d'mes s'maines.
J'ai beau y coller des châtai'nes.
A r'pique au tas tous les sam'dis.
[...]

Zinguer, boire au comptoir.

C'est Aristide Bruant (1851-1925) qui est l'argotier le plus connu de la fin du siècle. D'abord compositeur et chanteur de café-concert, il fit partie de la première bordée du *Chat Noir,* ouvert en 1881 à Montmartre, boulevard Rochechouart. C'est là qu'il trouva son filon. Il reprit le local à son compte quand le cabaret déménagea en 1885 : toute la bourgeoisie s'entassa au *Mirliton* pour y entendre le chansonnier dans ses œuvres. Certaines de ses chansons sont devenues des classiques ; ses monologues sont moins connus. Les deux suivants datent de 1886.

LÉZARD

On prend des magnièr's à quinze ans,
Pis on grandit sans
Qu'on les perde :
Ainsi, moi, j'aim'bien roupiller,
J'peux pas travailler,
Ça m'emmerde.

J'en foutrai jamai' eun' secousse,
Mêm' pas dans la rousse
Ni dans rien.
Pendant que l'soir ej'fais ma frape,
Ma sœur fait la r'tape,
Et c'est bien :

Alle a pus d'daron, pus d'daronne,
Alle a pus personne,
Alle a qu'moi.
Au lieu d'sout'nir ses père et mère,
A soutient son frère,
Et pis, quoi ?

Son maquet, c'est mon camarade.
I'veut bien que j'fade
Avec eux.
Aussi j'l'aim', mon beau-frère Ernesse,
Il est à la r'dresse
Pour nous deux.

Ej' m'occup' jamais du ménage,
Ej' suis libre, ej' nage
Au dehors,
Ej' vas sous les sapins, aux buttes,
Là j'allong' mes flûtes
Et j'm'endors.

On prend des magnièr's à quinze ans,
Pis on grandit sans
Qu'on les perde :
Ainsi, moi, j'aim' bien roupiller,
J'peux pas travailler,
Ça m'emmerde.

Le *maquet* est le proxénète, le *maquereau* avec lequel la sœur est *maquée.* Il accepte de *fader,* c'est-à-dire de partager.

BONNE ANNÉE

Moi, ça m'emmerde l'jour de l'an :
C'est des giri's c'est des magnières.
On dirait qu'on est des rosières
Qui va embrasser sa maman.

C'en est des fricassé's d'museau :
Du p'tit môme à la trisaïeule,
Les gén'rations s'lich'nt la gueule.
En d'dans ça s'dit : Crèv'donc, chameau !

Su'l'boul'vard on n'est pus chez soi :
Ya'cor' pus d'mond' que les dimanches,
Autour d'un tas d'baraqu' en planches,
Des magnièr's de nich' oùs qu'on voit :

Des poupé's, des sing's, des marrons
Glacés, des questions nouvelles,
Des dragé's, des porichinelles,
J'te vas en fout', moi, des bonbons !

Tas d'prop'à rien, tas d'saligauds,
Avec vos môm's, avec vos grues,
Vous m'barrez l'trottoir et les rues,
J'peux pus ramasser mes mégots !

C'est qu'il a du mal, el'trottoir,
Pour caler les jou' à son monde :
J'peux pus compter su'ma gironde.
On me l'a ramassé' l'aut'soir.

Et faudrait qu' j'ay' el'cœur content ?
Ah ! nom de Dieu ! c'est rien de l'dire :
J'étais ben pus chouett' sous l'Empire...
Ça m'emmerdait pas l'jour de l'an !

À l'époque du Jour de l'An, s'installaient sur les trottoirs des grands boulevards, comme aujourd'hui encore, des baraques en bois où l'on vendait de la confiserie, des jouets et des jeux d'adresse et de réflexion, jeux d'actualité, « questions du jour » et « questions nouvelles ». Sous la IIIe République, en 1886, le vieux ramasseur de mégots regrette le second Empire, vingt, trente ans plus tôt, lorsqu'il était plus jeune, plus *chouette,* plus heureux.

En 1888, Raoul Ponchon (1847-1947), poète innombrable (il aurait écrit 150 000 vers, soit 20 000 de plus que Victor Hugo), ami de Jean Richepin (ils partagent la même tombe), publia ce poème dans *le Courrier français :*

V'LÀ LA NEIGE

V'là la neige qui décanille,
Nom de Dieu, quel temps d'cocus !
C'est à pein' si j'sens mes quilles,
Mes esgourdes j'les ai plus.

C'qui fait chaud, non, c'est un' paille.
J'vas prend' feu, pour sûr de sûr ;
Voyons... s'i' m'reste un' médaille
J'm'offrirai quéqu' chos' de dur.

J'sors pourtant d'boire un' chopine
Pour fair' couler un d'mi-s'tier,
Ça m'réchauff' ben la poitrine,
Mais c'est mes saligauds d'pieds !...

J'suis frileux, c'est ma nature ;
J'ai la peau fin' comme un roi.
Et j'vous empoign' des eng'lures
Rien qu'en rêvant qu'il fait froid.

Et pis j'n'ai qu'des chaussett' russes
Et mes rigadins prenn't l'air.
Ah, ben, vrai, c'que j'plains mes puces,
Ell' pass'ront un sale hiver.
[...]

Porter des *chaussettes russes* consistait à s'emballer les pieds avec des morceaux de tissu ou de papier. Le mot date de la guerre de Crimée (1854-55).

Curieusement, la période anarchiste des années suivantes, dont de nombreux écrivains et non des moindres partagèrent les idées, ne fut guère favorable à l'argot, si l'on excepte le journal d'Émile Pouget (1860-1931), *le Père Peinard.* Ravachol lui-même monte sur l'échafaud en 1892 en chantant *la Chanson du père Duchesne,* un cri de révolte où l'on ne relève pas un mot d'argot.

Si tu veux être heureux,
Nom de Dieu,
Pends ton propriétaire !

Et c'est dans les recueils de poètes méconnus qu'il faut chercher une expression argotique, comme *les Culs rouges* (1895) d'Ary Steede. (Les fantassins, rappelons-le, portaient alors le pantalon garance.)

TIREUR AU CUL

Hein ! qu'estqu'c'est qu'ça ?... L'réveil, Bon Dieu,
Merd' ! moi qu'étais si bath au pieu,
J'peux pas continuer mon rêve,
Faut qu'j'ouv'les châss', faut que j'me lève,
Qu'j'aill' fair' el jacque'un sac su'l'dos...
Moi qu'ai si tant besoin d' repos !
Y s'pass'ront ben d'moi, j'reste au pagne :
J' me fous d'leur service en campagne.

Tant pis si j'ai quat' jours ed plus !
– Hé, l'homm' de chamb', mon quart ed jus
Ben quoi ? – C'est cor meilleur qu' la flotte. –
Ej chahutais avec Lolotte,
La môm' girond' qui d'meure au coin
– Merd', v'là l'cabo qui fait du foin
C'est malheureux d'avoir la frousse
Comm'ça ! – J' la gobe c'te p'tit' rousse ;
Ej'sens déjà que j'suis jaloux
Et mêm', que si j's'rais son... époux
J'voudrais pas qu'a cause à personne
– ? On dirait qu'c'est l'appel qui sonne –
...Seul'ment j'crois qu'a fait la putain
Bon Dieu ! j'ai la cosse à c'matin...
Tant pis, j'me pay' d'la roupillade.

– Hé ! sergent, vous m'port'rez malade.

C'est l'époque où Jean Rictus (Gabriel Randon, 1867-1933) vient dire dans les cabarets ses *Soliloques du pauvre.* En 1896, il jette à la figure du public le premier mot de *l'Hiver :*

« Merd' ! v'là l'Hiver et ses dur'tés... »

Coïncidence : le premier mot de la première réplique de la scène I de l'acte Ier d'*Ubu roi* est lancé sur la scène du théâtre de l'Œuvre la même année...

Ces premiers vers de *l'Hiver* sont toujours d'actualité. Nous les faisons suivre d'une « prière » extraite d'un long poème, *le Revenant,* qui envisage le retour du Christ sur terre.

L'HIVER

Merd' ! V'là l'Hiver et ses dur'tés,
V'là l'moment de n' pus s'mettre à poils :
V'là qu'ceuss' qui tienn'nt la queue d'la poële
Dans l'Midi vont s'carapater !

V'là l'temps ousque jusqu'en Hanovre
Et d'Gibraltar au cap Gris-Nez,
Les Borgeois, l'soir, vont plaind' les Pauvres
Au coin du feu... après dîner !

Et v'là l'temps ousque dans la Presse,
Entre un ou deux lanc'ments d'putains,
On va r'découvrir la Détresse,
La Purée et les Purotains !
[...]

(PRIÈRE)

Notre dâb qu'on dit aux cieux,
(C'est y qu'on n'pourrait pas s'entendre !)

Notre daron qui êt's si loin
Si aveug', si sourd et si vieux,
(C'est y qu'on n'pourrait pas s'entendre !)

Que Notre effort soit sanctifié,
Que Notre règne arrive
À nous les Pauvr's d'pis si longtemps,
(C'est y qu'on n'pourrait pas s'entendre !)

Su' la Terre où nous souffrons
Où l'on nous a crucifiés
Ben pus longtemps que vot' pauv' fieu
Qu'a d'jà voulu nous dessaler.
(C'est y qu'on n'pourrait pas s'entendre !)

Que Notre volonté soit faite
Car on vourait le Monde en fête,
D'la vraie Justice et d'la Bonté,
(C'est y qu'on n'pourrait pas s'entendre !)

Donnez-nous tous les jours l'brich'ton régulier
(Autrement nous tâch'rons d'le prendre) ;
Fait's qu'un gars qui meurt de misère
Soye pus qu'un gars très singulier.
(C'est y qu'on n'pourrait pas s'entendre !)

Donnez-nous l'poil et la fierté
Et l'estomac de nous défendre,
(C'est y qu'on n'pourrait pas s'entendre !)

Pardonnez-nous les offenses
Que l'on nous fait et qu'on laiss' faire
Et ne nous laissez pas succomber à la tentation
De nous endormir dans la misère
Et délivrez-nous de la douleur

(Ainsi soit-il !)

Traduire les mythologies grecque et latine en argot est une habitude aussi ancienne que les études classiques. Nous retiendrons une fable de Boby Forest parce qu'on peut encore entendre, sur de vieux 78-tours, son interprétation gouailleuse due à la voix métallique d'Yves Deniaud.

LA CIGALE ET LA FOURMI

La cigale qu'avait goualé
Tout l'été
Dans toutes les cours du quartier
Était raide comme un piquet
Quand revint le temps frisquet,
Vu qu'elle flambait aux courtines,
Ça s'devine.

Elle cavale trouver sa pote la fourmi
Et lui dit :
– C'est pas marrant et j'la saute.
Faudrait qu'tu m'prêtes vingt-cinq louis
Que j'te r'fil'rai, ça j'te l'jure,
Vu que j'suis sur une affure
Dans la troisième à Longchamp
Qu'c'est du gâteau cent pour cent,
Ça fait du soixante contre un,
J'ai un tuyau cousu main.

La fourmi chanstique du coup
Vu qu'elle est arquinche comme tout :
– T'es follinque, qu'elle lui répond.
T'f'rais mieux d'aller au charbon.
... Et c't'été, qu'est qu't'as fichu ?
– Ben, j'goualais la chansonnette.
– Tu goualais, eh ben, p'tite tête,
Maintenant tu peux gambiller
L'soir à l'Armée du Salut.
À la r'voyure, eh, locdu !

Cette fable a été déposée en 1944. La même année Robert Desnos (1900-1945) est arrêté par la Gestapo. Il avait publié alors dans *Messages,* sous la signature de « Cancale », six sonnets en argot d'une rare violence. Nous avons choisi ceux qui sont dédiés au maréchal Pétain et à Pierre Laval.

MARÉCHAL DUCONO

Maréchal Ducono se page avec méfiance,
Il rêve à la rebiffe et il crie au charron
Car il se sent déjà loquedu et marron
Pour avoir arnaqué le populo de France.

S'il peut en écraser, s'étant rempli la panse,
En tant que maréchal à maousse ration,
Peut-il être à la bonne, ayant dans le croupion
Le pronostic des fumerons perdant patience ?

À la péter les vieux et les mignards calenchent,
Les durs bossent à cran et se brossent le manche :
Maréchal Ducono continue à pioncer.

C'est tarte, je t'écoute, à quatre-vingt-six berges,
De se savoir vomi comme fiotte et faux derge,
Mais tant pis pour son fade, il aurait dû clamser.

PETRUS D'AUBERVILLIERS

Parce qu'il est bourré d'aubert et de bectance
L'Auverpin mal lavé, le baveux des pourris
Croit-il encore farcir ses boudins par trop rances
Avec le sang des gars qu'on fusille à Paris ?

Pas vu ? Pas pris ! Mais il est vu, donc il est frit,
Le premier bec de gaz servira de potence,
Sans préventive, sans curieux et sans jury
Au demi-sel qui nous a fait payer la danse.

Si sa cravate est blanche elle sera de corde.
Qu'il ait les roustons noirs ou bien qu'il se les morde,
Il lui faudra fourguer son blaze au grand pégal.

Il en bouffe, il en croque, il nous vend, il nous donne
Et, à la Kleberstrasse, il attend qu'on le sonne.
Mais nous le sonnerons, nous, sans code pénal.

Raymond Queneau (1903-1976), qui s'est montré si attentif à la langue populaire, n'a pas publié de poèmes en argot, mais il ne pouvait pas l'oublier dans les *Exercices de style* (1947). Il a choisi le « loucherbème », l'argot des bouchers. Rappelons qu'il s'agit de substituer la lettre « l » à la consonne initiale de la première syllabe (en principe) et de rétablir la consonne initiale en fin de mot, avec un suffixe libre, « em » (dans le cas de *boucher* = *l-oucher-b-em*), « fé », « uche », « oque », etc. Le « loucherbème » (ou le « largonji ») de Raymond Queneau est très libre.

LOUCHERBEM

Un lourjingue vers lidimège sur la lateformeplic arrière d'un lobustotem, je gaffe un lypétinge avec un long loukem et un lapeauchard entouré d'un lalongif au lieu de lubanrogue. Soudain il se met à leulèguer contre son loisinvé parce qu'il lui larchemait sur les miépouilles. Mais sans lagarreboum il se trissa vers une lacepème lidévée.

Plus tard je le gaffe devant la laregame Laintsoin Lazarelouille avec un lypetogue dans son lenregome qui lui donnait des lonseilcons à propos d'un loutonbé.

Extrait de *Exercices de style*. © Gallimard, 1946, 1948.

Quant à Boris Vian (1920-1959), c'est une « tragédie en trois actes et en vers » qu'il écrivit en 1952, reprenant le titre d'une collection qui n'eut pas le succès de la « Série noire », *Série blême.* En voici le début :

ACTE PREMIER SCÈNE I

Apparaissent Machin et James Monroe, lourdement chargés de valoches.

JAMES MONROE

Machin, c'est le jourdé le moins toc de ma vie.
Je satisfais enfin ma glandilleuse envie
De venir m'entifler dans ce coinstot perdu
Pour y fuir tout un tas de pauvres lavedus.
Oui, rien qu'à reluquer les blancs lolos de l'Alpe,
Je suis près de guincher une java du scalpe.

MACHIN *(muet)*

Hm...

JAMES

Mais tu es muet, mon adjuteur fidèle.
Ah, ma boule à vrai dire est pleine de ficelle.
J'ai tant marné depuis des berges révolues
Que je dois m'enfiler du sirop de tolu.
Va, Machin, m'en quérir un bon guindal solide.

Machin ouvre une des valises. James se tapote le ventre.

Un bon tolu loirfé, rien de tel pour le bide.

Il regarde autour de lui.

Oh, cambrousse où ne pousse à jamais que la neige,
Où s'il veut décarrer sans son cachepif beige
Le cave peut caner plus raide qu'un bâton,
Cirque majestueux que ma frite à tâtons
Décarpille, timide, ô tarte solitude,
Malgré tes 45 degrés de latitude
Que ta rigidité m'est chouette à matouser.

Machin lui donne le tolu, il boit.

Ouf ! Aussi sec je sens ma force décupler.
Neige divine, esgourde un peu quand je débloque :
À Paris, je vivais la vie d'un pauvre vioque,
Je pondais des romans comme on fait la putain,
J'en gambergeais plus d'onze à chaque marquotin.
Simenon pâlissait là-bas dans l'Amérique
Et Simenon, papa, n'est pas beurre de bique.
Lourdé, borgnio, jourdé, jalmince assoiffé d'encre
Gallimard me bouffait la prose comme un chancre,
Et pour chaque soleil qu'il affurait sans mal
Me cloquait cinq pour sang d'un geste seigneurial.
Les nanas s'enquillaient chez moi ; car la ligote
C'est pas leur fort, mais moi, le coup dans l'échalote
C'est mon faible, et j'aimais assez la pastiquette
Avec une loumi le soir sur ma carpette.
Ajoute à ce toutim une frite agréable
Et ces fréquentations bien peu recommandables
Que l'on fade aux cocktails de ces fions d'éditeurs...

Robert Chatté (1901-1957), « libraire sans boutique, commerçant sans patente, amateur sans spécialité », écrivait Pascal Pia en le présentant en 1960 dans la revue *Temps Mêlés,* est sans doute de ces années d'après-guerre le poète le plus authentique : son poème *l'Âge d'or* relate les déboires d'un jeune proxénète mobilisé en 1914, et qui participe à l'expédition de Salonique.

L'ÂGE D'OR

à Suzy d'Osel

C'était la fin d'la belle époque,
Un peu avant la der' des der's,
Et dans c'temps-là j'étais sinoque
Pour la grand'Léa du Colbert.
Le lundi, auprès d'ma gagneuse,
Déguisé en marchand d'plaisir,
J'travaillais à la rendre heureuse
Afin d'occuper ses loisirs.

On s'retrempait dans la nature,
On allait taquiner l'goujon,
Et pour digérer la friture
On insistait sur le gorgeon.
Ell' faisait pas la dégoûtée,
Elle en profitait, fallait voir !
J'avais pas volé ma comptée
En la ram'nant à son dortoir.

Mais quand j'ai dû quitter Paname
Pour m'en aller jouer au soldat,
Quatre ans, c'est trop long pour un' femme,
Surtout pour un' femm' comm' Léa !
Pendant que j'sauvais la patrie,
J'ai perdu mon châteaubriand,
Ell' s'est mariée... à la mairie !
En province, avec un client !

J'ai r'çu l'fair'-part à Salonique,
Malgré l'indemnité d'rigueur,
J'avais l'cœur gros sous ma tunique,
Léa ! Qu'est-ce que c'est que l'bonheur !
J'lui ai trouvé des remplaçantes,
I' n'en manqu' pas sur le pavé,
Je m'distribue à des passantes
Qui croient tout's que c'est arrivé ;

Mais l'beau temps où j'étais sinoque,
Un peu avant la der' des der's,
J'peux pas l'oublier mon époque :
J'avais vingt ans... C'est pas d'hier !
La grand'Léa... La p'tite auberge
Au bord de l'eau... J'la vois encor !
On a l'bourdon quand on gamberge.
Les poèt's appellent ça l'âge d'or.

Depuis, il semble bien que la poésie argotique se soit refugiée dans la chanson.

LE FRANÇAIS
TEL QU'ON LE PARLE

Vocabulaires thématiques

L'ANATOMIE DE L'HOMME ET DE LA FEMME

On distingue les différentes parties du corps *(la viande)* sur l'Homme nu *(à poil, à oilpé, en costume d'Adam, en Saint-Jean, en sauvage)*. La peau *(le cuir, la couenne, la basane, le lard)* est irriguée par le sang *(le marasquin, le raisiné, le sirop)*.

Les chiffres renvoient aux dessins.

1. Boule de billard, caberlot, cafetière, caillou, caisse, caisson, calebasse, carafon, cassis, chou, ciboulot, cigare, citron, citrouille, coloquinte, gadin, mansarde, melon, plafond, plafonnard, sinoquet, sorbonne, terrine, tétère, théière, toiture, tronche.

2. Aubergine, blair, blase, fer à souder, lampe à souder, nase, patate, pif, piton, quart de brie, ruche, step, tarbouif, tarin, tasseau, tomate, trompette, truffe.

3. Naseaux.

4. Bacantes, baffi, bâfre, balai à chiottes, charmeuses, moustagache. – Rouflaquettes.

5. Barbe à poux, barbouse, piège, piège à poux, piège à macaronis.

6. Écoutille, entonnoir à musique, escalope, esgourde, étagère à mégot, étiquette, feuille, feuille de chou, loche, manette, portugaise, zozore.

7. Racines de buis, chailles, crocs, crochets, dominos, grille d'égout, mandibules, meules, piano, quenottes, ratiches, tabourets, touches de piano.

8. Bavarde, calpette, escalope, langouse, languetouse, languette, menteuse, mouillette, tapette.

9. Colas, colbac, lampion, porte-cravate, quiqui. – *Gorge :* gargane. – *Menton :* bichonnet.

10. Arêtes, endosses, épahules, mécaniques, porte-manteau, râble.

11. Abattis, aile, aileron, brandillon, brandon, manivelle.

12. Biscotto.

13. Cuillère, fourchette, griffe, louche, paluche, pince, pogne.

14. Caisse, cerceaux, cercles de barrique, coffre, côtelettes, poitrine de vélo.

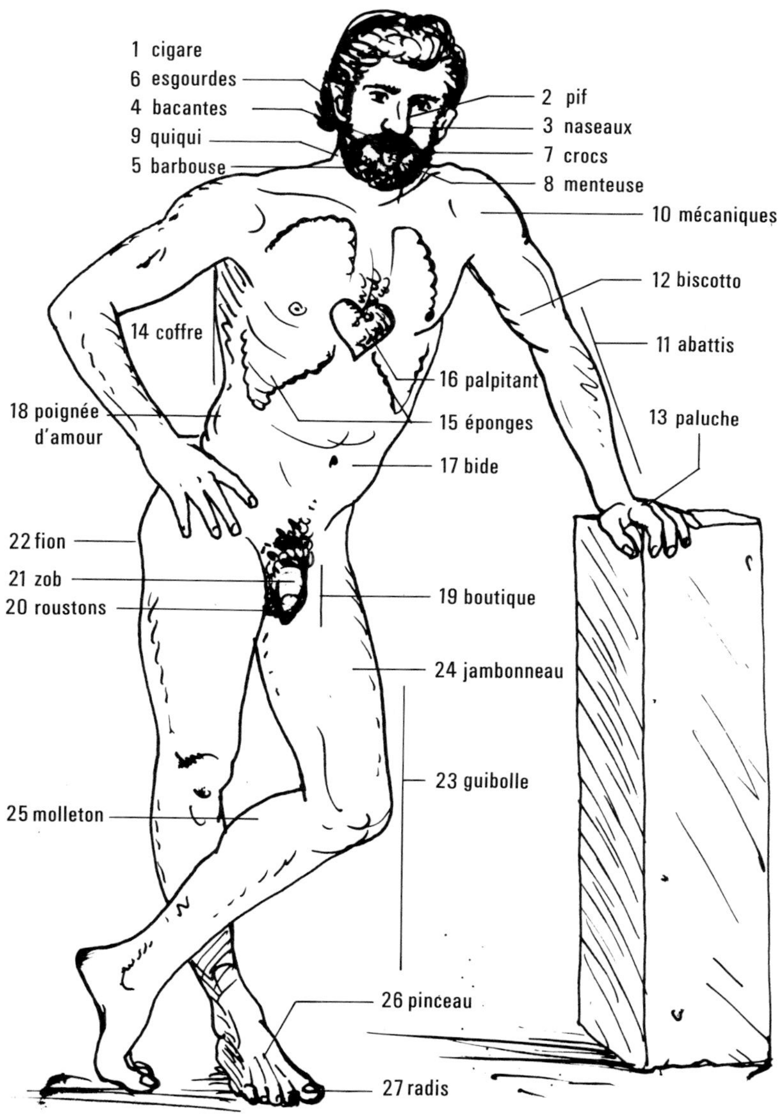
1 cigare
6 esgourdes
4 bacantes
9 quiqui
5 barbouse
2 pif
3 naseaux
7 crocs
8 menteuse
10 mécaniques
12 biscotto
14 coffre
11 abattis
16 palpitant
18 poignée d'amour
15 éponges
13 paluche
17 bide
22 fion
21 zob
20 roustons
19 boutique
24 jambonneau
23 guibolle
25 molleton
26 pinceau
27 radis

15. Éponges, soufflerie, soufflets, soupapes.

16. Battant, palpitant.

17. Baquet, berdouille, bide, bidon, boîte à ragoût, bouzine, brioche, buffet, burlingue, cornet, crédence, estom, fusil, gésier, gidouille, gras-double, jabot, lampe, lampion, panse.

18. Guitare, pneu, poignée d'amour.

19. Bijoux de famille, boutique, devant, marchandise, parties, service trois-pièces.

20. Agobilles, balloches, bonbons, burettes, burnes, claouis, couilles, douillettes, figues, grelots, joyeuses, miches, montgolfières, noisettes, olives, orphelines, parties, pelotes, précieuses, rognons, roubignolles, rouleaux, roupes, roupettes, roustons, valseuses, yoc.

21. Andouille de calcif, arbalète, ardillon, asperge, balayette, bambou, biroute, bistouquette, bite, bonhomme, bout, brandon, braquemart, chauve à col roulé, chibre, chinois, chipolata, chopotte, cigare à moustaches, clarinette baveuse, coquette, dard, dardillon, darrac, défonceuse, engin, flageolet, petit frère, gaule, goupillon, guiguite, guise, guizot, jacques, jacquot, jean-nu-tête, manche, mandrin, matraque, outil, paf, panais, papillon du Sénégal, pine, polard, popaul, quéquette, queue, quique, quiquette, robinet d'amour, sabre, tebi, teube, vipère broussailleuse, zeb, zigounette, zizi, zob, zobi.

22. As de trèfle, bagouse, bague, chouette, couloir aux lentilles, dé à coudre, dix, échalote, entrée des artistes, entrée de service, fignard, fignarès, figne, fignedé, fignolet, fion, foiron, fouignedé, fouinedarès, lucarne enchantée, marrant, moutardier, œil de bronze, œillet, oignard, oignon, petit, pièce de dix ronds, point noir, pot, raie, rondelle, sonore, troufignard, troufignon, turbine, turbine à chocolat, vase.

23. Badine, baguette, brancard, calouse, canne, compas, échalas, flûte, fusain, gambette, guibolle, manivelle, poteau, quille.

24. Gigot, jambon, jambonneau.

25. Jacquot, molleton, moltegomme.

26. Arpion, escalope, fromage, fumeron, latte, nougat, oignard, oigne, oignon, panard, patte, paturon, pilon, pince, pinceau, pinglot, pingouin, raquette, ripaton, targette, tige, trottinet.

27. Radis, salsifis.

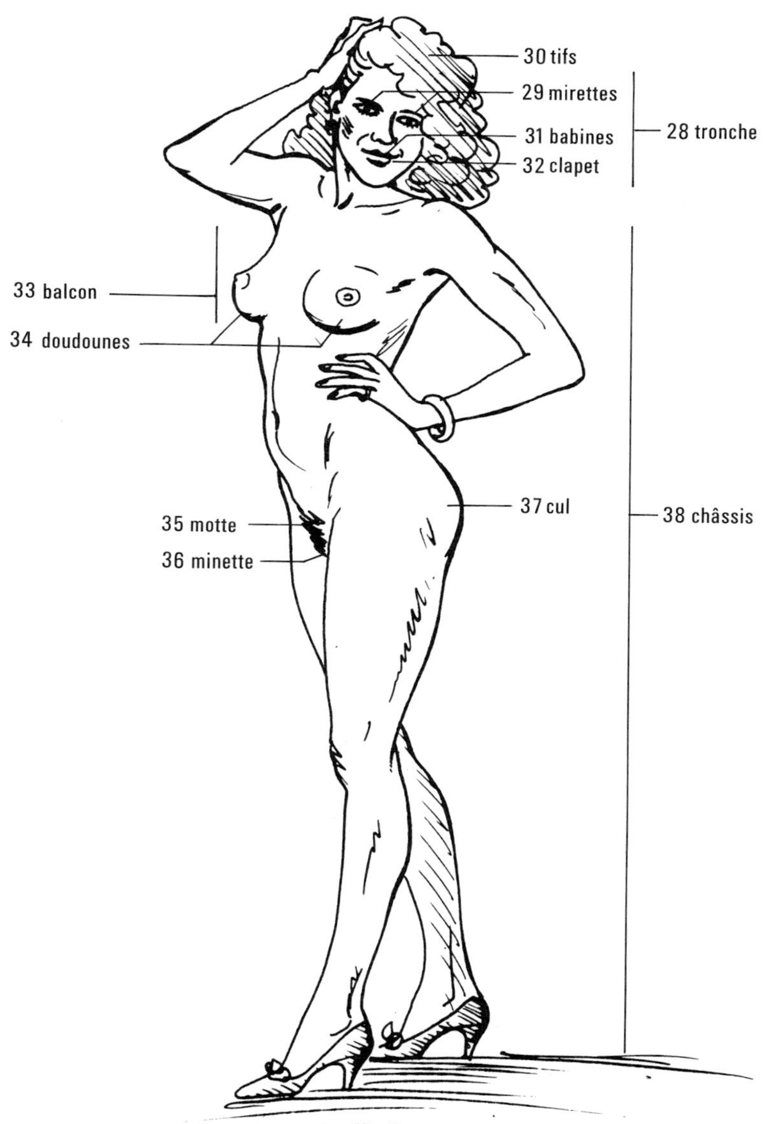
30 tifs
29 mirettes
31 babines
32 clapet
28 tronche
33 balcon
34 doudounes
37 cul
38 châssis
35 motte
36 minette

28. Balle, bille, binette, bobèche, bobine, bougie, bouille, bouillotte, boule, chetron, façade, fiole, fraise, frite, gaufre, gueule, hure, museau, poire, pomme, portrait, terrine, théière, trogne, trombine, trompette, tronche.

29. Agate, boule de loto, calot, carreau, châsse, mirette, nœil, neunœil, quinquet.

30. Alfa, baguettes, crayons, cresson, douilles, doulos, gazon, marguerites, plumes, roseaux, tifs, tignasse, vermicelles. – *Coupe de cheveux :* afro, balayeuse, banane, choupette, petite choucroute, iroquoise, queue de cheval, queue de canard. – *Calvitie :* casquette ou perruque en peau de fesse, déboisé, déplumé, genou, mouchodrome, skating à mouches, boule à zéro.

31. Babines, babouines, badigoinces, bagougnasses, limaces, pompeuses.

32. Babin, boîte à mensonge, clapet, dalle, dégueuloir, gargue, gicleur, goule, goulot, gueule, margoulette, micro, porte-pipe, saladier, salle-à-manger, tirelire.

33. Avant-scène, balcon.

34. Amortisseurs, avantages, ballochards, blagues à tabac, boîtes à lait, doudounes, lolos, mandarines, miches, nénés, nibards, niches, nichons, œufs sur le plat, oranges, roberts, rondins, roploplots, rotoplots, tétasses.

35. Barbu, cresson, gazon, laitue, motte, tablier de sapeur, touffe.

36. Abricot, baba, bénitier, berlingot, berlingue, boîte à ouvrage, boîte aux lettres, boutique, centre, chagatte, chat, chatte, con, conasse, cramouille, craquette, fente, figue, foufoune, frifri, greffière, gripette, lac, laitue, mille-feuille, minet, minette, moniche, motte, moule, panier, pâquerette, teuche, turlu. – Bonbon, bouton, clicli, cliquette, clito, framboise, grain de café, praline.

37. Arche, arrière-train, artiche, baba, baigneur, bavard, bol, brioche, croupion, cul, dargeot, dargif, derche, dossière, entremichon, faubourg, père Fouettard, gagne-pain, joufflu, jumelles, lune, meules, miches, mouilles, noix, panier, petits pains, pétard, pétoulet, pétrousquin, pétrus, pont arrière, popotin, postère, pot, prose, prosinard, tafanard, train, troussequin, turbine, valseur, vase.

38. Châssis.

LE CHOIX D'UN PRÉNOM

Un prénom dure toute une vie. Aussi est-il de bon ton dans les familles de choisir des prénoms qui s'accordent au patronyme : Jean, quand on s'appelle Bonnot ; Pierre, quand on est Detaille ; Paul, quand on se nomme Hisson. C'est d'ailleurs un jeu qui peut durer plusieurs mois, le temps d'une grossesse, et auquel participe toute la famille et même parfois des parents éloignés dont on n'entend généralement parler que dans ces circonstances.

On peut aussi faire appel à un certain nombre de locutions qui accompagneront la vie de l'enfant, à l'école d'abord, ensuite au régiment, si c'est un garçon, à l'atelier, au bureau, au zinc à l'heure de l'apéritif, dans les clubs de vacances, bref en tous ces lieux où souffle l'esprit français, imaginatif et frondeur.

T'as le bonjour d'Alfred !
Ça colle, Anatole ?
Tu vas te faire appeler Arthur.
Tout juste, Auguste !
On t'appelle, Azor.
Tranquille comme Baptiste.
À l'aise, Blaise !
Adieu, Berthe !
Tu parles, Charles !
Tranquille, Émile !
À la tienne, Étienne !
C'est le coup du père François.
Fais pas le Jacques.
Jean-nu-tête.
Va te faire appeler Jules.
Vas-y, Léon !
Pas de ça, Lisette !
Cool, Raoul...
Être Raymond.
Les doigts dans le nez, René.
En voiture, Simone.
Fais pas ta Sophie.

LES VÊTEMENTS

Fringues, fripes, frusques, harnais, loques, nippes, pelures, sapes

Habiller
attifer,
fagoter,
ficeler,
fringuer,
frusquer,
harnacher,
linger,
loquer,
nipper,
sabouler,
saper.

Déshabillage, déshabiller
décarpillage ;
défrusquer,
déloquer,
désaper.

Chapeau
bibi,
bitos,
bloum,
doulos,
galure,
galurin.

Casquette
bigeard,
capsule,
crêpe,
gapette,
gaufre,
guimpette.

Képi
kébour,
kep's.

Pardessus
lardeusse,
lardosse,
paletot,
panetot,
pardeusse,
pardingue,
pelure.

Imperméable
imper.

Robe
roupane,
serpillière.

Pantalon
bénard,
bène,
bénouze,
culbutant,
culbute,
falzar,
fendant,
fendart,
fendu,
fourreau,
froc,
futal,
fute,
grimpant,
rofou,
valseur.
– *À poches sur le devant,* à la mal au ventre.
– *À pattes d'éléphant,* à pattes d'éph'.

Costume
costard.

Veste
alpague.

Blouson
cuir,
ted,
zomblou.

Poche
fouille,
favouille,
fouillouse,
glaude,
poquette,
profonde,
vague,
valade.

Mouchoir
tire-jus,
tire-moelle.

Chemise
limace,
limouse,
liquette.

Cravate
ficelle,
nœud-pap.

Foulard
larfou.

Sous-vêtements
fringues de coulisse.

Culotte
minouse.

Maillot de corps
débardeur,
léotard,
marcel.

Soutien-gorge
sostène,
soutif.

Cache-sexe
cache-frifri.

Slip, caleçon
barsli,
bénouze,
calcif,
calebar,
calfouette,
caneçon,
slibar.

Chaussettes
fumantes,
sachets.

Bas
lisses,
tirants.

Chaussures
asperges,
croquenots,
écrase-merde,
godasses,
godillots,
grolles,
lattes,
patins,
péniches,
peupons,
pompes,
ribouis,
richelieus,
santiags,
sorlots,
targettes,
tartines,
tatanes,
tiges,
trottinets.

L'ARGENT

Artiche, biscuits, belins, blé, braise, carbure, cresson, engrais, flouse, fric, galette, galtouse, grisbi, oseille, osier, pèze, pognon, trèfle.

L'argot et la langue populaire montrent une bien plus grande fidélité à l'égard des mots que des valeurs. La valeur d'une *brique,* d'un *sac,* d'une *plaque,* etc., a varié et continue de varier au gré des fluctuations monétaires : l'*unité,* qui fut longtemps de 100 F (« anciens ») sur les marchés avant l'instauration des Nouveaux Francs en 1958, est passée aujourd'hui, selon votre interlocuteur, à 1 000, ou à 10 000 F.

Comment s'y retrouver ? C'est bien simple : un peu de psychologie (à « combien » pense votre interlocuteur ?) et le goût du risque (à « combien » pensez-vous ?).

Par contre, certains mots restent fidèles à un chiffre : une *thune* vaut toujours 5 F, un *linvé* 20 F – aujourd'hui comme au temps où la pièce de 20 F était une pièce d'or (un louis), c'est-à-dire il y a un siècle.

Et ne vous étonnez pas si les budgets et les bilans sont aujourd'hui calculés en *kilo-francs.*

La banque de France : La Grande Boulange, la Boulange aux faffes.

L'argent liquide : La fraîche.

La plus petite valeur : Fifrelin, flèche.

Les « sous » : Les pépettes, les pezettes, les picaillons, les ronds, les rotins.

Petite monnaie : Broques, ferraille, mitraille, mornifle, vaisselle de fouille.

Franc : Balle, francouillard.

5 francs : Une thune.

Billets de 20 et 50 F : Chips.

20 francs : Cigue, linvé.

50 francs : Demi-jambe, demi-livre, demi-jetée.

Billet de 100 F : Barda, petit format, livre, papier, raide, ticket.

Billet de 500 F : Grande image, laissez-passer, malabar, Pascal.

1 000 F : Kilo.

5 000 F : Demi-sac.

10 000 F : Barre, bâton, brique, lacsé, pavé, plaque, quebri, sac, tuile, unité.

Million : Soleil.

Liasse de billets : Botte, pacsif, pacson.

Liasse de billets de 100 F : Mille-feuille.

Billet : Biffeton, faffe, fafiot, talbin, ticson.

Faux billets : Balourds.

Dollar : Dolluche.

Rouleau de pièces : Boudin.

Chèque : Chèqueton.

Chèque sans provision : Chèque en bois.

Chéquier commun : Omnibus.

Mandat : Mandagat.

Coffre-fort : Coffiot.

Or : Jonc.

Lingot : Lingue.

Pièce d'or : Nap.

Authentique : Bath.

Faux : Toc.

Diamant : Bauche, diam.

. . .

Gagner de l'argent : En retrousser, palper, arrondir ses fins de mois.

Économies : Éconocroques.

Avoir des économies : Avoir du répondant.

Part : Blinde, fade.

Bénéfice, profit : Affure, bénef, gras, culbute, velours.

Marge bénéficiaire : Boni.

Commission : Gratte.

Gratification : Bouquet, fleur, gratte, violette.

Pourboire : Pourliche, bonjour d'Alfred.

Augmentation de salaire : Rallonge.

La Bourse : L'Embrouille.

Acheter : Prendre (Je prends).

Vendre : Avoir (J'ai).

Ne pas réussir à se débarrasser de titres : Être plombé, collé.

Investisseurs institutionnels : Zinzins.

Rendre productif : Affurer le fric.

Faire passer dans un circuit licite des capitaux d'origine frauduleuse : Blanchir, laver.

. . .

Richesse, fortune : Pelote.

Magot : Gano, sac.

Riche : Plein aux as, douillard, galétard, galetteux ; avoir le matelas, être au pèze, rouler sur l'or, avoir le sac.

Avare, pingre : Arpinche, constipé du morlingue, peigne-derche, dur à la détente, radin, râleux, raquedal, rat ; avoir un cactus, des oursins dans le morniflard, les lâcher avec un élastique, faire du millimètre.

Dépenser : Flamber, fusiller.

Dépensier : Décheur.

Joueur : Flambeur.

Perte : Bouillon, plongeon, veste.

. . .

Cher : Chéro, grisol, salé.

Coûter cher : Cuber.

Beaucoup : Bézef.

Bourse commune : Masse.

Partager les frais : Faire la motte.

Moitié-moitié : Afanaf.

Portefeuille : Artiche, larfeuil, lazagne.

Porte-monnaie : Crapautard, morlingue, morniflard.

Invitation à payer : Douloureuse, invitation à la valse.

Payer : Les aligner, y aller de ses sous, les allonger, banquer, cracher au bassinet, billancher, béquiller, carmer, casquer, ciguer, douiller, éclairer, se fendre, les lâcher, raquer, envoyer la soudure.

Payer cher : Coup de masse ; allonger la sauce, allonger le tir.

Lésiner : Mégoter.

. . .

Être sans le sou : Avoir de l'air dans son morlingue, être fauché comme les blés, être dans la dèche, déchard, fauché, faucheman, fleur, flingué, être dans la mélasse, la mistoufle, la mouise, la panade, la purée, être raide, raide comme un passe-lacet, sans un, sans un pelot, sans un kopeck, sans un radis, purotin, rétamé, vacant, avoir la tête dans le sac.

Avoir des dettes : Être accro, accroché, accroch'man, encroumé, avoir une ardoise, planter un drapeau.

Emprunt : Appel au peuple, coup de botte, torpille.

Emprunter : Botter, torpiller.

Engager au mont-de-piété : Empégaler.

Quête : Tinche, manche, mangave.

Crédit : Crayon, crédo, croume.

Remise, ristourne : Rabat de cope, ristournando.

. . .

Escroquer : Arnaquer, arranger, blouser, carotter, faire un cri sec, écailler, empiler, aller au jardin, plumer.

Escroc : Arnaqueur, carambouilleur, carottier, empileur.

Escroquerie : Arnaque, cambut, carambouille, cri sec.

Prête-nom : Homme de paille.

Racket : Emprunt forcé.

Corrompre : Arroser, graisser la patte.

Être corrompu : En croquer, en manger ; être gourmand.

AU CAFÉ

Tout nouveau compagnon se doit d'« arroser ça » : c'est à lui de rincer[1]. Le quand-est-ce[2] se prend à l'annexe[3] où l'on commence par mouiller la meule[4]. On lève le coude, on bascule un godet, on s'en jette un derrière la cravate, on se rince la dalle, on écluse une tasse, on efface un guindal, on s'envoie un gorgeon, on relève une sentinelle, on prend un glasse, on s'humecte le gosier, on étrangle un perroquet, on prend un pot, on s'enfile un canon, on picole, on picte, on pinte, on pitanche, on pompe, on siffle, on tète[5].

– À vos amours !

– À la tienne, Étienne[6] !

Cul sec[7]. On recharge les accus, on remet ça[8], avant de prendre le der des der[9], si on ne veut pas continuer à se piquer le nez, se noircir, se péter, se pistacher, se poivrer[10].

Le bistrot, le bistral, le bistre, le bistroc, le bistroquet, le caberlot, le caboulot, l'estanco, le troquet, le rade[11] est parfois un modeste bougnat[12], plus rarement un bouic ou un boui-boui[13]. Il comporte d'abord un comptoir (un rade, un zinc, un piano) sur lequel trônent le radin[14] et le téléphone (bigophone, bigorneau, biniou, cornichon, flubard, grelot, ronfleur, tube, turlu) et un cendar[15]. À côté, la babasse[16]. Derrière le comptoir, le frigo[17] et le perco[18]. Au fond, les toilettes (cabinces, chiottes, petit coin, gogues, goguenots, pipi-room, tartisses, tartissoires, vécés).

Le bistrot[19], un auverpin[20], est depuis toujours dans la limonade[21] ; son épouse tient le tabac : elle vend des cibiches, des tiges, des sèches, des cleupos, des clopes, des mégots, des pipes[22], des Galuches, des Goldos[23], des P.4[24], des toutes-cousues[25], mais aussi du foin, de l'herbe, du trèfle, du percale, du perlot, du perle[26], du gros-cul[27] à rouler un tarpé, un pétard[28] pour bombarder, cloper, en griller une[29], tirer une taffe, une touche[30]. Certains préfèrent les barreaux de chaise[31] ou la bouffarde[32] qu'on allume avec une allouf, une frotteuse, une soufrante[33].

Son loufiat[34] file un coup de cachemire[35] sur le piano[36]. Il sert un croque[37], une paire chaude[38], un Paris-beurre[39], un mixte[40], avant de faire le mastic[41].

Autour de nous, quelques habitués qui ont déjà tué le ver[42] ; baptisés avec une queue de morue, ils marchent au thé, ils ont la dalle en pente, une bonne descente, tous ces bibards, ces éponges, ces licheurs, ces picoleurs, ces pionnards, ces pitancheurs, ces pochards, ces pochetons, ces pochetrons, ces poivrots, ces sacs à vin, ces soiffards, ces soulards, ces soulauds [43]. Ils sont déjà bien partis, ils sont bus, beurrés, billes, blindés, bourrés comme des coings et comme des cantines, brindezingues, carrousels, chargés, chlâsses, dans le cirage, cuits, fadés, givrés, grabasses, jupés, juponnés, enjuponnés, mûrs, noirs, pleins comme des œufs, ourdés, paf, pétés, pions, poivres, rétamés, ronds, ils en ont un coup dans les carreaux, ils ont un coup de chasselas, ils ont leur fade, un verre dans le nez, une pistache, ils ont leur plumeau, leur plumet, leur pompon, un coup de sirop, du vent dans les voiles, un coup dans l'aile, ils ont les souliers à bascule et les dents du fond qui baignent, ils tirent des bords, ils en tiennent une bonne[44]... Une beurrée, une biture, une charge, une cuite, une gobette, une muffée, une pétée[45]... Demain, ils auront la gueule de bois[46] et mal aux cheveux[47].

Qu'ont-ils donc bu ? Du vin non baptisé (sans flotte, sans fraîche ni Château-Lapompe, bref sans eau), du brouille-ménage, du brutal, du casse-pattes, un cassis de lutteur, un destructeur, du jaja, du jinjin, du mazout, du pitchegorne, du picolo, du picrate, du picton, du pif, du pive, du pivois, du pinard, un porto de déménageur, un pousse-au-crime, du rouge, du rouquin, du rouquemoutte, un sens unique, du sirop de bois tordu, du tutu, un whisky soviétique[48] ? Une betterave[49] de beaujol, de beaujolpince, de beaujolpif[50] ? Un coquin[51] ou du décapant[52] ? Un petit blanc[53], un voyageur[54], du pissat[55] ? Un tilleul[56] ? Ont-ils gommé[57] le vin, ou l'ont-ils limé[58] ? Alors, un rince-cochon[59], un kir[60], un communard[61], un mêlé-cass[62] ? De l'antigel, un casse-poitrine, un coupe-la-soif, de l'eau d'affe, du cric, de la gnôle, du raide, du schnaps, du schnick, un tord-boyaux[63] ? Une marie-salope[64], un mazout[65], un roméo[66], une romaine[67] ?

Ou encore : une purée[68] ? Un lait de tigre, une petite, une momie, une mominette, un pastaga, un pernaga, un pernifle, un perniflard[69], un perroquet[70], une tomate[71] ?

Une mousse[72], un demi direct[73] sans faux-col[74] suivi d'un pousse-bière[75] ? Un gorgeon[76], une larmichette[77] ; un baron, une cheminée, un formidable, un galopin, un sérieux[78] ? Un tango[79], une valse[80], un cercueil[81] ?

Ils n'ont tout de même pas sifflé une roteuse[82] de champ[83] à l'apéro[84], ni un velours[85], ni un plumeau[86] ! Alors, quelle bibine[87] ? Un mickey[88], un vitriol[89] ? Dans un ballon, un canon, un glasse, un guindal, une tasse[90] ? Sûrement pas dans un trompe-couillon[91] ! Peut-être une chopotte[92], un litron, une boutanche, un kil, un kilo, un kilbus, une rouille[93]...

Ils n'ont pas des tronches à sucer de la glace, ni à boire un cafeton, un caoua, un féca, un jus, un laféké, un laféquès, un noir[94], un crème[95], un déca[96], sinon un café arrosé, une bistouille[97], ou suivi d'une rincette[98].

Quand ils seront bien rétamés, le taulier leur présentera la douloureuse[99] : le coup de masse[100] ! Ils planteront un drapeau[101] et ne laisseront que le pourliche, le bonjour d'Alfred[102], avant de changer de crémerie[103] et de dérouler[104] dans les rades où ils ne sont pas tricards[105].

1. *Offrir à boire.*
2. *Tournée de bienvenue.*
3. *Débit de boissons le plus proche du lieu de travail.*
4. *Prendre une première consommation.*
5. *Tous ces verbes et ces locutions sont synonymes de « boire ».*
6. *Formules de toasts.*
7. *Vider le verre d'un trait.*
8. *Prendre une nouvelle consommation.*
9. *Le dernier verre.*
10. *S'enivrer.*
11. *Débit de boissons.*
12. *Petit débit de boissons tenu par un auvergnat.*
13. *Débit mal famé.*
14. *Tiroir-caisse.*
15. *Cendrier.*
16. *Billard électrique.*
17. *Réfrigérateur.*
18. *Percolateur.*
19. *Patron de café.*
20. *Auvergnat.*
21. *Exercer la profession de limonadier.*
22. *Cigarettes.*
23. *Cigarettes Gauloises.*
24. *Cigarettes « Parisiennes ».*
25. *Cigarettes de la Régie.*
26. *Tabac.*
27. *Tabac ordinaire de grosse coupe.*
28. *Cigarette roulée à la main.*
29. *Fumer.*
30. *Bouffée.*
31. *Gros cigare.*
32. *Pipe.*
33. *Allumette.*
34. *Garçon.*
35. *Torchon.*
36. *Comptoir.*
37. *Un croque-monsieur.*
38. *Une paire de saucisses de Francfort chaudes.*
39. *Un sandwich jambon-beurre.*
40. *Un sandwich mixte.*
41. *Nettoyer la salle.*
42. *Boire un verre d'alcool le matin.*
43. *Toutes ces expressions désignent les ivrognes.*
44. *Bref, ils sont ivres.*
45. *Ivresse.*
46. *La bouche pâteuse.*
47. *La migraine.*
48. *Vin rouge.*
49. *Bouteille de vin rouge.*
50. *Vin du Beaujolais.*
51. *Vin qui enivre.*
52. *Vin râpeux.*
53. *Un verre de vin blanc n'est jamais « grand ».*
54. *Vin blanc... qui ne fait que passer.*
55. *Mauvais vin blanc.*
56. *Mélange de vin blanc et de vin rouge.*
57. *Additionné de sirop.*

58. *Additionné de limonade.*
59. *Blanc gommé et eau de Seltz, ou eau à ressort* (eau gazeuse).
60. *Blanc cassis.*
61. *Rouge cassis.*
62. *Vermouth cassis.*
63. *Eau-de-vie.*
64. *Vodka et jus de tomate.*
65. *Whisky et Coca-Cola.*
66. *Rhum... et eau.*
67. *Rhum et sirop d'orgeat.*
68. *Absinthe.*
69. *Pastis.*
70. *Pastis et sirop de menthe.*
71. *Pastis et grenadine.*
72. *Une bière.*
73. *Demi à la pression.*
74. *Mousse de la bière.*
75. *Petit verre de genièvre.*
76. *Une gorgée.*
77. *Une larme, une petite quantité.*
78. *Contenus divers des chopes de bière.*
79. *Bière et grenadine.*
80. *Bière et menthe.*
81. *Bière, Picon et grenadine.*
82. *Bouteille de champagne.*
83. *Champagne.*
84. *Apéritif.*
85. *Stout et champagne brut.*
86. *Champagne et mandarin.*
87. *Boisson de mauvaise qualité.*
88. *Boisson frelatée.*
89. *Mauvais alcool.*
90. *Un verre.*
91. *Verre trompeur qui contient moins qu'il ne paraît.*
92. *Petite bouteille, « fillette ».*
93. *Bouteille.*
94. *Café.*
95. *Café crème.*
96. *Café décaféiné.*
97. *Café additionné d'un verre de marc, de calvados ou de rhum.*
98. *Alcool bu dans la tasse vide encore chaude.*
99. *Addition.*
100. *Note trop forte.*
101. *Note impayée.*
102. *Pourboire.*
103. *Aller dans un autre café.*
104. *Aller de café en café.*
105. *Indésirables.*

LE DÉJEUNER

Dans *l'Art de se conduire dans la Société des Pauvres Bougres,* par la comtesse de Rottenville (Librairie des Abrutis, 1879), le dessinateur humoriste et poète André Gill (de son vrai nom Alexandre Gosset de Guines) donnait déjà de judicieux conseils de bienséance et de civilité. Au café, par exemple :

« Une fois chez le troquet, faut pas avoir l'air de ne pas savoir quoi prendre, comme si les cheveux vous dressaient sur la tête. Faut pas non plus demander des vins à 36 francs la bouteille. On étouffe tranquillement un *cintième,* un *petit cogne* ou un *mêlé,* comme l'honnête prolétaire. (...)

« C'est ici le pays de la franchise.

« Vous parlerez au peuple la langue du peuple, nette, carrée, pas bégueule. Voire, vous la parlerez gaiement :

« Vous appellerez un chat, *un greffier ;* un enfant, *un gosse ;* un jésuite, *un Jean-fesse ;* Alphonse, *un dos ;* Mme Florina, *une morue* (...) ».

Après un peu plus d'un siècle, le lexique de la comtesse de Rottenville a pris un sévère coup de vieux (à part toutefois le chat, l'enfant et Mme Florina). C'est donc à vous de composer, à l 'aide du dictionnaire, votre propre manuel de conversation pour toutes les circonstances de la vie. *Le déjeuner* n'est qu'un exemple à la portée de tous.

Je prends tous les matins
un petit déjeuner ______ Un petit déj
copieux et nourrissant. ______ bourratif, qui tient au corps.
Pourtant quand vient midi, ______ Quand il est bifteck moins cinq,
je sens venir la faim, ______ j'ai un creux, j'ai la dent,
je me mets à la recherche de
nourriture. ______ je vais au dentiste.
Je ne suis pas un goinfre, ______ Un crevard, un morfale,
mais j'ai bon appétit. ______ un bon coup de fourchette.
J'entre au restaurant, ______ Au resto, au restif,
m'installe à une table, ______ à une carante,
confortablement assis
sur une chaise. ______ une flâneuse.
Je prends toujours un apéritif ______ Un apéro (voir *Au café*)
comme première boisson ______ pour mouiller la meule

pour m'ouvrir l'appétit.	ça creuse.
Je commande mon repas	Ma bectance, ma bouffe, ma bouftance, ma boustifaille, ma briffe, mon déj, ma dîne, ma fébou, mon frichti, mon fricot, ma graille, mon gueuleton, ma jaffe, ma soupe, ma tambouille, ma tortore
au garçon	au loufiat
qui me souhaite bon appétit.	« Bon app' ! »
Il m'apporte le pain,	Le bricheton, le brignolet,
le sel,	la morgane,
une carafe d'eau du robinet	une fraîche, du Château-Lapompe
et une bouteille d'eau gazeuse	une boutanche d'eau à ressort
pour rincer mon verre ;	mon guindal ;
une bouteille de vin :	un kilbus
je ne bois	je n'écluse
que du vin rouge.	un cassis de lutteur (voir *Au café*).
Je vais manger	Bouffer, boustifailler, béquiller, becter, briffer, me caler les joues, les amygdales, croûter, casser la croûte, la graine, un morceau, un morcif, me farcir le chou, claper, me taper la cloche, me mettre quelque chose dans le cornet, criave, croquer, grailler, grainer, gueuletonner, jaffer, m'en mettre plein la lampe, le lampion, morfaler, morfier, morfiler, morganer, me taper la ruche, tortorer, me foutre une ventrée, me faire les boyaux comme des manches de ministre.
d'abord un potage,	une lavasse,
un plat de viande,	de barbaque, de bidoche, un bif, un bergougnan, de la carne,

parfois un ragoût	
de pommes de terre	un rata de patates
et haricots	et de loubiats
suivi d'un fromage,	from, fromegi, frometon, fromgom, fromjo, fromtegom,
si possible un camembert.	un calendos.
Pouah !	Beuark !
Ce n'est pas appétissant,	Ça me débecte,
c'est dégoûtant,	c'est dégueu, dégueulbif, dégueulatoire,
c'est à vomir.	ça me fait gerber.
On se demande où le cuisinier	Le bêp, le cuistot
a appris la cuisine.	à faire la bouffe, la cuistance, la popotte, la tambouille.
Je vais boire ;	Je vais m'en jeter un ;
ce n'est pas que j'aie soif	que j'aie la dalle en pente
mais je supporte bien la boisson.	j'ai une bonne descente.
– Enlevez cette bouteille vide	Ce cadavre
et remettez-m'en une petite.	une chopotte.
Ce vin est très bon.	Ce n'est pas le frère à dégueulasse.
Donnez-moi une tasse de café,	Une tasse de jus,
je ne peux pas me passer de mon	
café,	mon caoua,
un verre d'eau-de-vie	de casse-poitrine
que je boirai d'un trait,	cul-sec,
ça vaut une bouteille de	
champagne.	une roteuse.
– Garçon ! L'addition...	La douloureuse !
Fichtre ! comme vous y allez...	Merde ! Vous n'vous mouchez pas du pied...
La prochaine fois, je prendrai un	
simple casse-croûte,	Un casse-dalle,
un croque-monsieur,	un croque,
je préfère me contenter de peu	me mettre au régime jockey
et manger vite.	avec un lance-pierres.
Tant pis si j'ai faim.	Si je la pète, si je la saute et que je bouffe des briques.

LES SPECTACLES

Au théâtre, le brigadier a frappé les trois coups : on lève le torchon à l'aide des guindes (ne jamais prononcer le mot « cordes », il porte la poisse !), et le public, où se glissent toujours quelques hirondelles, peut apercevoir les protos et le guignol.

Les cabots entrent en piste ; à eux se sont joints une vieille cassure, un cachetonneur, et les frimants, les panouillards et les marcheuses. (Mais une panne, une panouille peut devenir un camée quand elle est mise en valeur par un vrai saltimbanque).

Dès son entrée, la vedette, une bête de scène, reçoit son morceau de sucre. Les comédiens chauffent la salle. Chacun à son tour vient vendre sa salade. L'un d'eux joue à la cane ; un autre sert la soupe à son partenaire ; un troisième se tape un tunnel. S'il n'a qu'un physique de radio, il doit surtout craindre la panne, et de se planter...

Heureusement, ce soir, les saltimbanques cassent la baraque, ils font un tabac, un malheur, un massacre, ce qui vaut tout de même mieux que de se ramasser, de prendre un bide et de se faire cueillir et emboîter.

Au cinoche, le comédien cède le pas aux techniciens. Chacun d'eux a son rôle : le groupiste est responsable de la bonne marche du groupe électrogène, mais ce n'est pas lui qui dispose les casseroles, gamelles et projos, ni les plats à barbe ; on le verra encore moins bornioler le studio ou déplacer la girafe !

Chacun son taf.

L'essentiel est de rapporter des galettes de pelloche, qui ne feront peut-être qu'un navet, un nanar de plus aux yeux des cinochiers.

LA MUSIQUE

L'argot de la musique est international, et le jazz a tout naturellement adopté l'argot américain, souvent obscène, ce qui n'est pas étonnant, les rapports du musico[1] avec son matos[2] étant de complicité et de sensualité.

Néanmoins, en français, dans un orchestre de barbus[3], le cocher[4] drive les binious[5], les fagots[6], pibouics[7], poireaux[7], et tous les instruments de jambonneurs[8] : plumiers[9], grands-mères[10], bêtes[11], grattes[11], guimauves[11], pelles[11], râpes[11], et même jambonneaux[12] et guitounes[13]. Le violoncelliste scie du bois[14] tandis que le pianiste écrase de l'ivoire[15] sur sa commode[16] et son armoire à sons[16]. Gamelles[17], tourtières[17] et gratouilles[18] complètent l'orchestre auquel les folkeux[19] adjoindront quelques pianos du pauvre[20], pianos à bretelle[20] et soufflets à punaises[20]. Un beau bastringue[21] !

On fait l'inventaire[22] et chacun lâche ses pipes[23] en évitant de faire des poussières[24], des pains[24], des canards[24] ; le pianiste fait la pompe[25] en lâchant de temps à autre une pêche[26]. S'il ne joue pas les feuilles mortes[27], il joue à la feuille[28] et fait de la sauce[29] autour du saucisson[30] : ça chauffe[31], ça balance[32]...

Si le musico[1] n'a pas même un gig[33], ni les moyens de faire un bœuf[34], il sera contraint de faire les baluches[35], de faire la soupe[36] (dégueulando[37]) ou (bandando[38]) de passer la paille de fer[39].

1. *Musicien.*
2. *Matériel, instruments.*
3. *Musicien d'orchestre classique.*
4. *Chef d'orchestre.*
5. *Instruments à vent : accordéon, orgue, hautbois, trompette...*
6. *Les bois.*
7. *Clarinettes.*
8. *Jambonner : jouer d'un instrument à cordes.*
9. *Violons.*
10. *Contrebasses.*
11. *Guitares.*
12. *Guitares, mais aussi mandolines et banjos.*
13. *Guitares électriques.*
14. *Jouer du violoncelle.*
15. *Jouer du piano.*
16. *Piano.*
17. *Cymbales.*
18. *Maracas.*
19. *Amateurs de musique folklorique.*
20. *Accordéons.*
21. *Orchestre bruyant.*
22. *Faire des arpèges.*
23. *Notes.*
24. *Fausses notes.*
25. *Accompagner au piano.*
26. *Accentuation d'un accord.*
27. *Jouer les feuilles mortes : ne pas avoir d'oreille.*
28. *Jouer à la feuille : jouer de mémoire.*
29. *Improviser.*
30. *Standard, morceau classique.*
31. *Faire monter l'enthousiasme des auditeurs.*
32. *Se dit d'une musique bien rythmée.*
33. *Engagement de courte durée.*
34. *Jouer pour le plaisir.*
35. *Jouer dans les bals.*
36. *Jouer dans un orchestre de variétés.*
37. *Glissando.*
38. *Amoroso.*
39. *Jouer en allant de table en table dans un restaurant ou dans une boîte de nuit.*

PARIS

Paris (Paname, Pantruche) a toujours été au centre de la chanson populaire et des argots. Tous y ont cours, même s'il leur arrive parfois de naître en province : les mots doivent passer par Paris, et aucune décentralisation n'y fera rien. Aussi la ville a-t-elle depuis toujours ses appellations populaires. De Villon à Bruant, les poètes et les chansonniers ont visité ses quartiers et ont retenu ses noms et ses sobriquets :

RIVE DROITE

1er

- *La Cigogne :* le Palais de Justice et la Préfecture de Police.
- *La Tour pointue :* la Préfecture de Police et le Dépôt.
- *La Grande Boulange* ou *la Boulange aux faffes :* la Banque de France.

2e

- *L'Embrouille :* la Bourse.

3e

- *La Quincampe :* la rue Quincampoix.

4e

- *Le Sébasto, le Topol :* le boulevard Sébastopol.
- *Le Pompidolium, la Raffinerie, l'Usine à gaz :* le Centre Pompidou.

8e

- *Les Champs :* les Champs-Élysées.
- *Le Concours Lépine :* le cours Albert-Ier et le Cours-la-Reine.

10e

- *La Frotte :* l'hôpital Saint-Louis.
- *Laribo :* l'hôpital Lariboisière.

11e

- *La Bastaga, la Bastoche :* la Bastille.
- *La Popinque :* le quartier Popincourt.

16e

- *Le Troca :* le Trocadéro.
- *La Maison ronde, le palais Gruyère :* la Maison de la Radio.

RIVE GAUCHE

5^e^

- *Le Latin, le boul' Mich' :* le Quartier latin, le boulevard Saint-Michel.
- *Le Baz Grand :* le lycée Louis-le-Grand.
- *Sainte-Ginette :* la bibliothèque Sainte-Geneviève.
- *La Mouffe :* le quartier Mouffetard.
- *La Maub, la Mocobo :* le quartier Maubert.
- *La Mutu :* le palais de la Mutualité.

7^e^

- *La Tour Cifelle :* la tour Eiffel.
- *La Terre sainte :* quartier limité par l'esplanade des Invalides et le Champ-de-Mars.
- *Les Invalos, les Invaloches :* les Invalides.

13^e^

- *Les Gobs :* les Gobelins.
- *L'Arnaque :* refuge de l'Armée du salut, quai de la Gare.

6^e^

- *Le Lucal, le Luco :* les jardins du Luxembourg.
- *Saint-Ger :* Saint-Germain-des-Prés.

14^e^

- *Montparno :* Montparnasse.
- *La Santaga, la Santoche :* la prison de la Santé.

BANLIEUE

Madagascar et Tonkin : pelouses du champ de courses d'Auteuil.
Biscaille : Bicêtre, son hospice et son marché.
Malak : Malakoff.
Versigo : Versailles.
Fleury : le centre pénitentiaire de Fleury-Mérogis.

LE MARCHÉ AUX PUCES

L'expression remonte aux dernières années du XIXe siècle. On la note en 1901-1902 ; elle voisine alors sur les cartes postales et dans la presse avec *marché pouilleux :* marché de Bicêtre, marché des Patriarches à Saint-Médard, où s'installent à côté des chiffonniers et des biffins les marchands de bric-à-brac.

Au début des années 1880, le nombre des chiffonniers parisiens, porteurs d'une médaille professionnelle, s'élevait à près de 6 000. Ils parcouraient de nuit les rues de la ville, le « cachemire d'osier » (le panier) aux épaules, la lanterne d'une main et de l'autre le crochet servant à trier les détritus déposés en vrac au coin des rues. Ceux-ci étaient ramassés le matin par les éboueurs dans les tombereaux de la municipalité et déversés sur les berges de la Seine en dix-huit emplacements autorisés : c'est là que les *ravageurs* les triaient une dernière fois pour y recueillir les métaux, tandis que les *tafouilleux* tiraient de la rivière les objets flottant à la surface.

Les chiffonniers ramassaient surtout les matières récupérables et vendables aux industriels : chiffons, vêtements, papier, cuir, verre, qu'ils rapportaient à leur patron, le *singe,* habitant généralement sur la « zone » des *fortifs,* les fortifications de Paris à l'emplacement desquelles passe aujourd'hui le boulevard périphérique ; le *trieur* était chargé... de trier et de classer les matières premières selon leur qualité.

Les vieux Parisiens se souviennent encore de cette zone habitée par les clochards et leurs familles. C'est là que se sont ouverts les principaux marchés aux puces de la capitale : porte de Saint-Ouen, porte de Vanves (aujourd'hui porte Didot), porte de Montreuil, porte des Lilas et porte de La Villette, ces deux derniers marchés aujourd'hui supprimés, comme celui de la rue Saint-Médard.

L'arrêté pris par Eugène Poubelle, préfet de la Seine, en date du 16 janvier 1884, institua l'obligation des premières « boîtes à ordures ménagères ». Le 22 du même mois, les chiffonniers parisiens tinrent un meeting de protestation et par dérision donnèrent le nom de poubelles aux nouveaux récipients. Depuis un siècle, les petits métiers de récupération ont disparu : ils n'ont plus leur place dans une société de consommation ; et les municipalités ont repris à leur compte la collecte du verre usagé.

LA BROCANTE ...

Sur le marché, le brocanteur, « broc » ou « broco », voisine avec d'autres « puciers », « biffins », « chiftires » ou « chiffortons ». Ils « font l'ancien » ou la « chine », s'alimentent en marchandise (la « came ») auprès des particuliers et à l'Hôtel des ventes. (Le commissaire priseur est le « patron », les commissionnaires les « collets rouges »). Ils en rapportent des « paniers » contenant des lots vendus aux enchères, ou des « toiles » (carrés de toile verte où on empile livres et objets, et dont on noue les quatre coins pour tenir à la main ou porter sur l'épaule). Il faudra parfois trier les meilleures pièces du lot, les « laver », « désosser » les objets pour en vendre les pièces séparément, « casser » les livres, les débrocher pour en retirer les gravures qu'il est plus avantageux de vendre à l'unité.

On trouve de tout dans la came : des « cailloux » (objets en pierre et plus rarement pierres précieuses de peu de valeur), de la « bronzaille » de qualité courante, des « chiftires » (chiffons) et des « fripes » (vêtements), du « papier » (livres et revues), des « bouillons » (exemplaires invendus de journaux). Mais il est très rare que cette came soit d'origine frauduleuse et qu'elle « craigne le soleil » : le brocanteur n'est pas un « fourgue » (un receleur), ni un « truqueur » (marchand de faux meubles anciens).

Le brocanteur achète en salle des ventes, il « bourre » (fait de la surenchère) et doit parfois acheter « en compte à demi » en partageant avec un confrère les frais – et les bénéfices. Il peut aussi prendre de la came en dépôt, « en nourrice ». S'il se fait « emplâtrer », en payant trop cher, il ne lui reste qu'une solution, « se déplâtrer », sans chercher à « faire la culbute » (vendre le double du prix d'achat), trop heureux de « se défausser » (se débarrasser d'un objet inutile et encombrant). Ce n'est pas tous les jours qu'on fait une « boule » (une vente importante) !

Le client, le « chineur » est prêt à marchander, à « chiner ». Il « roucoule » devant l'objet de son désir (il l'examine longuement). Le brocanteur qui n'a pas « dérouillé » (n'a encore rien vendu) est prêt à lui « fourguer » (à bas prix) tout le lot et à lui faire « un blot » (un forfait) s'il veut bien l'« étrenner » (être son premier client). Si l'acheteur n'a pas sur lui assez d'argent liquide, il pourra « clouer » (retenir) l'objet qu'il reviendra payer et emporter plus tard.

Dans une vente, des objets sont « attribués au comte Ravalo » quand, n'ayant pas trouvé acquéreur au prix fixé, ils sont repris, « ravalés » par le vendeur pour que leur cote ne baisse pas.

... ET SES JUGEMENTS DE VALEUR

amusant
sans valeur,
sans style
et sans intérêt

arlo
marchandise de rebut

bidon
faux,
truqué,
douteux

ancien (meuble)
copie ancienne

bidouillé
truqué,
réparation visible

bon d'époque
authentique

bordille
mauvaise marchandise
(de la merde !)

brocasse
marchandise vendue
par le brocanteur

broque, broquille
brocante sans valeur

came
marchandise
en général,
ou marchandise
sans qualité,
camelote, roustissure

chanstiqué
restauré
maladroitement

château
pièce exceptionnelle

cheveu
fine fêlure

chtrope
mauvaise marchandise
(malgré l'apparence)

daube
camelote

daubé
truqué

désossé
démonté (pour vendre
les pièces séparément)

dessus
le meilleur du lot,
le « dessus
du panier »

drouille
marchandise sans
valeur. Soldes.

farci (meuble)
truqué

genre de
faux

jus (dans son)
dans son état
d'origine
(guère brillant...)

lavé
dont les meilleures
pièces ont été
retirées

main (de seconde)
d'occasion

maquillé
dont les défauts
ont été dissimulés

occase (d')
d'occasion

officiel (de l')
de l'authentique

orphelin
pièce dépareillée

pana, panard, panne
objet invendable

rossignol
objet invendable

roustissure
marchandise
sans qualité, *camelote*

sincère
n'ayant subi aucune
réparation

strobus
marchandise
invendable,
de dernier choix

tarderie
objet très laid

tatoué
poinçonné

toc
faux,
imitation

CAMELOTS ET FORAINS

Sur le marché, on rencontre aussi des marchands forains sous leur « barnum » (la tente) ou dans leur « bazar » (la baraque), plus rarement des « bancs volants » (forains sans emplacement fixe). Ce sont des commerçants qui payent patente (la « patuche ») et dont la « placarde » (la place sur le marché) est due au « placardier » (le placier), sans qu'il soit obligatoirement nécessaire de recourir à la « boucanade » (le pot de vin).

Le camelot – le « cam », le « bonisseur », le « posticheur » – « amuse le tapis », il « entrèpe » (attire les badauds) avec son « baratin », son « flanche », sa « postiche ». Il fait son métier de vendeur, la « batouse », obligé parfois de « détréper » (éloigner les badauds qui n'achètent pas).

Un peu plus loin, un « manieur de fonte » (un haltérophile) manie sa « bijouterie » (les poids).

Plus discrètement, à l'écart, un « poseur » (le « bonneteur ») fait glisser les cartes du « jeu des trois bauches » (la « bobinette », le « bonnet », le bonneteau) : « Où qu'est-i ? où qu'est-i ? » – sans manquer d'ordonner à son complice « quante et un sur les panards » pour écarter les badauds trop nombreux en leur écrasant les pieds...

EN VILLE

LES TAXIS

Le bahut (la loche, le rampant, le rongeur, le sapin, le tac, le tacot, le taquemard), qu'il soit courtineur, galérien ou nuiteux, doit rester en strasse après avoir dépoté son pacson et fait douiller la somme inscrite au jacquot (à la pendule, au rongeur). Le maraudeur est passible de la côtelette.

LE MÉTRO

Il est interdit de brûler le dur (le brutal, le tube, le tromé) ; un trôleur peut toujours être planqué derrière un tubard.

SUR LA ROUTE

À moins d'être une pince ou un veau, le motard sous sa gamelle, les mains aux cocottes, les portugaises ensablées par le mégaphone, gicle sur son bahut (sa bécane, son bourrin, sa brêle, sa caisse, sa chignole, son gros-cul, son essoreuse, sa meule, sa motal, sa pétoire, sa poubelle, son superbig, sa tinette) et balance dans les virolos, le nez dans la bulle.

Gare à la viande à pneu ! Gare aussi au cyclomotoriste sur sa mob (sa pétrolette, sa tasse à café) et au cycliste sur sa bécane (son biclo, son biclou, son clou, son lové, son vélo).

Sur le ruban, en slalom entre les biroutes, le motard grille le chauffard qui rampe dans sa caisse (sa caisse à savon, sa bouzine, sa charrette, sa chiotte, son coucou, sa guinde, sa guimbarde, sa hotte, sa poubelle, son ravelin, son tacot, son tapecul, son tas de boue, son tas de ferraille, son teuf-teuf, sa tire, son traîne-con, sa trottinette, sa tulette), il lui fait la course à l'échalote et des queues de poisson. Le couineur écrase le champignon, il met la gomme, le pied à la planche, il rajoute de la sauce, il chatouille, il crayonne, il avoine, il filoche, il trace, il bombe, il bourre à toute vibure, prend les virages sur les chapeaux de roues, il court au casse-pipe, à tombeau ouvert ; il gratte les bahuts, les gros-culs et les semis tenus par le mouchard, au risque de se cracher, de valser dans les décors, d'aller aux fraises et aux pâquerettes, de saquer la route, de se planter, d'embrasser un platane et de se viander.

...À moins que sa tire ne marche que sur trois pattes, que le moteur ne se mette à tousser, à brouter, à ratatouiller, qu'il tombe en rideau et qu'il reste en bobine, en carafe, sur la bande.

L'A.B.C. DU CYCLISME

Accordéon (faire l') : Se dit d'un peloton qui s'allonge et se raccourcit par à-coups.

Affûter la forme : S'entraîner en vue d'une amélioration.

Artillerie : Ensemble des moyens dont dispose le sportif.

Balai :
Voiture balai, dernière voiture de la caravane ramassant les traînards.
Être du balai, être le dernier.

Balancer un concurrent : Se déporter sur le côté pour l'obliger à serrer le trottoir.

Bosse : Côte à monter.

Bourrer : Accélérer.

Caisse (rouler la) : Entraîner le peloton.

Charge : Dopage.

Chasse : Accélération pour rejoindre les coureurs échappés.

Chrono : Chronomètre.

Cocottes : Supports des poignées de frein.
Les mains aux cocottes, en position de relaxation.

Coucher (se) : Abandonner dans une compétition.

Crayonner : Accélérer.

Danseuse (en) : En pédalant debout, porter l'effort alternativement sur chaque pédale.

Dégringoleur : Habile dans les descentes.

Écureuil : Cycliste sur piste.

Enrouler : Pédaler en souplesse.

Facteur (pédaler en) : En se tenant bien droit.

Fer à repasser dans chaque poche (avoir un) : Pédaler en se dandinant.

Jante (rouler sur la) : Être à la limite de ses forces.

Lanterne rouge : Dernier du peloton.
Manettes : Pédales.
Manivelles : Jambes.
Meilleur (prendre le – sur) : Avoir l'avantage sur.
Mordre le guidon : Pédaler penché en avant.
Mouchoir (arriver dans un) : En peloton serré.
Moudre : Pédaler ferme.
Mouliner : Pédaler en souplesse.
Pacemaque : Entraîneur sur piste.
Pâquerettes (cueillir les) : Musarder.
Pistard : Cycliste sur piste.
Poussette : Aide apportée à un coureur en le poussant.
Raccrocher : Renoncer à la compétition.
Ramasse (à la) : À la traîne.
Remonter : Dépasser successivement les concurrents qui précèdent.
Soucoupe : Plateau de pédalier.
Tube : Boyau.
Bécane, biclou, clou, lové : Vélo.

L'AUTOMOBILE

Les roues
les roupes.

Les pneus
les boudins,
les chaussettes,
les gommes,
les savonnettes.

Le butoir
de pare-choc
la banane.

Le volant
le cerceau,
le macaron.

L'accélérateur
Le champignon.

L'essuie-glace
la raclette.

Le lave-glace
la pissette.

Le rétroviseur
le rétro.

Le chiffon
d'entretien
la nénette.

Sur le pare-brise
la contredanse,
le papillon,
le biscuit,
la prune.

Le moteur
le moulin.

Le carburateur
l'usine à gaz.

La batterie
la batteuse.

Les bougies
les chandelles.

Le filtre à air
la gamelle.

Les pistons
les gamelles.

L'essence
la benzine,
la coco.

LA POLICE, LA JUSTICE, LA PRISON

LA POLICE

La Rousse, la Poule, la maison Poulaga, la maison Poulemane, la maison Parapluie.

Les Policiers : La flicaille, la renifle. Anges gardiens, archers, bignolons, bourres, bourriques, cognes, condés, draupères, emballeurs, en-bourgeois, flics, flicards, keufs, lardus, matuches, perdreaux, poulagas, poulardins, poulets, roussins, vaches.

Les enquêteurs : Fileurs, sondeurs.

Agents cyclomotoristes : Cow-boys, pèlerins, vaches à roulettes.

Agents (punis) en treillis bleu : Bleus de Nanterre.

Inspecteur de l'I.G.P.N. : Bœuf-carotte.

Agent de la circulation : Piéton.

Piédestal circulaire : Camembert.

Guérite surélevée : Cocotte-minute.

Bâton blanc : Aubergine blanche.

Indicateur des rues de Paris : Bréviaire.

Auxiliaire féminine : Pervenche.

Uniforme : Roupane.

Casquette à coiffe blanche : Fromage blanc.

Matraque : Bidule, bite à Jean-Pierre, machine ou gomme à effacer le sourire, goumi.

Menottes : Bracelets, cabriolet, cadènes, fichets.

Garde du corps : Gorille.

Membre d'une police parallèle : Barbouze.

Membre d'une police privée : Niçois.

Poseur de micro d'écoute clandestine : Plombier.

Faux policiers : Fausse poule.

Gendarme : Arlequin, bédi, cogne, guignol, hareng, mannequin, marchand de lacets.

Gendarme mobile en tenue de combat, C.R.S. : Bleu.

Police de la route : Motard.

Brigade chargée de la répression du proxénétisme : Les Mœurs, la Mondaine.

Brigade chargée de la répression du trafic de drogue : Les Stups.

Brigade criminelle : La Crime.

L'ARRESTATION

Avoir la police aux trousses : Craindre, avoir les pieds dans le dos, un point de côté, les avoir sur l'alpague, sur les arêtes, dans les reins.

Échapper à la police : Chier du poivre.

Arrêter, appréhender : Faire un crâne.

Être arrêté : Se faire accrocher, agricher, agripper, alpaguer, argougner, arnaquer, arquepincer, coiffer, cravater, cueillir, emballer, emballarès, empaqueter, encrister, entoiler, épingler, fabriquer, gaufrer, gauler, poirer, poisser, ramasser, ramastiquer, sucrer, mettre la main sur le paletot, tomber, être pécho par les keufs.

Être pris en flagrant délit : Être fait marron, tomber en flag.

Filature : Filoche.

Surveillance d'un lieu suspect : Planque, surbine.

Rafle : Coup de filet, coup de torchon, coup de serviette, cueille, descente, emballage, raclette.

Perquisition : Perquise.

Indicateur : Balance, flicard, indic, mouton ; en croquer.

Dénoncer : Balancer, balancer la cavalerie, donner, morganer.

Dénonciateur : Bascule, bordille, bourrique, casserole, donneur, friquet, mouche, mouchard.

Gratification à un informateur : Bouquet.

Accord tacite de la police : Condé.

Préfecture de police de Paris : La Cigogne, la Grande Maison, la Tour pointue.

Commissariat de police : Quart.

Commissaire de police : Quart d'œil, lardu.

Secrétaire du commissaire : Chien du commissaire.

Comptoir sur lequel on prend les empreintes digitales : Piano.

Papiers d'identité : Faffes, pap's, brème.

Passeport : Passe, faffelard.

Papiers d'identité authentiques : Chouettes.

Faux papiers : Balourds.

Interrogatoire : Chansonnette, deuxième degré, passage à tabac.

Interroger : Cuisiner.

Alibi : As, pébroque.

Profession fictive : Berlue, couverture, couvrante.

Confrontation : Retapissage.

Porter plainte : Aller au chagrin, porter le deuil.

Juge d'instruction : Curieux.

Avouer : S'affaler, cracher, lâcher le paquet, manger le morceau, se mettre à table, l'ouvrir.

Se disculper (en chargeant quelqu'un d'autre) : Se défarguer.

Voiture cellulaire : Ballon, panier à salade.

Emprisonner : Coffrer, enchtiber.

Détention préventive : Prévence, prévette.

La cour d'assises : Les Assiettes.

Le palais de justice : La Cigogne.

Le tribunal : Le guignol.

Le Code pénal : Le Catalogue.

Le président de la cour d'assises : Le Gros-Léon.

Le procureur : Le procu.

L'avocat : Le babillard, le bavard, le baveux, le débarbot, le démerdeur, le jaspineur, le parrain, le pingouin.

Les jurés : Les fromages, les potirons.

Les témoins à charge : Les fargueurs, les parrains, les marraines.

Accuser : Farguer.

L'accusé.

Le casier judiciaire : Le casier, le pedigree.
Avoir un casier vierge : Être blanc.
Avoir un casier chargé : Avoir un passé.
Ancien truand : Fagot.
Interdit de séjour : Borduré, sous le bambou, tricard.
Condamné de droit commun : Droit-co.

La condamnation : Sapement, gerbe.

Expier : Payer.
Condamner : Saper, matraquer.
Être condamné : Gerber, morfler.
Réclusion : Récluse.
Année de prison : Boule, gerbe, longe.
Mois de prison : Marqué, marcotin.
Travaux forcés : Les durs.
Relégation : Relègue.
Interdiction de séjour : Trique.
À perpétuité : À perpète.
Condamné subissant une peine de substitution : Tige.

Recours en cassation : Rebectage.

LA PRISON

Aller en prison : Aller à la campagne, être dedans, être à l'ombre.

Prison : Ballon, bigne, bloc, cabane, cage, caisse, carlingue, carluche, gnouf, placard, taule, trou, violon.

Prison municipale : Hôtel des haricots.

Prison centrale : Centrouse.

Fouille à l'entrée : Barbotte.

Passer la visite sanitaire : Aller à Montretout.

Cellule : Cellote, chtar, lazaro, mitard, mite, pistole, ratière, surbine.

Judas dans une porte : Mouchard.

Serrure : Carouble.

Gardien : Crabe, gaffe, maton, matuche.

Prisonnier : Ratier, taulard.

Condamné à perpétuité : Incurable.

Sortir de prison : Défourailler.

Libération provisoire : En provisoire.

Libération pour raison de santé : En médicale.

Amnistie : Lessive.

S'évader : Se donner de l'air, jouer un air, un air de flûte, s'arracher, être en cavale, faire chibis.

L'ARGOT ECCLÉSIASTIQUE

En 1966, Jean Follain publia un *Petit Glossaire de l'argot ecclésiastique* (éd. J.-J. Pauvert) d'où étaient exclus les termes populaires désignant les prêtres. C'est donc d'un argot de métier qu'il s'agit, dans lequel on discernera plusieurs niveaux : l'argot des séminaires d'abord, qui est comparable à celui des grandes écoles ; un lexique facétieux à propos duquel Jean Follain fait allusion à Max Jacob et au curé d'Ars qui appelait le diable le « grappin » ou son « vieux camarade » ; des termes enfin dont l'auteur ne semble avoir recueilli que peu d'occurrences.

On doit considérer les quelques mots suivants comme une curiosité. Il y a plus de vingt ans, Jean Follain notait déjà que les modifications apportées dans la liturgie et dans la discipline des ecclésiastiques, notamment celles concernant le vêtement, feraient tomber de nombreux mots en désuétude.

Se faire couaquer : provoquer le cri du corbeau sur son passage.

Se mettre en ménage : prendre possession d'une paroisse.

La cambuse : la sacristie.

Le saint-étui, la roupane : la soutane.

La planche à repasser : la chasuble.

La blouse de plâtrier, ou le bourgeron : le surplis.

La sous-ventrière : la large ceinture.

Le kiosque, le képi à moustache, la casquette : la barrette.

Le couvercle, la cruche : la mitre.

La fourragère : la croix pectorale.

Les jumelles : les burettes.

Aller en piste : se rendre de la sacristie à l'autel.

La patrouille : la procession.

Faire la moisson : célébrer plusieurs cérémonies d'enterrement à la suite.

La confesse : la confession.

La boîte, la caisse, la guérite : le confessionnal.

L'ado perpète : l'adoration perpétuelle.

La boîte à sel : la chaire.

Le huitième sacrement : la quête.

Ma femme : mon bréviaire (ou ma pipe...).

Sucer le bonbon : baiser l'anneau pontifical.

Encordé : se dit d'un ordre qui porte une cordelière.

Porter la culotte de zinc : se dit d'ordres religieux d'une discipline très rigoureuse.

Passé dans l'Ancien Testament : se dit d'un prêtre rétrograde.

Clignotant : se dit d'un prêtre âgé.

LA VIEILLESSE ET LA MORT

Quand l'amorti, l'ancêtre, le croulant, le décati, le vieux croûton, le débris, le gaga, le vieux jeton, le pépé, le P.P.H., le ramollot, le soixante-dix-huit tours, le son-et-lumière, le trompe-la-mort, le vioc, le vioquart prend du bouchon, de la bouteille, du carat, un coup de pompe, un coup de vieux, du flacon, part en brioche, s'en va de la caisse, part en couille, sent la fin de saison, sucre les fraises, perd ses légumes, rend la monnaie, commence à rendre des points (tierce, belote et dix de der), s'en retourne, sent le sapin, il est subclaquant, il vioquit.

Il ne lui reste plus qu'à s'en aller, dévisser son billard, remercier son boulanger, avaler son bulletin de naissance, calancher, caner, casser sa pipe, claboter, clamser, claquer, rendre ses clefs, se faire tailler un costume en bois, cramser, crever, crounir, déposer son bilan, dépoter son géranium, se dévisser, se laisser glisser, filer de l'huile, oublier de respirer, perdre le goût du pain, y passer, passer l'arme à gauche, s'en aller les pieds devant, bouffer les pissenlits par la racine, raidir, lâcher la rampe, mettre les volets à la boutique.

Le croque, l'emballeur fourre le refroidi, la viande froide dans le tiroir, dans la boîte à chocolat, la boîte à dominos, la boîte à doches, lui file le paletot sans manches, le pardessus ou la canadienne en peau de sapin.

Un corbi le conduira au boulevard des allongés.

LES GESTES

Adoncques, tout le monde assistant et escoutant en bonne silence, l'Angloys leva hault en l'air les deux mains séparément, clouant toutes les extrémitez des doigtz en forme qu'on nomme en Chinonnoys cul de poulle, et frappa de l'une l'aultre par les ongles quatre foys ; puys les ouvrit, et ainsi à plat de l'une frappa l'aultre en son strident. Une foys de rechief les joignant comme dessus, frappa deux foys, et quatre foys de rechief les ouvrant ; puys les remist joinctes et extendues l'une jouxte l'aultre, comme semblant dévotement Dieu prier.

Ainsi commence le chapitre 19 du *Pantagruel* intitulé *Comment Panurge feist quinaud l'Angloys qui arguoit par signe,* auquel nous renvoyons le lecteur curieux de gestes équivoques et obscènes. Il semble bien que Rabelais fut le premier à en tenter la description littérale. Mais il n'est pas seul. Louis Pergaud dans *la Guerre des boutons,* Albert Paraz dans *le Gala des vaches,* par exemple, en ont décrit d'autres, plus familiers. Ceux que nous publions ne constituent qu'un choix restreint, loin d'épuiser le riche répertoire populaire.

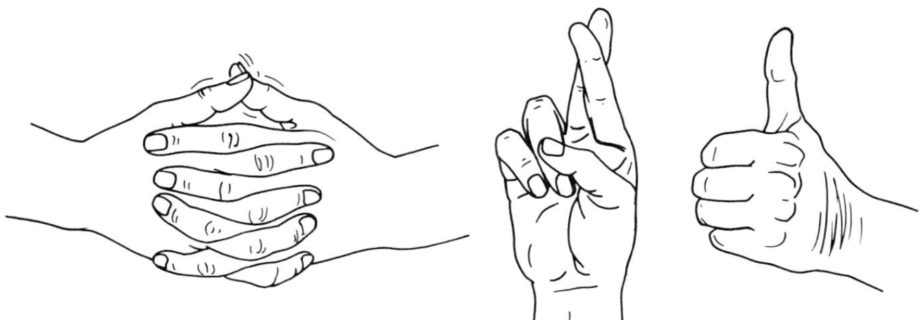

SE LES ROULER POURVU QU'ÇA MARCHE ! SUPER !

T'AS PAS UNE PIPE ?
CHUT !
À BOIRE !
JUSTE
UN CHOUÏA
ON S'TÉLÉPHONE
ON S'TIRE
LA FERME !

ÇA VA PAS LA TÊTE ?

COMPLÈTEMENT DINGUE !

JE RIS, JE RIS.

COMPLÈTEMENT BOURRÉ

RAS L'BOL !

MON ŒIL !

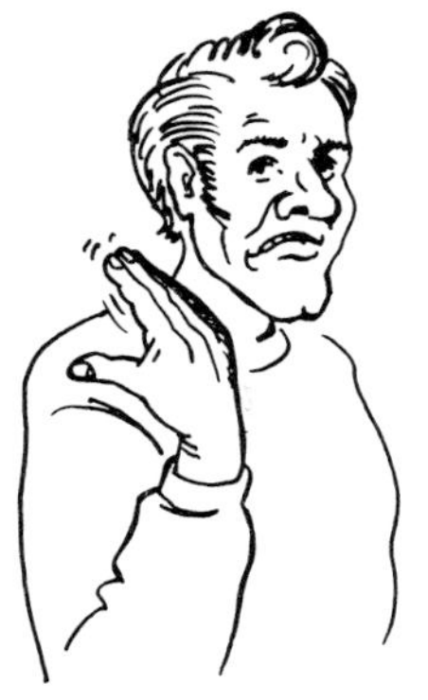

TU PEUX COURIR.

TU VAS VOIR TA GUEULE !

LES BOULES !

T'AS LA PÉTOCHE OU QUOI ?

DANS LE BABA !

VA TE FAIRE... (BRAS D'HONNEUR)

DICTIONNAIRE
DU FRANÇAIS ARGOTIQUE
ET POPULAIRE

Liste des abréviations

abr., abrév.	abréviation
adj.	adjectif
adv.	adverbe
aéron.	aéronautique
ant.	antonyme
arg.	argot
ch. de fer	chemin de fer
compt.	comptabilité
ecclés.	ecclésiastique
étud.	étudiant
ex.	exemple
exclam.	exclamation
fam.	familier
fig.	figuré
imp.	impersonnel
impr.	imprimerie
interj.	interjection
loc.	locution
loc. adj.	locution adjective
loc. adv.	locution adverbiale
mar.	marine
milit.	militaire
n.	nom
n. f.	nom féminin
n. m.	nom masculin
n. pl.	nom pluriel
n. pr.	nom propre
nég.	négation
péjor.	péjoratif
polit.	politique
pompes fun.	pompes funèbres
pop.	populaire
pr.	propre
pr. ind.	pronom indéfini
pr. pers.	pronom personnel
prép.	préposition
prost.	prostitution
psychol.	psychologie
scol.	scolaire
spect.	spectacle
suff.	suffixe
syn.	synonyme
télécom.	télécommunications
v., V.	voir
v. i.	verbe intransitif
v. pr.	verbe pronominal
v. t.	verbe transitif
vulg.	vulgaire
vx.	vieux

Un dico sans baratin est un sac d'os.

A

à prép. Le *à* possessif s'emploie familièrement pour *de : Le vélo à ma sœur ;* ou fautivement pour *chez : Aller au coiffeur.*

abattage n.m. Brio, entrain, supériorité : *Avoir de l'abattage. / Avoir de la graisse d'abattage,* avoir de l'énergie, une supériorité certaine. / *Faire de l'abattage,* pour les prostituées, effectuer des passes rapides, en série. – *Maison d'abattage,* maison de prostitution où l'on pratique l'abattage (arg.).

abattis n.m. Bras. – Au pl. Membres (du corps humain). / *Numérote tes abattis,* se dit par défi avant la lutte.

abattre v.t. *Ne pas se laisser abattre,* manger de bon appétit, sans aucun souci : *Te laisse pas abattre, reprends du calendo.*

abord (d') et d'une loc. adv. Tout d'abord, premièrement : *D'abord et d'une, enlevez votre chapeau, on causera après.*

abouler v.t. Apporter, donner : *Aboule ton fric.*

□ **s'abouler** v.pr. Venir, arriver : *Il va encore s'abouler avec son boudin !*

aboyeur n.m. Huissier ; crieur. / Individu qui offre un pronostic en échange d'un pourcentage sur le gain (turf).

abricot n.m. Sexe de la femme.

abus (y a de l') loc. C'est exagéré, abusif, injuste : *Y a un peu d'abus !*

acc (d') ou **dac !** interj. D'accord !, entendu !

accident n.m. Situation délicate (poursuite judiciaire, arrestation, faillite) : *Il ne se montre plus dans le quartier depuis son accident.*

accommoder v.t. Maltraiter, par des coups ou des paroles : *Il n'a qu'à venir ici, je vais l'accommoder. / Accommoder à toutes les sauces,* employer quelqu'un ou quelque chose à divers travaux, divers usages.

accordéon n.m. *Faire l'accordéon,* se dit d'une file de voitures ou d'un peloton de coureurs cyclistes, qui s'allonge et se raccourcit par à-coups.

accorder v.t. *Accorder ses violons,* se mettre d'accord sur une attitude à tenir : *Avant de discuter, tâchez d'accorder vos violons.*

accoucher v.i. Se décider à parler : *Alors, t'accouches ?* / Manquer de décision ; s'attarder : *T'arrives ou non ? Qu'est-ce que tu fais, t'accouches ?*

accro, accroché ou **accroch'man (être).** Avoir des dettes. / Être amoureux. – Être passionné. / Être drogué. / ***Être accroché, les avoir bien accrochées,*** être courageux, endurant, tenace (signe de virilité).

accrocher v.i. Capter l'attention ; obtenir : *Accrocher une commande.* / Commencer à prendre intérêt, à réussir : *Les maths, ça va, mais l'anglais, il accroche pas encore.* / ***Se faire accrocher, être*** ou ***rester accroché,*** être arrêté, appréhendé : *À la fin de la manif, on s'est fait accrocher.* / ***Se l'accrocher,*** être privé : *Si tu comptes là-dessus, tu peux te l'accrocher.*

accrocher (s') v. pr. Se suicider par pendaison.

accrocheur n. et adj. Tenace, opiniâtre : *Un représentant accrocheur.*

ac-crochez les wagons ! Exclamation après l'émission d'un rot sonore (la première syllabe est formée par l'éructation).

accueil n.m. *Comité d'accueil,* groupe de policiers qui prennent (brutalement) en charge les individus raflés, à leur arrivée au poste de police (s'applique à toute forme d'« accueil » désagréable).

accus n.m.pl. *Recharger les accus,* prendre une nouvelle consommation. / Prendre un repos réparateur.

accuser v.t. *Accuser le coup,* recevoir un coup sans broncher. / Au fig., montrer qu'on a été touché : *Quand je lui ai dit ce que je pensais de lui, il a accusé le coup.*

achar (d') adv. Avec ardeur, avec acharnement. / ***D'autor et d'achar,*** en prenant une décision sur le champ.

acide n.m. L.S.D. (drogue).

acompte n.m. Avant-goût : *Tenez, mangez, c'est un petit acompte.* / ***Prendre un acompte,*** avoir des rapports sexuels avant le mariage.

acré interj. Attention ! Danger ! ; Vingt-deux ! : *Acré, v'là les flics !*

actions n.f.pl. ***Avoir ses actions en hausse*** ou ***en baisse,*** jouir d'une popularité, d'une faveur plus ou moins grande.

Adam n.pr. ***Être en costume d'Adam,*** pour un homme, être nu.

adieu n.m. *Pouvoir dire adieu,* constater une disparition définitive : *Si c'est Gaston qui te l'a emprunté, ton briquet, tu peux lui dire adieu !* / ***Adieu Berthe !*** rien à faire, tout est perdu : *Si tu paumes une roue à 140, adieu Berthe !* – ***Adieu la valise !*** même sens.

adjas (mettre les) loc. Décamper, prendre la fuite : *Rien qu'à voir sa gueule, j'ai mis les adjas.*

adjudant n.m. Individu autoritaire : *Sa femme, c'est un adjudant.*

adjupète n.m. Adjudant (au sens propre).

ado adj. et n. Adolescent : *Un camp d'ados.*

afanaf ou **afnaf** loc. adv. Moitié-moitié ; fifti-fifti (de l'anglais *half and half*).

affaire n.f. Projet plus ou moins licite ; mauvais coup (arg.) : *Je suis sur une affaire.* / Difficulté ou ennui judiciaire (généralement au passé : procès, accident, etc.) : *Il fait cette gueule-là depuis son affaire.* / ***Faire*** ou ***régler son affaire,*** appliquer le traitement qui convient (châtier, corriger ; tuer). / ***C'est*** ou ***ce n'est pas une affaire,*** sous-entendu *au lit,* en parlant d'un *coup,* d'une femme (ou d'un homme !) plus ou moins sexuellement doué(e). On dit moins (mais on dit encore) : *Bathe au pieu.* / Au pl. : ***Avoir ses affaires,*** avoir ses règles.

affaler (s') v.pr. Avouer (en dénonçant des complices) ; s'allonger (arg.).

affection n.f. ***Être en retard d'affection,*** n'avoir pas fait l'amour depuis un certain temps.

affiche n.f. Celui qui « affiche » exagérément des allures homosexuelles : *Qu'Henri soit une tante, je m'en fous ; mais je peux plus sortir avec lui, c'est une affiche.* / ***Faire l'affiche, jeter de l'affiche,*** s'afficher ostensiblement pour paraître affranchi.

affiché adj. Certain. ***C'est affiché,*** c'est certain : *Ce soir, tu viens dîner, c'est affiché.*

affirmatif adv. Oui (télécomm., armée) : *Tu viens te faire une toile ? – Affirmatif !*

affranchi adj. et n. Qui a rejeté tout scrupule, tout souci de morale. / Qui observe les règles d'honneur du milieu (arg.).

affranchir v.t. Initier (arg.) : *À treize ans, elle était affranchie.* / Informer, avertir : *Raymond était pas au courant, mais je l'ai affranchi.* / Gagner à sa cause, corrompre (arg.) : *Tu peux y aller, le bignolon est affranchi.*

affreux n.m. Individu dangereux ; antipathique : *T'as vu l'autre affreux ?* / Mercenaire européen, engagé généralement dans un conflit africain.

affront n.m. Offense bénigne : *Vous ne me ferez pas l'affront de refuser un troisième verre ?* / Fiasco : *Edgar ? Tu sais pas ? Il m'a fait un affront !*

affure ou **afflure** n.m. ou f. Bénéfice, profit. / Avance dans le temps ou dans l'espace : *J'arriverai avant lui, j'ai de l'affure.*

affurer v.t. Rendre productif : *Faire affurer son fric.* / Gagner une course : *En affurer une.* / Parvenir, atteindre : *Mon garçon affure ses vingt berges.* ☐ v.i. Gagner, trafiquer : *Qu'est-ce que je fais ? J'affure à droite et à gauche.*

affûter v.t. ***Affûter la forme,*** s'entraîner en vue d'une amélioration (sport).

afghan n.m. Haschisch d'Afghanistan (drogue).

afro adj. Africain : *La musique afro.* – De mode africaine : *Coupe de cheveux afro.*

-aga suff. argotique. Poulet, *poulaga ;* pastis, *pastaga ;* gonflé, *gonflaga.*

agace-machin n.m. Démangeaison.

agacer v.t. ***Agacer le sous-préfet,*** se masturber (homme).

agates n.f.pl. Yeux ; châsses.

agglo n.m. Matériau aggloméré : *Une cabane en agglo.*

agiter (les) loc. S'enfuir (agiter les jambes) : *Tu m'aurais vu les agiter !*

agobilles n.f.pl. Testicules.

agoniser v.i. Se dit pour agonir : *Agoniser d'injures.*

agrafer v.t. Appréhender : *Se faire agrafer à la sortie.* / Saisir, voler : *Agrafer un portefeuille.*

agri n.m. Élève d'une école d'agriculture. (V. AGRO.)

agricher v.t. Saisir. / Appréhender, arrêter.

agriffer v.t. Saisir ; agricher, agrafer.

agrinche n.m. Faux voyou (arg.).

agro n.m. Élève de l'Institut national agronomique. (V. AGRI.)

aidé (pas) adj. Pas beau, pas favorisé par la nature : *La nénette à Popaul, elle est pas aidée.*

ail n.m. *Sentir l'ail, taper l'ail, manger de l'ail,* être ou paraître lesbienne. (V. GOUSSE.)

aile n.f. Bras. – *Battre des ailes,* gesticuler exagérément (spect.). / *Battre de l'aile, ne battre que d'une aile,* être en difficulté, mal en point. / *En avoir* ou *avoir un coup dans l'aile,* être légèrement ivre. / *Virage sur l'aile,* virage pris très serré (auto). / *Voler de ses propres ailes,* agir seul, sans aide. / *Rogner les ailes de quelqu'un,* l'empêcher d'agir en lui retirant son autorité.

aileron n.m. Bras.

aimer v.t. *Aimer autant,* préférer : *J'aime autant ça.* – *J'aime autant* (ou *mieux*) *vous dire que,* je préfère vous prévenir, vous mettre en garde. / *Va te faire aimer,* insulte : va te faire foutre.

air n.m. [vent, souffle, hauteur]. Parfois, au f. : *L'air est fraîche.* / *Allez ! de l'air !,* allez-vous-en !, va-t'en ! / *Courant d'air,* indiscrétion, bruit qui court. / *Ne pas manquer d'air,* avoir du toupet. / *Avoir de l'air dans son porte-monnaie,* être sans un sou. / *Il me pompe l'air,* il m'importune. / *Déplacer de l'air,* s'agiter, se faire remarquer. / *Se donner de l'air,* s'évader. / *S'envoyer en l'air* peut avoir plusieurs sens : se suicider *(Il s'est envoyé en l'air)* ; *s'entretuer (Ils vont s'envoyer en l'air)* ; se procurer un plaisir physique, soit en faisant l'amour *(S'envoyer en l'air),* soit en se droguant (syn. PLANER). / *Faire une partie de jambes en l'air,* faire l'amour. / *L'avoir en l'air,* être en érection. / *Ne pas tenir en l'air,* ne pas tenir debout (au propre et au fig.). / *Mettre en l'air,* mettre en désordre. Tuer : *Il s'est fait mettre en l'air la veille de l'armistice.*

air n.m. [allure]. *Ça en a tout l'air,* ça en a l'apparence : *Il va pleuvoir, ça en a tout l'air.* / *Ça n'a l'air de rien, mais...,* c'est plus difficile qu'il ne paraît. / *Avoir un faux air de,* avoir les apparences. / *Prendre un petit air penché,* se dit d'un objet qui menace de tomber. / *Avoir l'air fin,* avoir été trompé, floué : *Tu as joué, tu as perdu : t'as l'air fin !* / *Avoir plutôt l'air d'un con que d'un moulin à vent,* avoir l'air d'un parfait imbécile. / *L'air con et la vue basse,* l'air idiot.

air n.m. [mélodie]. *En avoir l'air et la chanson,* être réellement ce qu'on paraît. / *En jouer un air, jouer un air de flûte, jouer des flûtes,* prendre le large, s'enfuir. (V. FLÛTE.)

alcoolo n. et adj. Alcoolique.

alfa n.m. Chevelure. – *N'avoir plus d'alfa sur les hauts plateaux,* être chauve.

Alfred. V. BONJOUR.

aligner v.t. *Les aligner,* payer : *C'est à ton tour de les aligner.*
□ **s'aligner** v.pr. *S'aligner avec,* se préparer à lutter avec quelqu'un (au pr. et au fig.). – Ne pas être de taille à se mesurer à un adversaire : *Tu peux toujours t'aligner !*

alla n.m. Vin d'honneur bu sur le tas « à la » santé de quelqu'un ou à un succès (impr.).

aller v.i. Aller déféquer : *Je trouve que le petit va beaucoup.* / *Aller à.* Se dit pour « aller chez » : *Aller au coiffeur.* / *Aller en.* Se dit pour « aller à » : *Aller en bicyclette.* / *Aller avec,* accompagner : *Il y a une clef qui va avec.* – *Aller avec une femme,* faire l'amour. / *Aller sur,* atteindre bientôt un certain âge : *Il va sur ses dix-huit ans.* / *Y aller mollo* ou *doucement,* agir avec douceur, avec précaution. / *Aller fort,* exagérer. – *Aller mal,* exagérer beaucoup, dire des folies : *Tu trouves peut-être que je vais fort, mais toi tu vas mal !* / *Y aller de,* commencer à, se décider à : *Y aller de son boniment ; y aller de ses sous.* / *Aller chez Malva,* mal aller, être en mauvaise santé (verlan). / *Aller à dame,* tomber, faire une chute (généralement provoquée). / *Aller au charbon* ou *au chagrin,* aller au travail, à la recherche d'un travail. / *Aller au cri,* dénoncer. / *Aller aux renseignements,* se renseigner sur la complaisance d'une femme par des caresses indiscrètes. / *Aller à Rome sans voir le pape,* frôler la victoire (à la pétanque, par ex.). / *Ne pas y aller par quatre chemins,* agir ou parler sans détour. / *Ne pas y aller avec le dos de la cuillère,* dépasser la mesure. / *Ça y va, la manœuvre !* Se dit d'une action rapide et soutenue. / *Aller se rhabiller,* être contraint d'abandonner, de renoncer. / *Je m'en vais vous le dire, pour* « je vais vous dire ». / *S'en aller,* mourir. / *S'en aller de,* être gravement malade de : *S'en aller de la caisse.* / *Faire aller,* faire comme si tout allait bien, naturellement : *Ça ne va pas fort, mais on fait aller.* / *Faire en aller.* Se dit pour « faire partir, faire s'en aller ». / *S'être en allé.* Se dit pour « être parti » : *Je me suis en allé.* / Insulte. *Allez vous faire...* (suivi d'un infinitif) ou *Va te faire foutre.*

alloc ou **alloque** n.f. Allocation (de chômage, par ex.). Au pl. : les Allocations familiales : *J'ai pas encore touché les allocs.*

allongé n.m. Mort, seulement dans les locutions suivantes : *Être aux allongés,* être mort (spécialement dans un hôpital : être à la morgue). – *Le boulevard des allongés,* le cimetière.

allonger v.t. Porter un coup : *Allonger une tarte.* – Renverser, étendre (boxe) ; abattre, tuer. / Payer : *Tu peux les allonger.* / *Allonger les compas,* marcher vivement. / *Allonger les oreilles,* réprimander. / *Allonger la sauce,* compléter une somme déjà payée, augmenter une addition ; délayer un rapport, un discours, un article, pour le rendre plus long.

☐ **s'allonger** v.pr. Avouer en dénonçant, trahir. / Se laisser battre, contre argent (sport) : *Il s'est allongé au premier round.*

allouf n.f. Allumette : *Passe-moi les alloufs.*

allumage n.m. *Avoir du retard à l'allumage,* comprendre seulement après un certain temps de réflexion : *Il est pas trop con, mais il a du retard à l'allumage.*

allumé n. et adj. Fou, obsédé. *Faut être complètement allumé pour jouer un tel bourrin.*

allumer v.t. Guetter, observer. *Fais gaffe : allume les flics ! / Allume !* Interj. : Attention ! / Aguicher : *Elle allume, mais ça ne va pas plus loin.*

allumeuse n.f. Femme provocante, aguichante, qui allume. – Entraîneuse de bar.

alpague n.f. Veste. – *Les avoir sur l'alpague,* être recherché par la police, avoir les policiers « sur le dos ».

alpaguer v.t. Appréhender, mettre la main sur le paletot : *Tu vas te faire alpaguer. – Être alpagué* ou *alpaga,* être arrêté.

amarres n.f.pl. *Larguer les amarres,* partir, quitter un lieu.

amazone n.f. Prostituée en automobile.

amende n.f. Imposition forcée, racket : *Mettre à l'amende* (arg.). / Indemnité due par une prostituée pour se libérer d'un proxénète, ou par un proxénète à son prédécesseur (arg.).

amener v.t. Apporter : *Amène une boutanche.*

☐ **s'amener** v.pr. Venir, arriver. *Alors, tu t'amènes ?*

américain n.m. Compère jouant le rôle du personnage riche et naïf dans une escroquerie (arg.).

américain adj. *Avoir l'œil américain,* juger d'un coup d'œil avec précision.

amerlo, amerloque ou **amerluche** n. et adj. Américain (des États-Unis).

ami, e n. Amant(e). *Je te présente mon ami. / L'Ami du clergé,* bouteille de digestif (du nom de *l'Ami du clergé,* journal réservé aux ecclésiastiques).

amiable (à l') loc.adv. *Faire un gars à l'amiable,* se faire donner un portefeuille par un passant sous la menace, mais sans violence (arg.).

ami-ami (faire) loc. Conclure une amitié réciproque ; se réconcilier.

amorti adj. Fatigué, somnolent. – Vieux, vieilli (qui a amorti son prix d'achat) : *Son père est complètement amorti.*

amortisseurs n.m.pl. Seins : *Une belle paire d'amortisseurs.*

amour n.m. *Faire l'amour,* avoir des relations sexuelles. – *Amour vache,* amour brutal, succession de caresses et de coups. / *À vos amours !* Formule de toast, ou de souhait après un éternuement.

amphés n.f.pl. Amphétamines (drogue).

amphi n.m. Amphithéâtre : *Prendre place dans un amphi.* – Cours magistral : *Suivre un amphi* (étud.). / Morgue (hôpitaux).

amphibie n.m. Individu louche : *Qu'est-ce que c'est que c't'amphibie ?* / Ouvrier qui assume plusieurs emplois (généralement réservés à des ouvriers spécialisés).

amusant adj. *C'est amusant,* se dit d'un objet sans valeur, sans style et sans intérêt (brocante).

amuse-gueule n.m.inv. Première partie d'un spectacle, avant les numéros à sensation (spect.).

amuser v.t. *Amuser le tapis ;* détourner l'attention, faire diversion : *Il dit ça pour amuser le tapis.* / Jouer une mise très faible, avant de commencer sérieusement le jeu.

amygdales (lécher les) loc. Embrasser sur la bouche.

ananas [ananass'] n.m. Grenade défensive manuelle. / Seins.

anar n.m. et adj.inv. Anarchiste.

Anatole n.pr. plaisant. *Ça colle, Anatole ?,* comment ça va ?

ancêtre n.m. Vieillard. – Surnom donné au plus âgé, à un ancien : *Alors, l'ancêtre, tu te magnes le train ?*

ancien n.m. Commerce d'objets anciens : *Faire l'ancien* (brocante, librairie).

ancien adj. *L'ancien temps,* le passé historique. – *Livre ancien,* qui a plus de cinquante ans d'âge. – *Meuble ancien,* copie ancienne (brocante). / *Passé dans l'Ancien Testament,* se dit d'un prêtre rétrograde (ecclés.).

andouille n.f. Niais, imbécile : *Une sacrée andouille.* – Étourdi, dissipé, irréfléchi : *Arrête de faire l'andouille.* / *Andouille de calcif,* membre viril.

âne n.m. *Bougre d'âne.* Insulte. / *Être monté comme un âne,* avoir des parties viriles très développées.

ange gardien n.m. Garde du corps. / Au pl., agents de police.

anglais n.m.pl. ou n.pr.pl. *Avoir ses anglais, les Anglais sont arrivés* ou *ont débarqué,* avoir ses règles.

anglaise adj.f. *Capote anglaise,* préservatif masculin. □ n.f.pl. *Avoir ses anglaises,* avoir ses règles.

anglaiser v.t. Violer, sodomiser (arg.). / Entôler (arg.).

angliche n. et adj. Anglais.

angoisse (c'est l') loc. Exprime un ennui, un désagrément : *La compo de maths, c'est l'angoisse.*

ânguéyer v.t. Entraîner, amener : *Viens pas seul, angueye une copine avec toi.*

anguille de caleçon n.f. Membre viril.

annexe n.f. Le débit de boisson le plus proche du lieu de travail : *Ils sont à l'annexe.*

annoncer v.t. *Annoncer la couleur,* préciser d'avance ses opinions et ses intentions.

antigel n.m. Verre de marc.

antisèche n.f. ou parfois n.m. Aide-mémoire clandestin, répertoire de notes utilisé en fraude à un examen, évitant de sécher. Le même mot désigne les notes d'un professeur ou d'un conférencier.

apéro n.m. Apéritif : *Prendre l'apéro.*

aplatir v.t. Oublier une offense, fermer les yeux : *Aplatir le coup.* □ **s'aplatir** v.pr. Tomber, s'allonger. Ne pas insister.

app' n.m. Appétit, surtout employé dans l'expression *Bon app' !*

apparte ou **appe** n.m. Appartement : *Je cherche un apparte.*

appel n.m. Œillade. / ***Appel au peuple,*** emprunt.

appeler (s') v.pr. *Il s'appelle « Reviens »,* se dit d'un objet emprunté dont on demande le retour.

appuyer (s') v.pr. Subir, supporter : *Le gros Léon, ça va encore, mais c'est sa nénette qu'il faut s'appuyer.*

aprèm' n.m. Après-midi : *À c't'aprèm' !*

après prép. Se dit pour « à, contre » : *Monter après un arbre.* / Se dit aussi pour « derrière » : *Je lui ai crié après, je lui ai couru après* (et non : j'ai couru après lui).

aquarium n.m. Bureau vitré : *Le singe nous surveille dans son aquarium.*

aquiger v.i. Faire mal, avoir mal : *Les pinceaux m'aquigent.*

araignée n.f. ***Avoir une araignée dans le*** ou ***au plafond,*** être un peu fou. / ***Avoir des toiles d'araignée,*** ne pas servir fréquemment. / ***Faire patte d'araignée,*** caresse intime avec les doigts.

arbalète n.f. Croix : *Un défilé de ratichons portant leur arbalète.* / Membre viril.

arbette n.m. Travail. (De l'allemand *Arbeit.* Peu employé.)

arbre n.m. ***Monter à l'arbre,*** s'échauffer, se mettre en colère.

arcagnats ou **arcagnasses** n.m.pl. Règles.

arcan n.m. Voyou, truand (arg.).

arche n.m. Cul. – ***Tu me fends l'arche,*** tu m'importunes, tu me les casses.

archer n.m. Agent de police. (Cet archaïsme, allusion aux agents subalternes de l'Ancien Régime, est encore employé par plaisanterie.)

archi- préf. Extrêmement, tout à fait : *Une salle archicomble ; une histoire archiconnue.*

archi n.m. Élève architecte ; architecte.

archicube n.m. Ancien élève de l'École normale supérieure (étud.).

ardillon n.m. Membre viril.

ardoise n.f. Compte de marchandises achetées à crédit chez un petit commerçant : *Je suis tricard au tabac, j'ai une ardoise.* / ***Prendre une ardoise à l'eau,*** uriner. (Les urinoirs publics étaient naguère formés de plaques d'ardoise arrosées d'eau en permanence.)

-arès ou **-aresse** suff. arg. ajouté aux participes passés ou aux infinitifs des verbes du premier groupe : bouclé, *bouclarès ;* étouffé, *étouffaresse ;* etc.

arêtes n.f.pl. Les côtes, le dos : *Un costard minable sur les arêtes.* Au fig., sur le dos : *Avoir les flics sur les arêtes.*

argomuche n.m. Argot : *Jaspiner l'argomuche* (arg., peu employé).

argougner v.t. Saisir, attraper ; appréhender : *Il s'est fait argougner en sortant du cinoche.*

aristo n.m. Aristocrate, noble ; membre des classes possédantes (désuet).

aristocé adj. Rassis (boucherie).

arlequin n.m. Gendarme. (On dit plutôt guignol.)

arlo n.m. Marchandise de rebut : *C'est un arlo, de l'arlo* (brocante).

armoire à glace n.f. Individu grand, large et costaud.

armoire à sons n.f. Piano.

arnaque n.f. Escroquerie, tromperie : *Ce concours à la flan, c'est de l'arnaque.*

Arnaque (l') n.pr. Refuge de l'Armée du salut, près de la gare Masséna, à Paris (arg. des clochards, qui se plaignent d'y être arnaqués).

arnaquer v.t. Escroquer : *N'entre pas là, tu vas te faire arnaquer.* / Appréhender : *Se faire arnaquer par les poulets.*

arnaqueur, euse n. et adj. Escroc, tricheur : *Méfie-toi, c'est un arnaqueur.*

arno adj.inv. Furieux : *Méfie-toi, il est arno, après c'que t'as dit.*

arpinche n.m. Avare, pingre.

arpion n.m. Pied : *Le dur, c'est l'endroit idéal pour se faire écraser les arpions.*

arquepincer v.t. Appréhender, arrêter : *Je me suis fait arquepincer.*

arquer v.i. Marcher : *Je peux plus arquer.*

arraché n.m. *Un coup d'arraché,* vol important, d'exécution rapide (arg.).

arracher v.t. *Arracher le copeau,* faire jouir. / *Ça arrache,* ça marche très fort.
☐ **s'arracher** v.pr. S'évader : *Il a réussi à s'arracher de la Santé.*

arrangeman ou **arrangemané** adj. Atteint d'une maladie vénérienne, contaminé.

arranger v.t. Maltraiter, blesser : *Ils l'ont bien arrangé, les flics !*
☐ **s'arranger** v.pr. Régler ses comptes (au pr. et au fig.) : *Laisse-les s'arranger tous les deux, c'est leurs oignons.* / *Se faire arranger,* se faire duper au cours d'un achat. / Contracter une maladie vénérienne.

arrière-saison n.f. *Sentir l'arrière-saison,* vieillir.

arrière-train n.m. Cul : *Un coup de pompe dans l'arrière-train.*

arrimer (s') v.pr. Vivre ensemble, mariés ou en concubinage : *Y a deux ans qu'on s'est arrimés.*

arrondir ses fins de mois loc. Augmenter son salaire par des petits jobs, y compris par la prostitution.

arrosage n.m. Invitation à boire, à arroser un événement.

arroser v.t. Inviter à boire pour fêter un événement. / Boire en mangeant : *Arroser son steak d'un bon coup de rouge.* – *Le café arrosé* est un café dans lequel on a versé un petit verre d'alcool. / Verser de l'argent avec générosité pour obtenir un privilège, corrompre. / Tirer avec une arme automatique.

arroseuse n.f. Mitraillette. – *Arroseuse municipale,* mitraillette (police).

arsouille n. et adj. Voyou.

arsouiller (s') v.pr. S'encanailler, se débaucher, se saouler.

Arthur n.pr. *Se faire appeler Arthur,* se faire réprimander.

artiche n.m. Argent : *Je n'ai plus d'artiche.* / Portefeuille. / Cul : *Le toubib m'a filé une picouse dans l'artiche.*

article n.m. *Faire l'article,* faire valoir une marchandise ou un projet en les vantant. / ***Être porté sur l'article,*** rechercher les plaisirs de l'amour.

artillerie n.f. Arme à feu individuelle. / Ensemble des moyens dont dispose un sportif. / Dés pipés.

artiste n.m. Fantaisiste, peu sérieux dans le travail : *Ce gars-là, c'est un artiste.*

as n.m. Personne qui excelle dans sa spécialité : *Un as de la pédale.* / Alibi : *Ils peuvent pas m'alpaguer, j'ai un as.* / Table numéro un (cafés, restaurants) : *Un demi à l'as !* / ***Passer à l'as,*** escamoter ; passer sous silence. / ***Foutu comme l'as de pique,*** malbâti, mal habillé ; imparfait, bâclé. / ***Être plein aux as*** ou ***être aux as,*** être riche.

ascenseur (renvoyer l') loc. Répondre à une complaisance, à un service, par une action comparable : *Vas-y franco, il te renverra l'ascenseur.*

asperge n.f. Membre viril. – *Aller aux asperges,* pour une prostituée, faire le trottoir. / Personne grande et maigre.
□ n.f.pl. Chaussures à talons aiguilles.

asphyxier v.t. Faire disparaître, étouffer : *Asphyxier un perroquet.* / Voler, dérober.

aspirine n.f. *Bronzé comme un cachet d'aspirine,* qui a le teint pâle.

assaisonner v.t. *Se faire assaisonner,* recevoir des coups. / Être condamné à une lourde peine : *Les guignols ne lui ont pas fait de cadeau, il s'est fait salement assaisonner.*

asseoir v.t. Stupéfier : *Il m'a assis, avec ses vannes. En rester assis.*

assiette n.f. *L'assiette au beurre,* le pouvoir et ses avantages.
□ n.f.pl. *Les assiettes,* la cour d'assises (arg.).

assir (s') v.pr. Se dit pour s'asseoir : *Assis-toi,* assieds-toi. *Assistez-vous,* asseyez-vous (par plaisanterie).

assistance n.f. Secours à un détenu (argent, vêtements, nourriture) : *Elle porte assistance à son homme.*
□ n.pr. Assistance publique : *Il est de l'Assistance.*

assister v.t. Porter assistance : *Son homme est en cabane, elle l'assiste.*

assurer v.i. Être compétent, à la hauteur : *J'assure en anglais* ou : *L'anglais, j'assure.* / Avoir de l'allure : *Avec son futal, il assure un max.*

astape (c'est) loc.adv. C'est très drôle ; c'est renversant, stupéfiant. (Devient rare.)

astibloche n.m. Asticot (pour la pêche). (V. BLOCHE.)

asticot n.m. Individu petit que l'on toise de haut : *Qu'est-ce qu'il cherche, cet asticot ? Ma main sur la gueule ?*

asticoter v.t. Taquiner, harceler.

astiquer (s') v.pr. Se masturber : *Être de la maison j't'astique.*

astuce n.f. Plaisanterie, jeu de mots. *Astuce vaseuse,* mauvais jeu de mots.

athlète n.m. Billet de 100 F.

atout n.m. Coup reçu : *Ma guinde a pris un atout.*

atrocement adv. Excessivement : *Je me suis fait atrocement chier.*

attelé (être). Être bigame ; entretenir deux femmes (l'une légitime et l'autre non, par ex.). Se dit aussi d'un proxénète qui exploite plusieurs femmes (arg.).

attifé adj. Habillé (accompagné d'un qualificatif) : ***Être mal attifé,*** mal habillé.

attiger v.t. Exagérer : *Attiger la cabane.* / Bousculer, frapper ; tuer (arg.). / Transmettre une maladie vénérienne (arg.).

attributs n.m.pl. Testicules.

attriquer v.t. S'approprier (arg.). / Acheter (arg.).

auberge n.f. ***N'être pas sorti de l'auberge,*** ne pas être encore tiré d'affaire, n'en avoir pas encore fini avec les embêtements, n'être pas encore hors de danger.

aubergine n.f. Nez (rouge), visage : *Il a bloqué une pêche dans l'aubergine.* – ***Monter l'aubergine,*** donner un coup au visage. / ***Aubergine blanche,*** bâton blanc des agents de la circulation. / Les auxiliaires féminines de la police ont été un moment surnommées *aubergines* (de la couleur de leur uniforme) ; ce sont aujourd'hui des pervenches.

auge n.f. Assiette : *Passe-moi ton auge.*

Auguste (tout juste,) ! exclam. Naturellement, c'est évident !

aussi... que loc. adv. Se dit pour « si... que » : *Aussi curieux que ça paraisse.* / ***Aussi... comme*** loc.adv. Se dit pour « aussi... que » : *Aussi bête comme toi, j'en connais pas.* / ***Aussi sec*** adv. Immédiatement : *Dès que ça vase, aussi sec j'ouvre mon pébroque.*

auto (d') ou **d'autor** loc.adv. Sans discussion, sans hésiter, de manière absolue ; bessif : *D'autor, on a décidé qu'on irait au cinoche.*

autobus n.f. Prostituée occasionnelle. / ***Suppositoire d'autobus,*** petite voiture automobile.

autre adj.ind. ***Comme dit l'autre,*** comme on dit, comme dit un auteur supposé. / ***L'autre,*** désignation méprisante : *Tu as vu la tête que faisait l'autre ?* / ***Vous en êtes un autre !*** riposte à une épithète insultante. / ***À d'autres !*** (sous-entendu : plus crédules que moi), je ne vous crois pas.

auvergnat n.m. et adj. Juif (euphémisme péjor., plus par plaisanterie que par racisme).

auverpin ou **auverploum** n.m. et adj. Auvergnat : *Tous les bistrots sont des auverpins.*

auxi n.m. Auxiliaire.

auxipatte n.m. Militaire d'un service auxiliaire.

avaler v.t. *Avaler son bulletin de naissance* ou *l'avaler,* mourir. / *Avaler la fumée*, pratiquer la spermophagie. / *Avoir avalé son parapluie,* être guindé, mal à l'aise, coincé.

avantage n.m. *Faire un avantage,* rendre service sans contrepartie ; faire une remise sur un prix fixé d'avance.
☐ n.m.pl. Seins.

avant-scène n.f. Poitrine de femme débordante : *Ses avantages lui font une belle avant-scène.*

avaro n.m. Mésaventure, accident, « avarie ». – *Subir des avaros,* des avanies, des embêtements.

avec adv. *Il faut faire avec,* il faut se contenter de cela et de rien d'autre.

aviron n.m. Cuillère.

avocat n.m. Beau parleur, complice d'un escroc (arg.).

avoine n.f. Volée de coups : *S'il ouvre sa gueule, je lui file une avoine.*

avoiner v.i. Attaquer, donner des coups, filer une avoine. / Rouler très vite dans une voiture puissante.

avoir v.t. *Avoir quelqu'un,* le duper, le tromper (celui qui est *eu* est la victime). / *L'avoir,* avoir la syphilis. / *En avoir* (sous-entendu : des couilles, du poil au cul), être courageux. / *L'avoir sec,* être contrarié, vexé : *Après les entourloupes qu'il m'a faites, je l'avais sec.* / *L'avoir en l'air,* être en érection. / *J'ai !,* en Bourse, signifie « je vends ». (V. PRENDRE).

azimut n.m. *Dans tous les azimuts,* dans toutes les directions, un peu partout : *Il y avait des flics dans tous les azimuts.* / *Tous azimuts,* à usage multiple.

azimuté adj. Fou, détraqué, choqué (qui a « perdu la boussole »).

Azor (appeler) loc. Siffler (spect.).

B

baba n.m. Sexe de la femme. / Cul. / *L'avoir dans le baba,* être la dupe, subir une perte ; l'avoir dans le dos, dans l'os.

baba ou **babs,** abr. de « baba-cool », écolo, larzac, post-soixante-huitard, amateur de musique et de spiritualité hindoues.

babasse n.f. Billard électrique (flipper) : *Secouer la babasse.*

babillard n.m. Avocat (on dit aussi bavard ou baveux). / Aumônier. / Journal (on dit aussi bavard). / Tableau d'affichage d'offres d'emplois.

babillarde, babille n.f. Lettre, missive ; bafouille. / Montre-bracelet.

babin n.m. Bouche.

babines n.f.pl. Lèvres : *S'essuyer les babines.*

babouines n.f.pl. Joues ; lèvres ; babines.

bac ou **bachot** n.m. Baccalauréat : *Passer son bac. Préparer son bac dans une boîte à bachot.*

bacantes (ou, par graphie fantaisiste, **bacchantes**) n.f.pl. Moustaches : *Oh ! les belles bacantes !*

baccara n.m. Faillite, misère. – *Être en plein baccara,* être sans réaction, avoir de graves soucis.

bâche n.f., ou **bâchis** n.m. Casquette : *Tire ta bâche pour dire bonjour.* / Draps, couvertures : *Se mettre dans les bâches.*

bâcher (se) v.pr. Se couvrir la tête. / S'habiller. / Se mettre au lit ; se pager.

bachot n.m. V. BAC.

bachotage n.m. Action de bachoter.

bachoter v.i. Préparer un examen en apprenant le maximum de matières dans le minimum de temps.

bada n.m. Chapeau. *Le petit bada rouquinos,* le petit Chaperon rouge. / *Porter le bada,* couvrir, prendre la responsabilité, souvent malgré soi ; avoir mauvaise réputation.

badigoinces n.f.pl. Lèvres : *Les travelots se collent du rouge aux badigoinces.*

badines n.f.pl. Jambes. – *Agiter les badines,* courir.

badinter n.m. Récidiviste. (Du nom du ministre socialiste de la Justice à qui fut reproché de libérer trop facilement les délinquants, qui récidivaient.)

badour adj.inv. Beau, belle. – Agréable : *C'est badour, une petite cagna à la cambrousse, avec un clebs et un greffier.*

baffe n.f. Gifle : *Une bonne paire de baffes sur la gueule.*

baffer v.t. Donner une baffe : *Toi, je vais baffer ta gueule !*

baffi n.f. Moustache : *Il fait le mariole, avec ses baffis.*

bafouille n.f. Lettre, babille : *J'ai reçu une bafouille de mon probloque.*

bâfre n.f. Moustache et barbe : *Il porte une belle bâfre.*

bagatelle n.f. Amour physique : *Ne penser qu'à la bagatelle.*

bagne n.m. Lieu de travail (atelier, bureau, école, etc.).

bagnole n.f. Automobile.

bagot n.m. Bagage. – *Faire les bagots,* voler les bagages dans les coffres de voitures, les halls de gare, etc. (arg.).

bagoter v.i. Aller à pied, se promener.

bagotier n.m. Celui qui s'offre à charger ou décharger les bagages dans les gares, contre un pourboire.

bagougnasses n.f.pl. Lèvres : *Tu pourrais t'essuyer les bagougnasses, avant de parler.*

bagouler v.i. Bavarder, débagouler.

bagouse n.f. Bague. / Anus.

bague n.f. Anus.

baguettes n.f.pl. Jambes. / ***Filer un coup de baguette*** ou ***dans les baguettes,*** acte de possession d'un homme sur une femme. / ***Baguettes de tambour,*** cheveux courts et raides.

bahut n.m. Lycée, collège, boîte (arg. scol.). / Taxi, automobile : *Griffer un bahut.* / Camion : *Les bahuts sur l'autoroute.* / Moto de grosse cylindrée.

bahuter (se) v.pr. Se masturber.

baigner v.i. *Baigner dans l'huile, dans le beurre* ou *dans la margarine,* marcher parfaitement, bien tourner (moteur) : *Ça baigne dans le beurre,* ou plus simplement : *ça baigne.* Au fig. : *La santé, le pognon, les gonzesses, en ce moment tout baigne.*

baigneur n.m. Cul. / Corps porté en terre (arg. croque-morts). / Fœtus.

baignoire n.f. Torture par immersion.

bail n.m. Long terme. – ***Il y a un bail, ça fait un bail,*** il y a longtemps.

baille n.f. Baquet, tinette (mar.). / L'eau ; la mer : *Tous à la baille !* / ***La Baille,*** l'École navale.
☐ adj.inv. Qui a trait à l'École navale : *L'argot baille, une chanson baille.*

bain n.m. ***Être dans le bain,*** être compromis dans une affaire. / ***Plaisanterie de garçon de bains,*** plaisanterie idiote. / ***Envoyer au bain,*** envoyer promener, éconduire.

baisage n.m. Accouplement.

baise n.f. Amour physique : *Il ne pense qu'à la baise.* / Retenue (étud.) : *J'ai pris une baise.*

baise-à-l'œil n.f. Femme honnête (prost.).

baiser v.t. Faire l'amour : ***à la papa,*** paisiblement ; ***en épicier,*** sans plaisir ; ***à couilles rabattues,*** partout et en toutes occasions ; ***en hussard, à la hussarde ;*** sans préliminaires ; ***en levrette, en canard,*** more canino ; ***en cygne,*** les jambes de la femme sur les épaules de l'homme ; ***à la riche,*** coït anal. / Surprendre en faute : *À force de jouer au con, tu te feras baiser.* / ***Ne rien y baiser,*** ne rien y comprendre : *L'argot, j'y baise rien.*

baiseur, euse n. Qui aime faire l'amour.

baisodrome n.m. Maison de prostitution. / Chambre à coucher.

baisser le froc ou **baisser son froc** loc. Avoir peur, renoncer par crainte, se soumettre.

baladeur adj. ***Main baladeuse,*** main qui s'égare en caresses indiscrètes.

balai n.m. ***Du balai !,*** déguerpissez ! – ***Donner un coup de balai,*** licencier du personnel ; faire déguerpir d'une communauté des individus indésirables : *Ce qu'il faudrait dans la police, c'est un bon coup de balai.* / ***Balai à chiottes,*** moustache. / ***Con comme un balai,*** particulièrement idiot. / ***Voiture-balai,*** dernière voiture d'une caravane ramassant les traînards (cyclisme). / ***Ramasser les balais,*** arriver dernier aux régates (mar.) – ***Être du balai,*** être le dernier. / ***Peau de balle et balai de crin,*** rien : *On nous avait promis une prime, total, on a eu peau de balle et balai de crin.* / Année d'âge : *Avoir vingt balais.* / ***Les balais,*** les haies de courses d'obstacle (turf).

balaise n.m. et adj. Individu grand et fort : *C'est peut-être le roi des, mais c'est un balaise.*

balance n.f. Délateur : *Fais gaffe, c'est une balance.*

balancé (bien) adj. Physiquement bien bâti, bien fait : *Dommage qu'elle tape du goulot, parce qu'elle est bien balancée.*

balancer v.t. Jeter : *Balancer un mégot.* / Donner, offrir, payer : *À titre de reprise, je lui ai déjà balancé une brique.* / Dénoncer : *Celui qui m'a balancé, je le retrouverai* (arg.). / Faire tomber, renverser : *Je l'ai balancé dans les décors.* / ***Balancer un concurrent,*** se déporter de côté pour obliger l'adversaire à serrer le trottoir (sport, cyclisme).
☐ v.i. Se pencher dans les virages (moto). / ***Ça balance,*** se dit d'une musique bien rythmée.
☐ **s'en balancer** loc. Ne pas tenir compte d'un avis, s'en moquer ; s'en foutre, s'en taper, s'en cogner.

balançoire n.f. Sornette. / ***Balançoire à Mickey*** ou ***à minouche,*** serviette hygiénique.

balanstiquer v.t. Balancer, dénoncer ; jeter ; faire tomber.

balayette n.f. Membre viril. / ***Dans le dos, la balayette !,*** c'est raté, c'est perdu. / ***Balayette infernale,*** pratique érotique imaginaire.

balayeuse n.f. Cheveux longs : *Les jeunots, avec leur balayeuse.* (Ce mot, qui avait disparu, est revenu avec la mode.)

balcon n.m. Poitrine de femme. – *Il y a du monde au balcon,* poitrine débordante.

baleste ou **balèze**. V. BALAISE.

baliser v.i. Avoir peur : *Tu balises ?*

balle n.f. Visage rond et sympathique : *Avoir une bonne balle.* / Franc (monnaie) : *Tout à cent balles.* / *Trou de balle,* anus. / *Peau de balle,* rien : *J'ai gagné peau de balle.* / *Se renvoyer la balle,* se rejeter mutuellement une responsabilité. / *Raide comme balle,* nettement, sans hésitation : *Je lui ai dit merde, raide comme balle.*

baller v.i. *Envoyer baller,* envoyer bouler, repousser, éconduire, faire tomber.

ballet n.m. *Ballet rose,* orgie sexuelle avec des fillettes mineures. / *Ballet bleu,* avec de jeunes garçons.

ballochards n.m.pl. Seins.

balloches n.m.pl. Testicules.

ballon n.m. *Avoir le ballon,* être enceinte. / *Faire ballon,* être privé, être oublié dans une distribution : *Pour le rab, j'ai fait ballon.* / Prison : *Je suis rentré de perme avec deux heures de bourre, direct au ballon.* Voiture cellulaire. / Contenu d'un verre dit « verre ballon » : *Garçon, un ballon de rouge.*

ballot n.m. Naïf, lourdaud. – *Au bout du quai les ballots !* Invective à l'adresse des imbéciles.

balourds n.m.pl. Faux papiers d'identité. / Faux billets de banque (arg.).

balpeau ! interj. Rien ! ; peau de balle (verlan). – *Faire balpeau,* faire ballon.

baltringue n. et adj. Bon à rien.

baluche n.m. Bal. – *Faire les baluches,* jouer de la musique dans les bals.

baluchonneur n.m. Cambrioleur qui se contente d'emporter de petits objets (arg.).

balustrades n.f.pl. *Envoyer dans les balustrades,* forcer un adversaire à se rabattre sur les bords de la piste (cyclisme).

bambou n.m. Membre viril : *Avoir le bambou.* / *Coup de bambou,* accès de folie. / *Sucer le bambou,* fumer l'opium. / *Être sous le bambou,* être interdit de séjour.

bamboula n.m. Noir d'Afrique (péjor. avec une nuance de racisme). □ n.f. *Faire la bamboula,* faire la noce.

banane n.f. Décoration militaire, médaille. / Butoir de pare-chocs (auto). / Touffe de cheveux roulée sur le front, brillantinée ou « sucrée ». / Skate-board (planche à roulettes). / Le maillot jaune du Tour de France (sport). / *Peau de banane,* embûche (fig.).

banco ! interj. D'accord ! O.K. !

banc volant n.m. Forain sans emplacement fixe.

bandando adv. Amoroso (musique).

bandant adj. Désirable (surtout au f.). – Enthousiasmant, agréable (surtout sens négatif) : *C'est pas bandant.*

bande n.f. *Par la bande,* indirectement. / *Bande de...,* formule d'insulte.

bande-à-l'aise n.m. Peureux.

bander v.i. Être en érection : *Bander comme un cerf.* – Éprouver un désir sexuel (homme ou femme). / ***Bander mou, ne bander que d'une,*** avoir peur. / ***Bander à part,*** faire bande à part.

bandeur, euse n. Toujours prêt à l'acte sexuel.

bandocheur n.m. Peureux.

banlieusard, e n. et adj. Qui habite la banlieue ; de banlieue : *La gare Saint-Lazare, la serre des banlieusards.*

bannes n.f.pl. Draps : *Se mettre dans les bannes.*

bannière n.f. Chemise à pans : *L'incendie du boxon s'est déclaré si vite, que les clients n'ont qu'eu le temps de sortir en bannière.*

banquer v.i. Payer : *C'est à toi de banquer.*

banquettes n.f.pl. ***Jouer devant les banquettes,*** jouer devant une salle presque vide (spect.).

baptême n.m. Viol collectif à titre de punition (arg.).

baptiser v.t. Faire une tache de liquide sur une nappe, un vêtement neuf. / ***Baptiser le vin,*** y ajouter de l'eau. / ***Baptisé avec une queue de morue,*** ivrogne toujours assoiffé.

Baptiste (tranquille comme) loc. Insouciant, calme, tranquille.

baquet n.m. Ventre.

-bar suff. argotique. Loulou, *loubar ;* slip, *slibar ;* croquis, *crobar.*

barabille (mettre la) loc. Créer la pagaille, la zizanie : *Dès qu'il a un verre dans le nez, il met la barabille.*

baraka n.f. Chance : *Avoir la baraka.*

baraque n.f. Maison mal bâtie, bicoque. / Entreprise mal organisée : *Ce restau, quelle baraque !* / ***Casser la baraque,*** faire échouer un plan : *Tout était prêt : le voilà qui vient me casser la baraque !* / ***Casser la baraque,*** déchaîner l'enthousiasme (spect.).

baraqué adj. Bien bâti, costaud : *Un mec bien baraqué.*

baratin n.m. Boniment. – ***Faire du baratin,*** séduire par des propos flatteurs. – ***C'est du baratin,*** des promesses qui ne seront pas tenues ; du bidon.

baratiner v.t. Étourdir de paroles, bonimenter, faire du boniment, du baratin.

baratineur adj. Faiseur de baratin, beau parleur.

barbant adj. Ennuyeux.

barbaque n.f. Viande ; bidoche : *Un beau morceau de barbaque.* / Viande dure, de mauvaise qualité : *Ce rôti, c'est de la barbaque.*

barbe n.f. Ennui : *C'est la barbe ! Quelle barbe !* / ***La barbe !*** Interj. : Assez ! Tu m'ennuies ! / ***Au nez et à la barbe,*** devant quelqu'un et sans qu'il s'en doute : *Je suis entré dans la salle au nez et à la barbe du contrôleur.* / *Barbe à poux,* barbe frisée.

barbeau n.m. Proxénète. – Individu habillé de façon voyante.

barber v.t. Ennuyer.
□ **se barber** v.pr. S'ennuyer.

barbillon n.m. Petit souteneur ; jeune barbeau.

barbotage n.m. Vol, larcin.

barbote n.f. Fouille d'un prisonnier avant son entrée en prison (arg.).

barboter v.t. Voler.

barboteur, euse n.m. et n.f. Voleur.

barbouille n.f. Art de peindre : *Moi, mon plaisir, le dimanche, c'est la barbouille.*

barbouilleur n.m. Artiste peintre.

barbouse ou **barbouze** n.f. Barbe : *Un sapeur de la Légion avec une belle barbouse.* / n.f. ou n.m. Membre d'une police parallèle ou d'un service d'espionnage.

barbouseux adj. Barbu.

barbu n.m. Poils du pubis. – *Descente au barbu,* cunnilingus. / Musicien d'orchestre classique (musique) : *Un orchestre de barbus.*

barca ! interj. Assez ! Ça suffit ! Rien à faire !

barda n.m. Billet de 100 F. / Sac de soldat ; effets personnels ; bagage encombrant.

barder v.i. Prendre une tournure brutale, dangereuse. – *Ça va barder !,* Attention ! Ça va chauffer, ça va chier, devenir dangereux.

barge ou **barjo** n. et adj. Fou : *Les loubars sont tous barjos* (verlan de « jobard »).

barlou n.m. Jeune marginal ; loubar (verlan).

barlu n.m. Viol collectif.

barnum n.m. Bruit, chahut. / Grande tente de forain.

baron n.m. Compère, dans une escroquerie, une affaire véreuse, un jeu truqué (arg.). / Personnage décoratif, distingué et dévoué placé à la direction d'une entreprise par un financier. / Verre de bière de 75 centilitres.

baronner v.t. Faire le compère, le baron (arg.).

barouf n.m. Bruit ; scandale : *Je ne me suis pas laissé faire, j'ai fait du barouf.*

barrage (tir de) loc. Ensemble de moyens mis en œuvre pour faire obstacle à la réussite d'un projet.

barre n.f. 10 000 F (un million de centimes). (V. BÂTON, BRIQUE). / *Homme de barre,* homme de confiance. / *Coup de barre,* défaillance, lassitude. / *Manger à la barre fixe,* très peu ou pas du tout. / *Barre de chocolat,* micro-ordinateur de la taille d'une calculette (étud.).

barreau de chaise n.m. Gros cigare : *Fumer des barreaux de chaise.*

barrer (se) v.pr. S'en aller : *Salut ! je m'barre.*

barreur n.m. Individu chargé d'expulser les indésirables d'un bar, d'un lieu public ; videur.

barsli n.m. Slip ; slibar (verlan).

basane n.f. Peau du corps humain (arg.). / ***Tailler une basane,*** faire un geste obscène de dérision.

bascule n.f. Dénonciateur : *Ce mec-là, c'est une bascule.*

basculer un godet loc. Boire un verre.

bas-duc ou **bas-du-cul** n.m. Individu petit, aux jambes courtes.
☐ adj. Surbaissé (auto).

baskets n.f.pl. ***Être bien dans ses baskets,*** être bien dans sa peau. – ***Lâche-moi les baskets,*** laisse-moi tranquille. – ***Faire baskets,*** quitter en courant un café ou un lieu public sans payer.

bassiner v.t. Importuner : *Tu commences à me bassiner, avec tes vannes.*

bassinet (cracher au) loc. Payer, casquer.

bassinoire n.f. Personne qui importune : *Quelle bassinoire !*

basta ! interj. Assez ! Ça suffit !

Bastaga (la) ou **la Bastoche** n.pr. Place ou quartier de la Bastille, à Paris.

baston n.m. ou n.f. Bagarre : *Un emmerdeur, il pense qu'au baston.*

bastonner (se) v.pr. Se battre.

bastos n.f. Balle d'arme à feu : *Il lui a filé une bastos dans le cigare.*

bastringue n.m. Bal de guinguette. / Orchestre bruyant. / Tapage : *Faire du bastringue.*

bataclan (et tout le) loc. Et cetera, et tout le reste : *Ils sont partis avec les gosses, le clebs, la canne à pêche, les valoches et tout le bataclan.*

bataillon n.m. ***Inconnu au bataillon,*** complètement inconnu : *Hitler ? Inconnu au bataillon.*

bateau n.m. ***Mener en bateau,*** faire des promesses fallacieuses. / ***Monter un bateau,*** mystifier, faire une farce.
☐ adj.inv. Banal, rebattu : *Un sujet bateau.*

bath, bathe ou **bathouse** adj. Beau : *Une bathe gonzesse.* / Bon : *Merci, t'es bath.* / Agréable : *Le cinoche, c'est bath.* / ***Bath au pieu,*** adroit en amour.
☐ n.m. Vrai, authentique : *C'est pas du toc, c'est du bath.*

bâtiment n.m. ***Être du bâtiment,*** être du métier, être de la partie.

bâton n.m. 10 000 F (un million de centimes). (V. BRIQUE, BARRE). / ***Tour de bâton,*** profit illicite. / ***Avoir le bâton,*** être en érection.

batouse (faire la) loc. Faire la vente de tissus sur les marchés.

battage n.m. Publicité exagérée, bluff.

battant n.m. Langue bien pendue : *Mon avocat, quel battant il a !* / Cœur ; palpitant.
☐ n. et adj. Dynamique, ambitieux : *Ce petit jeunot, c'est un battant.*

battante n.f. Horloge, pendule.

batterie de cuisine n.f. Brochette de décorations : *Le gégène a sorti sa batterie de cuisine.*

batteur n.m. Menteur, hypocrite ; simulateur. / Fainéant, misérable, tapeur.

batteuse n.f. Batterie électrique d'automobile : *C'est la batteuse qui est à genoux.*

battre v.t. Feindre, simuler. – ***Battre les dingues,*** simuler la folie.

bauche n.f. Diamant. / Fausse carte de police. / Cartes à jouer. – ***Jeu de trois bauches,*** le bonneteau ou bonnet.

bavard n.m. Cul. / Avocat.

bavarde n.f. Langue : *Tiens ta bavarde, y a des mouches.* / Lettre ; babillarde.

bavasser v.i. Bavarder, parler sans discernement.

baver v.i. ***En baver,*** souffrir, subir : *En baver des ronds de chapeau.* / ***Baver sur les rouleaux,*** agacer, irriter : *Celui-là, il commence à me baver sur les rouleaux.* / Faire des bavures : *La police bave.*

bavette n.f. ***Tailler une bavette,*** bavarder.

baveux n.m. Savon : *Où qu'est passé le baveux ?* / Journal : *Dans le baveux, y a que des charres.* / Avocat, bavard. / ***Un baveux,*** ou ***un pallot baveux,*** un baiser sur la bouche.

bavure n.f. Erreur regrettable : *Quand les poulagas défouraillent, il y a souvent des bavures.* / ***Net et sans bavure,*** nettement, clairement.

baz n.m. Lycée. – ***Le Baz Grand,*** le lycée Louis-le-Grand, à Paris.

bazar n.m. Désordre, maison mal tenue, objets en désordre : *Dans sa piaule, quel bazar !* / ***Et tout le bazar,*** et tout le reste. / ***De bazar,*** de mauvaise qualité, à bon marché. / Baraque foraine. / ***Le Bazar,*** l'École militaire de Saint-Cyr.

bazarder v.t. Vendre vite, à bas prix ; se défaire : *J'ai bazardé ma téloche.*

B. C. B. G. abr. de « bon chic, bon genre », qu'on traduit aussi parfois par « beau cul, belle gueule ».

beau, belle adj. Dans le langage familier, placé avant le substantif, signifie : grand, fort et, éventuellement, beau : *Elle est belle femme ; c'est un beau gars.*

beau-dab n.m. Beau-père.

beauf n.m. Beau-frère. / ***Le beauf,*** personnage popularisé par le dessinateur Cabu et devenu le type du franchouillard vulgaire, obtus, chauvin et raciste, synonyme de Dupont-la-Joie.

beaujol, beaujolpif, beaujolpince n.m. Vin du Beaujolais : *Se taper un petit beaujolpince.*

beaux-vieux n.m.pl. Beaux-parents.

bébé rose n.m. Boisson : lait additionné de grenadine.

bébête adj. Sot, niais (familier).

bec n.m. Bouche. – ***Tenir son bec,*** se taire. – ***Clouer le bec,*** faire taire. – ***Chlinguer du bec,*** sentir mauvais de la bouche. / ***Tomber sur un bec,*** sur un obstacle imprévu, échouer. / *Être bec de gaz,* être privé.

bécane n.f. Bicyclette. / Machine dans la plupart des professions (presse à imprimer, locomotive, moto, etc.).

bêcher v.t. et v.i. Avoir une attitude méprisante : *Il ne vient plus jamais nous voir, il nous bêche.*

bêcheur, euse n. et adj. Prétentieux, dédaigneux : *Tu lui causes, elle répond même pas. Tu parles d'une bêcheuse !*

béchigne n.f. Ballon de rugby (sport).

bectance n.f. Nourriture : *Aller à la bectance.*

becter v.t. Manger : *Qu'est-ce qu'il y à becter ? / Les éponges bectées aux mites,* les poumons atteints.
☐ **becter (en)** v.i. Être indicateur de police ; en croquer. / Vivre de la prostitution.

bédi n.m. Gendarme (arg.).

bédouin n.m. Crucifix (pompes fun.).

bégonias n.m.pl. *Charrier ou cherrer dans les bégonias*, exagérer, abuser : *Tu charries dans les bégonias.*

beigne n.f. Coup ; baffe : *Prendre une beigne.*

belette n.f. Femme, épouse, compagne : *J'te présente ma belette.*

belge n.m. Tabac belge. – *Tiens, fume ! C'est du belge !* Mots accompagnant une basane.

Belgico n.pr. Belge. (V. FLAHUTE.)

belins n.m.pl. L'argent, la galette, les biscuits (d'après une marque française de biscuits).

belle n.f. Liberté recouvrée par évasion. – *Se faire la belle,* s'évader. / *Être à la belle,* à la belle étoile. / *Mener en belle,* duper.
☐ adj.f. *L'avoir belle,* bénéficier des meilleures conditions pour réussir. / *Se la faire belle,* avoir la belle vie.

belle-doche n.f. Belle-mère : *Dans le marida, le chiendent, c'est la belle-doche.*

belle-frangine n.f. Belle-sœur (peu usité).

bénard ou **bène** n.m. Pantalon : *C'est les mecs qui portent un bénard ; pour les meufs, c'est un futal.*

bénef n.m. Bénéfice, avantage : *C'est tout bénef.*

Ben Hur (arrête ton char,) loc. plaisante pour : *Arrête ton « charre »,* cesse de mentir, d'exagérer.

béni-oui-oui n.m. Individu qui approuve sans réflexion ; inconditionnel.

bénitier n.m. Sexe de la femme.

bénouze n.m. Caleçon, slip (d'homme ou de femme), calcif ou slibar. / Pantalon.

benzine n.f. Essence pour auto.

bêp n.m. Cuisinier (mot vietnamien).

béquiller v.t. Manger, becter. / Dépenser, « manger » son argent.

berdouille n.f. Ventre : *Le voilà qui s'amène avec son gros cul et sa berdouille.* / Boue : *Les pinceaux dans la berdouille.*

Bérézina n.pr. Désastre, perte : *Au départ, mon fav' était dans les choux. Quelle Bérézina !...*

berge n.f. Année (temps écoulé) : *Une nénette de dix-huit berges.*

bergère n.f. Femme légitime, épouse : *Viens becter, je te présenterai ma bergère.*

bergougnan n.m. Viande dure.

berlingot ou **berlingue** n.m. Clitoris. / Pucelage : *Elle a encore son berlingot.* / Marchandise volée (camelots). / Moteur (auto, moto).

berlue n.f. Couverture. – *Taper la berlue,* jouer aux dés (sur une couverture) [arg.]. / Profession fictive qui sert d'alibi ; couverture (arg.).

berluer v.t. Questionner (arg.).

berlues n.f.pl. *Se faire des berlues,* se faire des illusions ; se berlurer.

berlurer (se) v.pr. Se faire des illusions ; se faire du cinéma.

bernicles n.f.pl. Lunettes, besicles.

bernique ! interj. Rien ! Jamais ! ; Balpeau !

Berthe n.pr. V. ADIEU.

berzélius n.m. Montre (arg. École polytechnique).

berzingue (à tout) loc.adv. À tout casser. – À toute allure.

Besbar n.pr. Quartier Barbès, à Paris (verlan).

besogner v.i. Pour un homme, forniquer.

bessif adv. Forcément, obligatoirement, par force (généralement rejeté à la fin de la phrase) : *Il m'a marché sur les pieds, je lui ai mis la main sur la gueule, bessif.* / *Engagé volontaire bessif,* par obligation.

bestiau n.m. Animal : *Qu'est-ce que c'est que ce bestiau ?*

bête n.f. Guitare : *Apporte ta bête.* / *C'est la* ou *une bête,* il est très doué, il est très fort. – *Bête de scène,* comédien qui se donne à fond (spect.).

béton n.m. *En béton,* solide, inattaquable : *Un alibi en béton.* – *C'est béton,* c'est solide ; c'est très bon. / *Faire du béton,* séjourner longtemps dans un même lieu. / Se joindre à la défense (football). / *Laisse béton,* laisse tomber (verlan).

betterave n.f. Naïf, niais, victime d'escroc. / Bouteille de vin rouge.

beuark ! beurg ! beurk ! interj. Marque de dégoût.

beuglante n.f. Chanson : *Pousser une beuglante.*

beur n.m. Jeune Maghrébin de la deuxième génération (verlan de a-*r*-*abeu, beu-r).* Au féminin, **beurette.**

beurre n.m. Encre (impr.). / *Faire son beurre,* réussir dans ses affaires, s'enrichir. / *Du beurre dans les épinards,* bénéfice agréable. / *Du beurre de bique,* sans valeur, sans qualité. / *Un œil au beurre noir,* tuméfié par un coup. / *Pas plus de (...) que de beurre en broche* (ou *en branche*) ou *que de beurre au cul,* il n'y (en) a pas du tout. / *Baigner dans le beurre, v.* BAIGNER.

beurré adj. Ivre : *Il est rentré complètement beurré, beurré comme un petit Lu, comme une tartine.*

beurrée n.f. Ivresse, biture. / ***Il en fait une beurrée,*** il fait chaud.

bézef adv. Beaucoup (s'emploie surtout sous la forme négative) : *Y en a pas bézef.*

bibard n.m. Ivrogne, alcoolique : *Un vieux bibard.*

bibelot n.m. Outil de cambrioleur (arg.).

bibi n.m. Moi : *Qui c'est qui trinque ? C'est bibi.* / Soldat de deuxième classe : *Comme tout le monde, j'ai commencé simple bibi.* / Fausse clef, bibelot (arg.). / Petit chapeau de femme : *Elle porte un drôle de bibi.*

bibine n.f. Boisson de mauvaise qualité : *Son petit rosé, c'est de la bibine.*

bic ou **bicot** n.m. Arabe. Ce mot péjor. et raciste provient par apocope d'*arbi, d'arbicot,* employé par les soldats français au moment de la conquête de l'Algérie. – ***Être de la pointe bic,*** aimer physiquement les Arabes (jeu de mots sur la marque Bic).

bicause prép. À cause de, parce que (accentué en *bicause d'à cause*) : *Pourquoi tu viens pas ! – Bicause. – Bicause quoi ? – Bicause d'à cause.* S'emploie toujours sans « de » : *Je sors pas bicause la pluie.*

biche n.f. Travesti prostitué.

bicher v.i. Aller bien ; être satisfait : *Alors, p'tite tête, ça biche ?* – Jubiler : *Bicher comme un pou,* ou *bicher comme un pou dans la crème fraîche.*

bichonnet n.m. Menton.

bichoter v.i. Aller bien, diminutif de bicher : *Ça bichote.*
☐ v.t. Voler, dérober.

biclo ou **biclou** n.m. Bicyclette, clou : *On m'a piqué mon biclou !*

bidard adj. Chanceux : *Il a du pot, c'est pas croyable. Quel bidard !*

bidasse n.m. Soldat.

bide n.m. Ventre : *Gras du bide.* / ***Faire*** ou ***prendre un bide,*** subir un échec en scène ; se ramasser (spect.).

bidel n.m. Capitaine d'armes, chargé de la discipline (marine), chef du personnel, chef de chantier, proviseur, etc.

bidet n.m. ***Eau de bidet,*** quelque chose d'insignifiant, sans valeur.

bidochard n.m. Proxénète pourvoyeur (prost.).

bidoche n.f. Viande ; barbaque : *Un morceau de bidoche.*– Chair humaine : *Je me suis coupé un bout de bidoche.*

bidon n.m. Ventre. / Boniment trompeur. – ***C'est du bidon,*** c'est faux. / Simulation : *Faire le bidon de tomber dans les vapes.* / Marchandise fausse, truquée ou douteuse (brocante). / Réservoir à essence (moto).
☐ adj.inv. De peu de valeur, faux : *Non aux bidonvilles, non aux villes-bidon* (mai 1968). / Simulé, truqué : *Un attentat bidon, une grippe bidon.*

bidonnant adj. Très drôle, très amusant : *C'est bidonnant.*

bidonner v.t. Tromper ; baratiner : *Fais gaffe à pas te faire bidonner.*

□ **se bidonner** v.pr. Rire, se marrer : *On s'est bien bidonné.*

bidonneur n.m. Hâbleur, menteur ; escroc.

bidouillage n.m. Bricolage, réparation. / Truquage, falsification, réparation visible (brocante).

bidouiller v.t. Pratiquer un bricolage ingénieux (informatique et brocante) : *Je vais vous bidouiller ça.*

bidule n.m. Objet dont on ignore le nom, chose, machin, truc : *A quoi ça sert, ce petit bidule ?* / Matraque de policier (police).

bière n.f. *Ce n'est pas de la petite bière,* ce n'est pas peu de chose, ce n'est pas rien.

bif n.m. Bifteck : *Se taper un bon bif.*

biffe n.f. Métier de chiffonnier, de biffin : *Monsieur Joseph a commencé dans la biffe.* / Infanterie : *Faire son temps dans la biffe.*

biffeton ou **bifton** n.m. Billet de banque : *Les poches bourrées de biffetons.* / Billet, lettre que l'on transmet clandestinement (arg.). / Billet, ordonnance, certificat : *Le docteur m'a fait un biffeton.* / Billet de spectacle, de transport, etc. ; ticson.

biffin n.m. Chiffonnier : *Beaucoup de brocos ont commencé biffins.* / Soldat d'infanterie.

bifteck n.m. Corps humain : *Une dragée dans le bifteck.* / Moyen de subsistance : *Gagner son bifteck.* / ***Il est bifteck moins cinq,*** il est bientôt l'heure de manger.
□ n.pr. Anglais : *Les Biftecks sont dans le Marché commun.*

bigeard n.f. Casquette en toile camouflée portée par les parachutistes (armée).

bigler v.t. Regarder, examiner : *Bigle un peu les flics.* – Loucher sur : *T'as fini de bigler mes pompes ?*

bigleux adj. et n. Qui louche. / Myope : *T'es complètement bigleux ou quoi ?*

bigne n.m. Prison : *Vingt ans de bigne, c'est pas une vie.*

bignole n.m. ou n.f. Concierge : *Bignole ou bignolon, c'est du kif, ils en croquent tous.*

bignolon n.m. Agent de la Sûreté.

bigophone n.m. Téléphone : *Un coup de bigophone.*

bigor n.m. Soldat d'artillerie de marine : *Ah ! la belle vie que l'on mène/Dans un régiment de bigors...*

bigorne n.f. Bataille, combat : *Aller à la bigorgne.*

bigorneau n.m. Téléphone : *Filer un coup de bigorneau.*– Micro : *Causer dans le bigorneau.* / Soldat d'infanterie (péjor.).

bigorner v.t. Endommager, donner des coups : *Je me suis fait bigorner ma voiture.*
□ **se bigorner** v.pr. Se battre, se donner des coups : *Ils se sont bigornés.*

bigrement adv. Beaucoup, très : *Il fait bigrement chaud.*

bijouterie n.f. Poids des hercules de foire.

bijoutier du clair de lune n.m. Truand, gangster (arg.).

bijoux de famille n.m.pl. Testicules.

bilboquet merdeux n.m. Homosexuel atteint d'une maladie vénérienne.

biler (se) v.pr. S'inquiéter, se faire du souci, se faire de la bile : *Te bile pas, tu la retrouveras, ta meule.*

bileux adj. Qui se fait du souci, de la bile : *Il est pas bileux.*

billancher v.i. Payer (arg.) : *Tout n'est pas de tortorer, il faut billancher.*

billard n.m. Route droite et plane : *L'autoroute, c'est un billard.* / Table d'opérations chirurgicales : *Passer sur le billard.* / ***Dévisser son billard,*** mourir. / ***Brosser le billard,*** balayer la cour (armée). / ***C'est du billard,*** c'est facile.

bille n.f. Tête : *Une drôle de bille.* – ***Bille de billard,*** crâne chauve. – ***Bille de clown,*** imbécile. / ***Bille en tête,*** directement, carrément : *Il est entré dans le burlingue du singe, bille en tête.* / ***Reprendre ses billes,*** se retirer d'une affaire, d'une entreprise.
☐ adj. Crétin : *T'es pas un peu bille ?* / Ivre : *Il est bille.*

billet n.m. ***Prendre un billet de parterre,*** faire une chute. / ***Je te fiche mon billet que,*** je t'assure, je t'affirme que.

biner v.i. Dire deux messes le même jour (ecclés.).

binette n.f. Tête, visage : *Une drôle de binette.*

biniou n.m. Instrument de musique à vent : accordéon, orgue, hautbois, trompette. / Téléphone : *Filer un coup de biniou.* / Arme automatique : *Jouer un air de biniou* (arg.).

binôme n.m. Ancien portant le même numéro d'entrée qu'un nouveau (Saint-Cyr). / Camarade de travail et/ou de chambre.

bin's n.m. Pagaille : *Quel bin's !*

bique n.f. Chèvre. / ***C'est de la crotte de bique,*** c'est sans valeur, sans qualité. / Vieille femme revêche : *Une vieille bique.* / Vieux cheval. / ***Bique et bouc,*** homosexuel passif et actif.

biroute n.f. Membre viril. / Manche à air indiquant la direction du vent. / Cône mobile de signalisation provisoire sur les chaussées.

Biscaille n.pr. Bicêtre (asile de vieillards), dans la proche banlieue parisienne. / Marché aux puces du même quartier.

biscottos n.m.pl. Biceps : *Jouer des biscottos.*

biscuit n.m. ***Les biscuits,*** l'argent, la galette. (V. BELINS.) / ***Avoir des biscuits, ne pas partir sans biscuits,*** avoir des informations, ne pas s'engager dans une affaire sans être renseigné. / Contravention : *Un biscuit sur le pare-brise.* / ***Tremper son biscuit,*** forniquer.

bise n.f. diminutif. Baiser sur la joue : *Faire la bise.* / ***Fend-la-bise,*** se dit d'un individu pressé : *Alors, fend-la-bise, tu prends pas le train ?*

biser v.t. Donner une bise.

bisness n.m. (orthographe déformée de « business »). Travail : *Chacun son bisness.* / Trafic douteux, affaire peu claire : *Un drôle de bisness.* / ***Faire le bisness,*** faire le trottoir (prost.).

bisou n.m. diminutif. Baiser, bise : *Faire un bisou.*

bistouille n.f. Mélange de café et d'alcool : *Tous les matins, il lui faut sa bistouille.*

bistouquette n.f. Membre viril.

bistral, bistre, bistro, bistroc, bistroquet ou **bistrot** n.m. Débit de boissons. / Le patron de bistrot est le bistrot, son épouse la bistrote.

bite n.f. Membre viril. / ***Rentrer la bite sous le bras,*** rentrer bredouille. / ***Con à bouffer de la bite,*** complètement idiot. / ***Bite à Jean-Pierre,*** matraque (arg. de police).

biter v.t. Forniquer (homme). / Comprendre (employé à la forme négative) : *Je n'y bite rien.*

bitos n.m. Chapeau : *T'as vu son bitos ?*

bitume n.m. Trottoir. / ***Faire le bitume,*** faire le trottoir (prost.).

biture n.f. Ivresse, saoulerie : *Une bonne biture.* / ***À toute biture,*** à toute vitesse.

biturer (se) v.pr. Se saouler : *Il s'est encore bituré.*

bizut ou **bizuth** n.m. Élève de première année dans une grande école (étud.).

bizutage n.m. Action de bizuter (étud.).

bizuter v.t. Faire subir des brimades à un bizut.

blabla ou **blablabla** n.m. Verbiage, discours mensonger.

blablater v.i. Faire du blabla, parler pour ne rien dire.

black n. et adj. Noir, qui a la peau noire : *Je fais rien que d'être black.*

blague n.f. Mensonge : *Il raconte des blagues.* – Plaisanterie, tromperie : *Sans blague ?* / ***Blague à tabac,*** sein tombant. / ***Blague dans le coin,*** plaisanterie mise à part, sérieusement : *Blague dans le coin, viens pas trop tard.*

blair n.m. Nez : *Il a un grand blair.* / Physionomie : *Il a un drôle de blair.*

blaireau n.m. Individu non affranchi, imbécile, beauf : *Qu'est-ce que c'est que ce blaireau ?*

blairer (ne pas) v.t. Avoir de l'antipathie, ne pas supporter : *Je peux pas le blairer.*

blanc n.m. Vin blanc : *Prendre un petit blanc.* / Sperme (prost.). / ***Saigner à blanc,*** épuiser toutes les ressources financières de quelqu'un.
□ n.m.pl. Vêtements de toile blanche des peintres en bâtiment : *J'ai oublié mes blancs.*
□ adj. Innocent : *Dans cette affaire, je suis blanc.* – Avoir un casier judiciaire vierge (arg.).

blanc-bleu n. ou adj. Personne de toute confiance.

blanche n.f. Cocaïne, neige (drogue). – ***Blanche de Marseille,*** héroïne ne contenant que 2 % d'héroïne pure.

blanchecaille n.f. Blanchisseuse. – Blanchissage.

Blanche-Neige n.pr. Surnom plaisant, mais péjor., donné à un Noir.

blancheur n.f. *Avoir la blancheur Persil,* être tout à fait blanc (au pr. et au fig.).

blanchir v.t. Faire passer dans un circuit licite des capitaux d'origine frauduleuse, des marchandises volées. (V. LAVER.)

blanchouillard adj. Blanc.

blanco adj. et n.m. Blanc, pâle, blême : *Il a eu si peur qu'il était blanco.* / Innocent : *Je suis blanco.*

blase ou **blaze** n.m. Nom, état civil : *Tu parles d'un blase !* / Nez, blair. / Marque, poinçon, signature (brocante).

blé n.m. Argent (monnaie). / ***Être fauché comme les blés,*** n'avoir pas un sou.

bléchard, blèche adj. Laid : *Une gonzesse blèche à gerber.* / Mauvais, indigne : *Prendre des otages, c'est blèche.* / Usé, fatigué, vieux : *Il est bléchard, ton tacot.*

bled n.m. Localité isolée offrant peu de ressources : *Qu'est-ce qu'on se fait chier, dans ce bled.* – Lieu d'origine : *Mon bled, c'est Marseille.*

bleu n.m. Débutant ; jeune soldat : *Se faire avoir comme un bleu.* / C. R. S. ou gendarme mobile en tenue de combat. / ***Bleu de Nanterre,*** agent de la police parisienne puni, chargé des rafles de clochards. / ***Passer au bleu,*** ne pas mentionner.

bleubite n.m. Jeune soldat, bleu ; débutant.

bleusaille n.f. Débutant, jeune soldat, bleu. – ***La bleusaille,*** les bleus.

blinde n.m. Part, fade (arg.) : *File-moi mon blinde.*

blinder v.t. Transmettre une maladie vénérienne. / ***Être blindé,*** être ivre : *À mon sixième godet, j'étais blindé comme un char.* / Être endurci : *Vous pouvez gueuler, je suis blindé.* / Avoir du culot : *Faire un hold-up, faut être blindé.*

bloblote (avoir la) loc. Avoir la fièvre ; avoir peur ; avoir la tremblote.

bloc n.m. Prison, salle de police : *Trois jours au bloc.*

bloche n.m. Asticot : *Le calendo, paradis des bloches.*

bloquer v.t. Recevoir, encaisser : *Bloquer une pêche.*

blot n.m. Prix à forfait : *Je prends tout le lot, fais-moi un blot.* / ***En avoir son blot,*** en avoir assez, avoir son compte. / ***Ça fait mon blot,*** ça me convient. / ***C'est le même blot,*** c'est pareil.

bloum n.m. Chapeau (insolite ou ridicule) : *Un bloum pisseux.*

blouse de plâtrier n.f. Surplis (ecclés.).

blouser v.t. Tromper, escroquer : *Je me suis encore fait blouser.*

blouson noir n.m. Jeune voyou de banlieue (généralement en bande).

bobèche n.f. Visage, bobine.

bobi ou **bobinard** n.m. Maison de prostitution : *Quel chouette bobi !*

bobine n.f. Tête, visage : *Une drôle de bobine.* / ***Rester en bobine,*** tomber en panne.

bobinette n.f. Jeu de hasard prohibé, à trois dés ou trois cartes ; bonneteau : *Taper la bobinette à Saint-Ouen* (au marché aux puces de la Porte de Saint-Ouen).

bobino n.m. Bande magnétique.

bobs n.m.pl. Dés. – ***Pousser les bobs,*** jeter les dés.

boc ou **bocard** n.m. Maison de prostitution ; boxon : *Tu te souviens du boc de Nancy ?*

bocal n.m. Local : *On se réunira au bocal.* / Bassin de natation (sport).

boche n.m. et adj. Allemand (péjor.).

bœuf n.m. ***Faire son bœuf,*** se faire une carrière lucrative, gagner de l'argent. / ***Faire un effet bœuf,*** faire de l'effet. / ***Faire un bœuf,*** jouer pour le plaisir dans un orchestre auquel on n'est pas attaché (jazz).

bœuf-carotte n.m. Membre de l'I. G. P. N. (Inspection générale de la Police nationale), parce qu'il vous fait « mijoter » (arg. police).

bôf ! interj. Marque l'indifférence, l'incertitude, le doute, l'ironie.

bois n.m. ***Gueule de bois,*** bouche pâteuse. / ***Chèque en bois,*** chèque sans provision. / ***Langue de bois,*** discours usant de stéréotypes ne couvrant que des banalités.

boîte n.f. École ; usine ; lieu de travail : *Je vais à la boîte.* / Bouche : *Ferme ta boîte.* / Boîte de vitesses (auto). / Confessionnal (ecclés.). / ***Boîte à bachot,*** école de préparation intensive aux examens. / ***Boîte à chocolat, boîte à dominos,*** cercueil (pompes fun.). / ***Boîte à lait,*** sein. / ***Boîte à camembert,*** mitraillette à chargeur circulaire. / ***Boîte à merde,*** pot de peinture (peintres). – Encrier de presse (impr.). / ***Boîte à mensonge,*** bouche. / ***Boîte à ouvrage, boîte aux lettres,*** sexe de la femme. / ***Boîte à ragoût,*** estomac. / ***Boîte à sel,*** chaire des contrôleurs de théâtre (spect.). – Chaire d'église. ***Boîte à vice,*** homme intelligent et rusé. / ***Mettre en boîte,*** se moquer, railler ; chambrer.

bol n.m. Chance : *Avoir du bol.* / Cul. – ***En avoir ras le bol,*** ne pas supporter quelque chose, être excédé ; en avoir plein le cul. / ***Ne pas se casser le bol,*** ne pas se faire de souci. / ***Il en fait un bol,*** il fait très chaud.

bombarder v.t. Nommer, élever à un grade : *Il a été bombardé contrecoup.* / Malmener (boxe). / Fumer du tabac : *Qu'est-ce que tu bombardes !*

bombardier n.m. Cigarette de haschisch (drogue).

bomber v.i. Foncer, se presser : *On a mis dix minutes pour arriver : on a bombé !*
□ **se bomber** v.pr. Se priver, se passer de : *Il croit que je vais douiller ? Il peut se bomber !*

bon adj. ***Être bon,*** par antiphrase, subir un mauvais sort, être pris, arrêté, ou près de l'être : *Voilà les flics, on est bons !* / ***Bon à lap,*** bon à rien. / ***Être bon pour,*** être disposé à : *Pour la rigolade, je suis toujours bon.* – Être tout désigné pour : *Sans pébroque, on est bon pour le rhume.* / ***Bon d'époque,***

authentique (brocante). / *Avoir à la bonne,* avoir de la sympathie, aimer : *Je crois qu'elle m'a à la bonne.*

bona, bonap ou **bonaparte** n.m. Billet de 500 F.

bon app' ! interj. Bon appétit !

bonbon n.m. Clitoris. / Au pl. Testicules. – *Casser les bonbons,* importuner. – *Casse-bonbons,* importun ; casse-pieds. / *En avoir ras le bonbon,* en avoir assez ; en avoir ras le bol.

bondieusard n. et adj. Bigot, dévot.

bondieuserie n.f. Bigoterie. – Objet de piété.

bonhomme n.m. Homme : *Ce qui compte, c'est pas la machine, c'est le bonhomme.* / Membre viril en érection.

boni n.m. Bénéfice, bénef : *Sur ça, j'ai pas de boni.*

bonir v.i. ou v.t. Faire son boniment (camelot), tromper par de belles paroles, faire un discours.

bonisseur n.m. Camelot.

bonjour n.m. *Vol au bonjour,* vol effectué sans effraction, en feignant de s'être trompé de porte. / *Bonjour d'Alfred,* pourboire. / *T'as le bonjour d'Alfred !* Interj. ironique. / Interj. péjor. : *Quel film dégueu... bonjour la télé !* Est aussi employé ironiquement sans malveillance.

bonjourier n.m. Voleur au bonjour.

bonnard adj. Facile à duper, bon, victime.

bonne ferte n.f. Bonne aventure (gitans).

bonnet n.m. Bonneteau ou jeu des trois bauches (arg.). / *Gros bonnet,* personnage important. / *Prendre sous son bonnet,* prendre la responsabilité de quelque chose.

bonniche n.f. Bonne, domestique : *Je suis pas ta bonniche.*

boom n.m. Fête annuelle d'une grande école. (V. BOUM).

bordée n.f. *Tirer une bordée, être en bordée,* consacrer une journée ou une soirée de détente à se saouler.

bordel n.m. Maison de prostitution. / Désordre : *Vous en avez foutu, un bordel !* / Jurons : *Bordel ! Bordel de Dieu ! Bordel de merde !*

bordelaise n.f. V. PARTIE.

bordélique adj. Sans ordre : *Un travail bordélique.*

bordille ou **bourdille** n.f. Ordure, détritus. / Mauvaise marchandise (brocante). / Indicateur, délateur : *Méfie-toi de lui, c'est une bordille.*

bords n.m.pl. *Sur les bords,* à peu près, de façon peu claire ni très nette : *Les bignoles sont toutes un peu flics sur les bords.* / *Tirer des bords,* pour un homme ivre, tituber, « louvoyer » d'un bord à un autre.

borduré adj. Interdit de séjour. D'où : indésirable dans un lieu public ou privé : *Je ne vais plus chez Gaston, je suis borduré.*

borgne n.f., **borgno, borgnon** n.m. Nuit (arg.).

borgnoter v.t. Épier, regarder. / Se coucher.

borne n.f. Kilomètre : *Se taper dix bornes à pince.*

bornioler v.t. Rendre obscur (en obturant les sources lumineuses). L'orthographe de ce verbe dérivé de *borgno,* nuit, a été contaminée par *Borniol,* n.pr., entreprise de pompes funèbres.

boscot, otte n. et adj. Bossu.

boss n.m. Chef de bande, caïd (arg.). / Patron : *Mon boss, il est en séminaire.*

bosse n.f. Côte, pente à monter (cyclisme).

bosser v.i. Travailler : *Le chiendent, c'est qu'il faut bosser.*

bosseur n. et adj. Travailleur, appliqué au travail : *C'est un bosseur.*

botte n.f. Paquet de cent billets (banque). / Paquet de lettres liées (postes). / ***Des bottes,*** beaucoup : *Des gars réguliers, y en a pas des bottes.* / ***La botte,*** les élèves les mieux classés à la sortie de l'École polytechnique. / ***Proposer la botte,*** proposer de faire l'amour. / ***Faire dans les bottes de quelqu'un,*** importuner, gêner en se mêlant de ce qui ne vous regarde pas, déranger volontairement. / ***En avoir plein les bottes,*** être fatigué d'avoir marché, ou travaillé ; être excédé. / ***Coup de botte,*** emprunt par un tapeur.

botter v.i. et v.t. Convenir : *Ça me botte.* / Donner des coups de pied : *Botter le cul.* / Emprunter de l'argent.

bottine n.f. Lesbianisme : *Elle fait dans la bottine.*

bouc n.m. *Qu'est-ce qui pue ? C'est le bouc !* Scie à l'adresse d'un barbu.

boucan n.m. Bruit, vacarme : *Faire du boucan.*

boucanade n.f. Pot-de-vin au placier (forain).

bouché adj. Qui ne comprend rien : *Bouché à l'émeri.*

boucher v.t. ***En boucher un coin, en boucher une surface à quelqu'un,*** étonner, laisser coi.

bouchon n.m. ***Mettre un bouchon,*** contraindre à se taire : *Mets un bouchon !* / ***Prendre du bouchon,*** vieillir, prendre de l'âge. / ***Être payée au bouchon,*** pour une entraîneuse de bar, être rétribuée au nombre de bouteilles (de champagne) qu'elle fait consommer.

bouclarès adj.inv. Fermé : *Depuis Marthe Richard, les boxons sont bouclarès* (arg.).

boucler v.t. Se taire : *Boucle-la.* / Fermer : *Boucler la lourde.* / Enfermer : *Il s'est fait boucler.*

boudin n.m. Pneu : *Vérifier la pression des boudins.* / Rouleau de pièces de monnaie. / Gain d'une prostituée. / Fille ou femme sans beauté, ou franchement laide (on dit aussi BOUDE : *C'est un vrai boudin.* – Compagne : *Ce soir, tu viens seul, ou avec ton boudin ?* / ***S'en aller*** ou ***tourner en eau de boudin,*** échouer, s'achever piteusement, finir en queue de poisson. / ***Avoir du boudin,*** posséder les cartes maîtresses (jeu).

bouffarde n.f. Pipe : *Tirer sur sa bouffarde.*

bouffe n.f. Nourriture : *Il ne pense qu'à la bouffe.* / Repas : *On se fait une bouffe ?*

bouffer v.t. Manger. / *Se bouffer le nez,* se disputer.

bouffi (tu l'as dit) loc. Acquiescement ironique.

bougie n.f. Tête.

bougnat n. et adj. Auvergnat. – Charbonnier. / Petit débit de boissons (vins et charbons).

bougnoule n.m. Mot péjor. et raciste qui désigne aussi bien le Noir, l'Arabe ou le métis.

bougre n.m. Individu : *C'est le bon bougre.* / *Bougre de,* insulte : *Bougre de saligaud !*

bougrement adv. Beaucoup, très ; bigrement.

boui-boui ou **bouic** n.m. Maison de prostitution. – Café mal famé.

bouif n.m. Cordonnier : *Mes pompes sont chez le bouif.*

bouille n.f. Visage : *Une bonne bouille.* / Vieille machine à vapeur ; bouillotte (ch. de fer).

bouillie pour les chats loc. Chose peu intelligible, travail confus et inutile.

bouillon n.m. *Boire un bouillon,* se noyer (pr. et fig.), subir une perte d'argent. / *Bouillon d'onze heures,* breuvage empoisonné.
□ n.m.pl. Exemplaires invendus de journaux ou de périodiques : *Pilonner les bouillons* (presse).

bouillonner v.i. Avoir des invendus : *Ce canard bouillonne à 30 %.*

bouillotte n.f. Tête. / Locomotive à vapeur (ch. de fer).

boul' ou **boule** n.m. Boulevard : *Draguer sur les boules, sur le boul' Mich'.*

boulange n.f. Métier de boulanger : *Travailler dans la boulange.* / *La Boulange aux faffes* ou *la Grande Boulange,* la Banque de France (arg.). – Fausse monnaie : *Dédé-la-Boulange,* célèbre faussaire.

boulanger (remercier son) loc. Mourir.

boule n.f. Tête. – *Boule de billard,* crâne chauve. – *Coup de boule,* coup de tête dans le visage ou l'estomac. – *Perdre la boule,* devenir fou. / *Boules de loto,* yeux ronds. / Ballon de football. / Jour de prison : *Encore soixante boules à tirer.* / Vente importante (commerce, brocante) : *J'ai fait une boule.* / *Arriver dans les boules,* dans les trois premiers (turf). / *Se mettre en boule,* se mettre en colère. / *Avoir la boule,* avoir une angoise ou le trac, être énervé. – *Avoir les boules,* avoir peur, être angoissé ; mais aussi être prêt à exploser, ne plus pouvoir se retenir.

bouler v.t. *Envoyer bouler,* repousser, éconduire, faire tomber ; envoyer baller. / *Bouler un rôle,* le dire trop vite (spect.).

boulet Bernot n.m. Individu de race noire (péjor. et raciste).

boulevard des allongés n.m. Cimetière.

bouliner v.t. Percer : *Bouliner un plafond* (arg.).

boulonnaise n.f. Prostituée travaillant au bois de Boulogne.

boulonner v.i. Travailler beaucoup : *Qu'est-ce qu'on boulonne, ici !*

boulot n.m. Travail : *Tous au boulot.* – ***Être boulot boulot,*** zélé au travail. – Emploi : *J'ai un bon boulot.* / Travailleur : *On est tous des boulots.*

boulotter v.t. Manger. – Dilapider : *Boulotter un héritage.*

boum n.m. Grande animation : *Vous arrivez en plein boum.* / ***Se faire boum,*** se masturber.
☐ n.f. Surprise-partie ; surboum : *Aller à une boum.*

boumer v.i. Aller, convenir, bien se porter : *Ça boume ?*

bouquet n.m. Gratification à un informateur (arg.). – Cadeau à une prostituée, en plus du tarif (arg.). / ***C'est le bouquet !*** Interj. C'est un peu fort, exagéré. / V. DOIGT.

bouquin n.m. Livre.

bourdille. n.f. V. BORDILLE.

bourdon (avoir le) loc. Avoir des idées noires ; avoir le cafard : *Pas ce soir, j'ai le bourdon.*

bourge ou **bour** n.m. Bourgeois.

bourgeoise n.f. Femme, épouse : *Je vous présente ma bourgeoise.*

bourgeron n.m. Surplis (ecclés.).

bourguignon n.m. Soleil : *Il tape, le bourguignon !*

bourlingue n.f. Voyage à l'aventure : *J'aime pas les voyages organisés, je préfère la bourlingue.*

bourratif adj. Nourrissant.

bourre n.m. Policier en civil ; bourrique. – Policier en uniforme (plus rare) : *Méfie-toi des bourres !*
☐ n.f. ***De première bourre*** ou ***de première,*** de première qualité : *Un couscous de première bourre.* / ***Se tirer la bourre,*** faire un match, lutter (au jeu). / ***Être à la bourre,*** être en retard ou pressé. / ***Bonne bourre !*** Interj. Souhait de succès amoureux.

bourré adj. Riche : Il est bourré de fric. / Ivre, plein : *Il est bourré comme un coing, bourré comme une cantine.*

bourrer v.i. Accélérer, bomber. / Faire une surenchère sur l'enchère d'un confrère, au cours d'une vente publique (brocante). / Posséder une femme. / ***Bourrer le mou,*** bourrer le crâne.

bourrin n.m. Cheval. / Moto. / Fille facile, peut-être prostituée.

bourrique n.f. Indicateur, policier en civil. / ***Plein comme une bourrique,*** ivre. / ***Faire tourner en bourrique,*** abrutir par des exigences.

bourriquer v.i. Pour un ordinateur, exécuter un calcul (informatique).

bousculer v.t. *Bousculer le pot de fleurs,* exagérer ; charrier ; cherrer dans les bégonias.

bouseux n.m. Paysan, cultivateur : *La campagne, ça irait si y avait pas les bouseux.*

bousillage n.m. Action de bousiller par coups ou tatouages.

bousille n.f. Action de tatouer : *La bousille, c'est bon pour les snobs.* – Tatouage.

bousiller v.t. Endommager irrémédiablement : *Ma guinde est bousillée.* / Tuer : *Il s'est fait bousiller.* / Tatouer.

boustifailler v.i. Manger.

boustiffe ou **boustifaille** n.f. Nourriture.

bout n.m. *En connaître un bout,* avoir de l'expérience. / *Tenir le bon tout,* être près de réussir. / *Tailler le bout de gras,* discuter, palabrer. / *Mettre les bouts* ou *les mettre,* s'enfuir. / Membre viril ; gland.

boutanche n.f. Bouteille : *Apporte une autre boutanche.*

bouteille (prendre de la) loc. Vieillir.

boutique n.f. Organes sexuels de l'homme ou de la femme.

bouton n.m. Clitoris.

boutonnière n.f. Blessure à l'arme blanche : *Il est revenu avec une boutonnière.*

bouzin n.m. Maison de prostitution. / Bruit, chahut, désordre : *Quel bouzin !*

bouzine n.f. Ventre. / Locomotive à vapeur (ch. de fer). / Vieille voiture automobile. / Ordinateur.

boxon ou **boxif** n.m. Maison de prostitution. / Désordre.

boyautant adj. Très amusant, comique.

bracelets n.m.pl. Menottes (arg.) : *On lui a mis les bracelets.*

braguette n.f. Prostituée travaillant sous les portes cochères.

braire v.i. Crier, pleurer : *Ce gosse est toujours en train de braire.* – Protester. – *Tu me fais braire,* tu m'ennuies.

braise n.f. Argent, monnaie : *Nib de braise.*

brancards n.m.pl. Jambes. / *Ruer dans les brancards,* résister, refuser, protester.

branche n.f. *Vieille branche,* terme d'amitié.

branché adj. et n. Dans le coup, à la mode ; cablé ; chébran. / Qui connaît bien un domaine précis : *Il est branché cinéma.*

brancher v.t. Mettre en rapport, en relation d'affaires : *Je me suis branché avec un fourgue.* / *Ça me branche,* ça m'intéresse.

brandillon n.m. Bras : *Agiter les brandillons.*

brandon n.m. Membre viril.

branler v.i. *Ça branle dans le manche,* ça ne va pas, ça commence à se gâter. / *N'en avoir rien à branler,* n'en avoir cure, n'en avoir rien à *cirer.* ☐ **se branler** v.pr. Se masturber. / *S'en branler,* s'en moquer, être indifférent. / *Se branler les couilles,* ne rien faire, paresser : *Qu'est-ce que vous attendez, au lieu de vous branler les couilles !*

branlette n.f. Masturbation.

branleur n.m. Jeune garçon (péjor.). / Individu incompétent, ou auquel on ne peut pas se fier : *Ce mec-là, c'est un branleur de première.*

branleuse n.f. Fillette (péjor.).

branque n.m. Client d'une prostituée. / Idiot, fou : *Il faut être un peu branque pour braquer les guignols !*

branquignol n.m. Loufoque.

braquage n.m. Attaque à main armée, hold-up.

braque n.m. Moteur usé (auto).
□ adj. Fou, écervelé.

braquemart n.m. Membre viril.

braquer v.t. Mettre en joue avec une arme à feu.

braqueur n.m. Gangster qui n'hésite pas à faire usage de ses armes.

bras n.m. *Gros bras,* homme fort. – Homme influent. / *Bras cassé,* pauvre type. / *Avoir le bras long,* avoir de l'influence. / *Bras d'honneur,* geste osbscène de colère ou de mépris. / *Avoir les bras retournés* ou *à la retourne,* être paresseux.

bravo interj. *Faire bravo, avoir les miches qui font bravo,* avoir peur ; claquer des miches, comme on claque des dents.

brêle n.f. Moto : *Pige un peu ma brêle.*

brelica n.m. Revolver ; calibre (verlan, arg.).

brème n.f. Carte à jouer : *Taper les brèmes.* / Toute carte ou tout « papier » d'identité. / Télégramme (postes). / Carte perforée (informatique).

brésilienne n.f. Transsexuel prostitué.

Breton n.pr. *Coup de tête de Breton,* coup de boule dans l'estomac ou le visage.

brevet colonial (faire passer le) loc. Initier à la sodomie.

bréviaire n.m. Livre : *Il a toujours le nez dans son bréviaire.* / Indicateur des rues de Paris (police).

bric n.m. Maison de prostitution.

bricard n.m. Brigadier-chef.

bricheton n.m. Pain : *Passe-moi le bricheton.*

bricolage n.m. Résultat d'un travail qui laisse à désirer ; œuvre d'un bricoleur.

bricoles n.f.pl. Sévices, ou ennuis graves : *Ce mec-là, s'il continue, il va lui arriver des bricoles.*

bricoler v.i. Faire toute espèce de métiers.
□ v.t. *Bricoler une femme,* entreprendre des caresses intimes.

bricoleur n.m. Individu qui n'a pas de métier fixe, dont le travail laisse à désirer.

bricolo n.m. Bricoleur (au propre et au fig.), dont le travail laisse à désirer : *C'est tous des bricolos.*

bride n.f. Serrure (arg.). / Chaîne : *Une bride en or.*

bridé, e n. Asiatique (aux yeux bridés).

brider v.t. Fermer : *Brider la lourde.* – Cri d'alerte des joueurs de bonneteau à l'arrivée de la police : *Bride, bride !* pour fermer le parapluie sur lequel sont posées les trois bauches. / Terminer. / Empêcher d'agir, tenir la bride : *Il est bridé par ses vieux.*

briffe n.f. Nourriture. – *Aller à briffe,* aller manger.

briffer v.t. Manger.

briffeton n.m. Casse-croûte ; nourriture.

brigadier n.m. Bâton pour frapper les trois coups (spect.). / *Brigadier d'amour,* doigt médius.

brignolet n.m. Pain : *Un bout de brignolet.*

briller v.i. Éprouver l'orgasme ; reluire.

brindezingue n.m. Ivre ; fou. – *Être dans les brindezingues,* en état d'ivresse.

bringue n.f. Noce : *Faire la bringue.* / *Grande bringue,* femme dégingandée.

brioche n.f. Ventre. – *Avoir de la brioche,* de l'embonpoint. / *Les brioches,* les fesses. / *Partir* ou *barrer en brioche,* défaillir, se laisser aller.

brique n.f. 10 000 F (un million de centimes). [V. BARRE, BÂTON.] / *Bouffer des briques,* n'avoir rien à manger.

briser v.t. Importuner, casser les pieds : *Tu me les brises.*

briseur de nougats n.m. Journaliste (casse-pieds).

broc [brok] ou **broco** n.m. Brocanteur.

brocasse n.f. Marchandise vendue par le broc (brocante).

bronzaille n.f. Articles de bronze de qualité courante (brocante).

bronze (mouler un) loc. Déféquer.

bronzé adj. *Bronzé comme un cachet d'aspirine* ou *comme un petit-suisse,* qui a le teint pâle.

broque ou **broquille** n.f. Minute : *Il est trois plombes et vingt broques.* / Petite monnaie : *Il ne me reste plus que dix balles et des broques,* « et des poussières ». / Brocante sans valeur.

brosser v.t. Faire jouir ; faire reluire.
☐ **se brosser** v.pr. Se passer de : *Le loufiat, question pourliche, il peut se brosser.*

brouette n.f. *Semelles en cuir de brouette,* semelles en bois.

brouille-ménage n.m. Vin rouge.

brouter v.t. Manger, croûter./ *Brouter le cresson,* pratiquer le cunnilingus. – *Brouter la tige,* pratiquer la fellation.
☐ v.i. Marcher par à-coups : *Un moteur qui broute.*

brouteuse n.f. Lesbienne.

brown sugar n.m. Héroïne contenant 33 % d'héroïne pure (drogue).

brûle-parfum n.m. Revolver.

brûler v.t. *Être brûlé,* être découvert. / *Brûler un feu rouge,* ne pas respecter le signal d'arrêt. / *Brûler le dur,* voyager en chemin de fer ou dans le métro sans billet.

brutal n.m. Métro : *Si vous avez le feu au derche, prenez le brutal.* / Eau-de-vie ou vin rouge ordinaire : *Un coup de brutal.*

brute n.f. *C'est la brute en maths,* il est très fort et compétent, c'est la bête.

bu adj. Ivre : *Il est bu.*

bûche n.f. Chute : *Ramasser une bûche.* / Allumette. / Brin de tabac grossier.

bucolique n.f. Prostituée des jardins publics.

buffet n.m. Estomac : *J'ai rien dans le buffet.* / ***N'avoir rien dans le buffet,*** être lâche, n'avoir rien dans le ventre.

buis n.m. *Coup de buis,* défaillance, coup de pompe. / *Racine* ou *dent de buis,* dent jaune. / *Patte de buis,* jambe artificielle.

bulle n.f. Repos ; sommeil. – *Coincer la bulle,* faire la sieste ; dormir. / *Le nez dans la bulle,* presque à plat ventre derrière le pare-brise (moto). / Zéro : *Je me suis ramassé une bulle* (étud.).

buller v.i. Ne rien faire ; glander.

bulletin de naissance n.m. *Avaler son bulletin de naissance,* mourir.

bureau des pleurs n.m. Bureau des réclamations.

burettes n.f.pl. Testicules.

burlain n.m. Employé de bureau : *Les cols blancs sont des burlains.*

burlingue n.m. Bureau (local ou meuble). / Ventre, estomac : *Un coup de boule dans le burlingue.*

burnes n.f.pl. Testicules : *Un coup de tatane dans les burnes.* / Au sing. : *Depuis belle burne,* depuis longtemps, depuis belle lurette.

burnous n.m. *Faire suer le burnous,* exploiter des ouvriers ou des employés.

business. V. BISNESS.

buter v.t. Tuer.

butte (avoir sa) loc. Être enceinte.

buvable adj. Supportable (surtout sens négatif) : *Il a une gueule pas buvable.*

buveton n.m. Buvard (écolier).

Byzance (c'est) loc. C'est magnifique. (Se dit de quelque chose qui fait plaisir par son abondance, sa qualité, par ex. un bon repas.)

C

cabane n.f. Prison : *Il a passé deux ans en cabane.* / ***Cabane à lapins,*** maisonnette mal construite ; ensemble d'appartements exigus, où l'on vit entassés comme des lapins : *Les cabanes à lapins de la banlieue parisienne.* / ***Attiger la cabane,*** exagérer ; charrier.

caberlot n.m. Petit débit de boissons campagnard. / Tête, crâne : *Prendre un pain sur le caberlot.*

cabestron n.m. Naïf ; cave (arg.).

cabinces n.m.pl. Cabinets d'aisances : *Aller aux cabinces.*

câblé adj. À la mode, dans le vent branché, chébran, codé.

cabot n.m. Chien. / Caporal (armée). / Contremaître. / Comédien (au pr. et au fig.).

caboulot n.m. Petit débit de boissons.

cabriolet n.m. Menottes.

cacasse (aller à la) loc. Forniquer (arg.).

cache-frifri n.m. Cache-sexe.

cachemire n.m. Torchon du garçon de café. – ***Un coup de cachemire sur le piano,*** coup de torchon sur le comptoir.

cachet n.m. Somme versée par une prostituée à un souteneur (prost.).

cacheton n.m. Cachet, honoraires : *Courir le cacheton* (spect.).

cachetonneur n.m. Comédien qui court après le cachet (spect.).

cacique n.m. Élève reçu premier à l'École normale supérieure ; à un concours (étud.).

cactus n.m. Ennui, difficulté : *Il y a des cactus.* / ***Avoir un cactus dans le portefeuille,*** être avare.

cadavre n.m. Bouteille vidée.

cadeau n.m. Rémunération d'une prostituée : *Pense d'abord à mon petit cadeau.* / ***Ne pas faire de cadeau,*** être sévère, intransigeant ; corriger sévèrement.

cadène n.f. Chaîne, collier de femme. / Au pl. Menottes (arg.).

cador n.m. Chien. / Homme fort ; caïd : *Ce mec-là, c'est un cador.*

cadran (faire le tour du) loc. Dormir douze heures ou plus.

cadre n.m. Tableau : *Picasso, il a fait des beaux cadres.*

cafard n.m. Tristesse ; idées noires, bourdon. / Mouchard (enfants).

cafardage n.m. Action de cafarder.

cafarde n.f. Lune (arg.) : *La cafarde éclaire comme en plein jour.*

cafarder v.t. Moucharder.

café n.m. ***C'est un peu fort de café,*** c'est exagéré. / ***Prendre le café du pauvre,*** faire l'amour.

cafeter v.t. Dénoncer, rapporter ; cafarder (enfants).

cafeteur n.m. Dénonciateur, rapporteur ; cafard (enfants).

cafetière n.f. Tête, crâne : *Un coup sur la cafetière.* / Rapporteur ; cafeteur (enfants).

cafeton n.m. Café (boisson) : *Prendre un petit cafeton.*

cafouillage n.m. Travail ou raisonnement sans ordre.

cafouiller v.i. Agir ou fonctionner de façon désordonnée : *Un moteur qui cafouille.* / Bafouiller : *Un conférencier qui cafouille.*

cafouilleux adj. Qui agit de façon désordonnée, brouillonne.

cafouillis n.m. Résultat d'un cafouillage.

cage n.f. Prison (arg.). – ***Cage à poules,*** cage dans laquelle on enferme les détenus dans les commissariats. / ***Cage à poules,*** dans les jardins publics, construction en tubes métalliques où grimpent les enfants. / ***Cage à lapins,*** v. CABANE. / But : *Le goal n'est pas sorti de la cage* (football). / ***Cage à miel,*** oreille.

cageot n.m. Fille ou femme sans beauté : *Il va encore se ramener avec son cageot.*

cagna n.f. Maison, domicile : *T'es jamais venu dans ma cagna ?*

cagne n.f. Classe de préparation à l'École normale supérieure (lettres), ou khâgne (étud.).

cagneux n.m. Élève de cagne.

caïd n.m. Homme énergique, chef. / ***Comme un caïd,*** comme un chef, adroitement : *Il s'est démerdé comme un caïd.* / Champion : *Noah, c'est un caïd.*

caillasse n.f. Cailloux, graviers.

caille n.f. Merde, mouscaille : *Ça pue la caille.* / ***Œil à la caille,*** œil tuméfié. / ***L'avoir à la caille,*** être contrarié ; emmerdé. / ***Être à la caille,*** ne pas avoir de chance.

cailler v.i. Faire froid : *Ça caille.* / Avoir froid : *Je caille ; on se les caille.* / ***Se cailler le sang,*** se faire du souci.

caillou n.m. Tête, crâne : *Pas un poil sur le caillou.* / Objet en pierre : *Je vends des cailloux* (brocante). / Diamant, pierre précieuse : *J'ai vendu mes cailloux à une fourgue.*

caïman n.m. Surveillant à l'École normale supérieure (étud.).

caisse n.f. Poitrine : *Il s'en va de la caisse.* / Crâne. – ***Bourrer la caisse,*** bourrer le crâne. / Salle de police (milit.). / Confessionnal (ecclés.). / Automobile. – Moto. – *Caisse à savon,* véhicule hétéroclite (auto, wagon). / *Aller à fond la caisse,* rouler très vite (moto). / Appareil photo de modèle ancien. / *Lâcher une caisse,* péter. / *Prendre une caisse,* s'enivrer. / *Voyez caisse !* Exclam. à l'adresse de quelqu'un qui « encaisse » des coups. / *C'est du caisse* ou *du kès,* c'est pareil ; c'est du kif (du louchébem lifkès = lif-kès = kif).

caisson n.m. Crâne. – *Se faire sauter le caisson,* se brûler la cervelle.

calanche n.m. Mort. – *Une calanche V. P.,* un décès sur la voie publique (arg. police).

calancher v.i. Mourir.

calbar ou **calebar** n.m. Caleçon ; calcif : *Il s'est fait la paire en calbar.*

calbombe n.f. Ampoule électrique. / *Tenir la calbombe,* favoriser les amours des autres ; tenir la chandelle.

calcer v.t. Posséder ; baiser : *Il a calcé une nana.*

calcif n.m. Caleçon, slip. / *Filer un coup dans le calcif,* posséder ; calcer.

calculé pour (c'est) loc. C'est prévu, voulu, déterminé par un calcul auquel on fait confiance : *Ça marche comment, ton engin ? – C'est calculé pour.*

caldif n.m. Calcul différentiel (étud.).

caldoche ou **caledoche** n. et adj. Calédonien d'origine européenne : *Le Caillou* (la Nouvelle-Calédonie) *est peuplé de Canaques et de caldoches.*

cale n.f. *Être à fond de cale,* n'avoir plus aucune ressource. / *Mettre en cale,* engrosser : *Il l'a mise en cale.*

calé adj. Instruit, fort : *Il est calé en maths.* / Difficile, compliqué : *Les maths, c'est calé.* / Refusé ; recalé à un examen : *Il a été calé à cause des maths.*

calebasse n.f. Tête : *Un coup sur la calebasse.*

caleçon n.m. Colis (prisons) : *Cette semaine, pas de caleçon.*

calendo ou **calendos** n.m. Camembert : *Le calendos, paradis des bloches.*

caler v.t. et v.i. Bloquer, arrêter : *J'ai calé le moteur ; le moteur a calé.* / Renoncer : *Devant ses prétentions, j'ai calé.* / *Se caler les joues, les amygdales,* manger.

calfouette n.m. Caleçon : *Il est rien bath, ton calfouette.*

calibre n.m. Revolver. / *Être du même calibre,* se valoir (au fig.).

calmer v.t. Assommer un adversaire (arg.).
□ **se calmer.** v.pr. *On se calme !* Du calme, calmez-vous !

calmos adv. Calmement : *Il est arrivé calmos tranquillos.*

calot n.m. Œil : *Rouler des calots.* / Bille en verre (enfants).

calotin n.m. Clérical.

calotte n.f. Clergé : *À bas la calotte !*

calotter v.t. Dérober, voler : *On m'a calotté mes alloufs.*

calouse n.f. Jambe. – *Jouer des calouses,* marcher.

calouser le bitume loc. Marcher dans la rue.

calpette n.f. Langue de bavard : *Mets-la en veilleuse, ta calpette.*

calter v.i. Se sauver, s'enfuir : *Caltez, volailles !*

cam adj.inv. Camouflé : *Tenue cam des parachutistes* (milit.).

cam n.m. Camelot : *Dans ma jeunesse, j'ai fait cam.*

cambrio n.m. Cambrioleur : *Un vulgaire petit cambrio.*

cambriole n.f. État de cambrioleur : *Il vit de la cambriole.*

cambrousard ou **cambroussard** n.m. Paysan : *À la dernière manif, on a même vu des cambrousards monter à Paris.*

cambrouse ou **cambrousse** n.f. Campagne : *La cambrouse me sort par les trous de nez.*

cambuse n.f. Maison mal tenue ; *Son apparte est une vraie cambuse.*

cambut n.m. Substitution d'un objet de valeur par un faux (arg.) : *Travailler au cambut chez les bijoutiers.*

cambuter v.t. et v.i. Échanger du faux contre de l'authentique ; échanger de faux billets de banque (arg.).

cambuteur n.m. Escroc au cambut (arg.).

came n.f. Marchandise en général (brocante, camelots, forains) : *Aller chercher la came.* / Drogue : *Passer la came.*

camé adj. et n. Drogué : *Camé jusqu'aux yeux.*

camée n.m. Petit rôle bien mis en relief par le comédien (spect.).

camembert n.m. Piédestal circulaire d'où les agents règlent la circulation (police). / Chargeur rond de mitraillette. / Tout chargeur ou boîte circulaire (cinéma, informatique, etc.).

camp n.m. *Ficher, fiche* ou *foutre le camp,* partir, s'enfuir.

campagne n.f. ***Aller à la campagne,*** aller en prison (prost.). / ***Emmener à la campagne,*** mépriser quelqu'un, s'en ficher ouvertement.

campo n.m. Congé : *Avoir campo.*

canadienne n.f. ***Canadienne en peau de sapin,*** cercueil : *À son âge, il a droit à une canadienne en peau de sapin.*

canard n.m. Journal : *Acheter un canard.* / Fausse nouvelle, bobard : *Croire tous les canards.* / Fausse note, couac : *Faire un canard* (musique). / Client difficile (commerce) : *Le samedi est le jour des canards.* / Cheval : *Il ne me dit rien de bon, ton canard* (de canasson). / Spéculum (méd.). / Sucre trempé dans le café ou l'alcool. – ***Trempé comme un canard,*** fort mouillé (par la pluie). / ***Marcher comme un canard,*** en se dandinant. / ***Ça ne casse pas trois pattes à un canard,*** ce n'est pas extraordinaire. / ***Baiser en canard,*** en levrette ; more canino.

canarde n.f. Règlement de comptes (arg.).

canarder v.t. Tirer des coups de fusil.

canasson n.m. Cheval.

cane ou **canuche (jouer à la)** loc. Jouer sur un canevas, en improvisant (spect.).

caneçon n.m. Caleçon.

caner v.i. Mourir. / Avoir peur. / Renoncer : *Au bout d'une heure de marche, j'ai cané.*

canne n.f. Jambe. –*Mettre les cannes,* s'enfuir. / ***Avoir la canne,*** être en érection.

canon n.m. Verre de vin : *Boire un canon.* / ***Avoir une balle dans le canon,*** être en érection. / Quelque chose de superbe, de réussi (voir adj.) : *Cette fille-là, c'est un canon.*
□ adj. inv. Superbe, réussi : *Une fille canon, un film canon, un plan canon.* – ***C'est canon,*** beau, super, génial.

canonnier n.m. et adj. Bon marqueur de buts (football).

canticard adj. et n. Qui chante de façon traînante.

cantoche n.f. Cantine, lieu où l'on prend les repas en commun. / ***Bourré comme une cantoche*** ou ***une cantine*** (petite malle), complètement ivre ; bourré.

canulant adj. Ennuyeux.

canuler v.i. Importuner, ennuyer. / Marchander (prost.).

caoua n.m. Café (boisson).

cap adj. Capable : *T'es pas cap.*

capilotade (en) loc. En pièces : *Une heure de marche, j'ai les pinceaux en capilotade.*

capital n.m. Virginité : *Entamer son capital.*

capo (être) loc. Perdre au jeu.

capote anglaise n.f. Préservatif masculin.

capsule n.f. Casquette : *T'es mignon, avec ta capsule.*

cara n.m. Caractère : *Un mauvais cara.*

carabiné adj. Fort, excessif : *Une cuite carabinée.*

carabistouille n.f. Petite escroquerie : *Il marche à la carabistouille.*

caractériel n. Coléreux, tatillon ; emmerdeur : *Mon patron, c'est un caractériel.*

carafe n.f. ***Rester en carafe,*** attendre en vain. / ***Tomber en carafe,*** avoir une panne.

carafon n.m. Tête : *Un coupon sur le carafon.*

carambolage n.m. Chocs en série : *Un carambolage de voitures.*

caramboler v.t. Faire un carambolage. / Posséder une femme.

carambouillage n.m. ou plutôt **carambouille** n.f. Achat de marchandise à terme, revendue au comptant sans régler le créancier (escroquerie).

carambouilleur n.m. Escroc qui pratique la carambouille.

carante n.f. Table (arg.) : *Taper le carton sur la carante.*

carapater (se) v.pr. S'enfuir : *Je me suis carapaté.*

carat n.m. Année d'âge : *Une môme de vingt carats.* – ***Prendre du carat,*** vieillir. / ***Jusqu'au dernier carat,*** jusqu'au dernier moment.

caravelle n.f. Prostituée de luxe des aéroports et des grands hôtels.

carbi n.m. Charbon. – *Aller au carbi,* aller au charbon. / *Sac à carbi,* prêtre en soutane.

carboniser v.t. Ruiner la réputation de quelqu'un ; le brûler.

carburant ou **carbure** n.m. Argent : *Pour prendre ma retraite, il me manque que le carbure.*

carburer v.i. Marcher, fonctionner : *Robert carbure au pastaga.* / Avoir de l'activité : *Les tapineuses, ça carbure aujourd'hui.* / Réfléchir, faire travailler son esprit : *Carbure un peu, tu finiras par trouver la coupure.*

carcan n.m. Mauvais cheval (turf).

carlingue ou **carluche** n.f. Prison. (Sous l'Occupation allemande, la Gestapo était surnommée la Carlingue.)

carmer v.t. Payer, acheter : *Pour finir, il faut toujours carmer.*

carne n.f. Mauvais cheval. / Viande dure.

caroline n.f. Homosexuel passif ; travesti.

carotte n.f. Mensonge permettant de soutirer de l'argent : *Tirer une carotte à quelqu'un.* / *Les carottes sont cuites,* c'est raté, c'est terminé.

carotter v.t. Extorquer de l'argent ou un avantage : *Je me suis fait carotter.*

carotteur ou **carottier** n.m. Personne qui carotte.

caroubier n.m. Cambrioleur qui opère avec de fausses clés : *Les rossignols du caroubier.*

carouble n.f. Fausse clé (arg.). Serrure (arg.).

caroubler v.t. Ouvrir avec une clé. / Voler.

caroubleur n.m. Cambrioleur utilisant de fausses clés.

carpe (faire la) loc. S'évanouir de plaisir.

carpette n.f. Individu veule, paillasson : *C'est une vraie carpette.*

carre n.f. Cachette ; réserve : *Rendez-vous à la carre.*

carré n.m. Élève de deuxième année d'une grande école (étud.). / *Carré blanc,* signe conventionnel, rectangulaire, indiquant qu'une émission de télévision est déconseillée aux enfants (ne s'emploie plus au pr., mais seulement au fig.) : *Avec une gueule comme ça, il devrait mettre le carré blanc,* sous-entendu : il fait peur aux enfants.

carreau n.m. Verre de lunettes. – Au pl. : lunettes. – Yeux. *En avoir un coup dans les carreaux,* être ivre. / *Rester sur le carreau,* demeurer assommé ou mort. / *Se tenir à carreau,* rester tranquille, se tenir sur ses gardes.

carrée n.f. Chambre, chambrée.

carrée (partie) n.f. Partie de plaisir entre deux couples.

carrelingue n.m. Verre de lunettes ; carreau. – Au pl. Lunettes.

carrer v.t. Cacher, dissimuler. / *Tu peux te le carrer dans le train,* refus, je n'en veux pas, tu peux te le garder. □ **se carrer** v.pr. S'enfuir : *Il s'est carré en province.*

carrossée adj.f. Bien faite, bien roulée.

carrousel adj.inv. Ivre.

Carrousel n.pr. Salle des pas perdus du Palais de Justice, à Paris.

cartahu n.m. Quartier-maître (mar.).

carte n.f. *Être en carte,* être fiché ; être en possession d'une carte professionnelle, être sous contrat (expression reprise à l'arg. des prostituées). / *Carte de France,* trace de pollution nocturne dans les draps.

carton n.m. *Taper le carton,* jouer aux cartes. / Tirer avec une arme à feu : *Faire un carton,* tirer sur quelqu'un. / Posséder une femme. / *Prendre un carton,* avoir une mauvaise note.

cartonner v.i. Tirer avec une arme à feu : *Les Keufs ont cartonné.* D'où les deux sens de *ça cartonne, ça cartonne sec :* C'est dangereux, ça peut causer des ennuis ; toucher la cible (ou fig.), réussir au-delà des espérances. / Avoir des vents, péter. / Prendre un carton.

caser v.t. et v.pr. Procurer un emploi, un logement, une situation. – *Il n'a pas encore réussi à se caser,* à se marier.

casier n.m. Casier judiciaire.

casquer v.i. Payer, faire les frais : *C'est toujours les mêmes qui casquent.*

casquette n.f. *Ramasser les casquettes,* arriver dernier (turf). / *Avoir une casquette en peau de fesse,* être chauve. / *En avoir ras la casquette,* être excédé ; en avoir ras le bol.

cass n.m. Cassis, dans *blanc-cass* (vin blanc et sirop de cassis), *mêlé-cass* (vermouth-cassis).

casse ou **cassement** n.m. Cambriolage par effraction : *Faire un casse.*

casse n.f. Action de briser : *Payer la casse.* – *Envoyer* ou *vendre une voiture, une machine à la casse,* la vendre au poids à un récupérateur de métaux.

casse-bonbons n.m. Importun ; casse-pieds.

casse-couilles n.m. et adj. Importun ; emmerdeur ; casse-pieds.

casse-dale n.m. Casse-croûte : *N'oublie pas ton casse-dale.*

casse-gueule n.m. Téméraire, casse-cou : *Sur sa meule, c'est un vrai casse-gueule.* / Manège, attraction foraine dangereuse : *Monter sur le casse-gueule.*
☐ adj. Hasardeux : *C'est affaire-là, c'est casse-gueule.*

casse-noisette n.m. Mâchoire de fauve (forains). / *Faire casse-noisette,* contracter les muscles du vagin.

casse-pattes n.m. Vin lourd. – Eau-de-vie très forte.

casse-pieds n.m. Importun ; emmerdeur ; casse-couilles.

casse-pipe n.m. Guerre : *Aller au casse-pipe.* / *Aller au casse-pipe,* rouler très vite (moto).

casse-poitrine n.m. Eau-de-vie.

casser v.t. Cambrioler avec effraction. / Démonter une voiture, une machine pour en récupérer les pièces et les métaux. / Débrocher un livre

(pour en retenir les gravures, par. ex.). / *Casser la tête,* fatiguer par du bruit, des paroles. / *Casser la gueule,* frapper au visage. / *Casser les pieds, les burnes, les bonbons, les couilles, le cul,* importuner, agacer. – *Tu me les casses,* tu m'embêtes. / *Casser sa pipe* ou *la casser,* mourir. / *Casser son œuf,* faire une fausse couche. / *Casser la graine,* manger. – *Casser* ou *manger un morceau,* manger rapidement. / *Casser* ou *manger le morceau* ou *le morcif,* avouer. / *Casser le bail,* divorcer, quitter le conjoint. / *Casser le pot* ou *la rondelle,* pratiquer le coït anal. / *Casser les prix,* pratiquer une baisse brutale, sans accord professionnel. / *Casser la baraque,* déchaîner l'enthousiasme (spect.). / *À tout casser,* sans frein : *Une bringue à tout casser.* / *Ne rien casser,* être sans valeur. – *Ne pas casser trois pattes à un canard,* ne présenter aucune originalité.
☐ **se casser** v.pr. S'en aller : *Je me casse.* (V. CASSOS.) / *Se casser le nez,* échouer ; trouver porte close. / *Se casser la gueule,* faire une chute, avoir un accident. / *Ne pas se casser le cul, la tête, le bonnet, ne rien se casser, ne pas se casser,* ne pas faire d'efforts superflus, ne pas se faire de souci.

casserole n.f. Prostituée. / Indicateur, mouchard. / Projecteur (spect.). / Mémoire centrale (informatique). / *Passer à la casserole,* violer ; être violée.

cassetin n.m. Local de travail des correcteurs (impr.).

casseur n.m. Cambrioleur (par effraction). / Fanfaron : *Jouer les casseurs.* / Récupérateur de métaux et de pièces détachées. / Celui qui se livre volontairement à des déprédations : *Les casseurs seront les payeurs. La Loi anticasseurs,* de 1970 réprimait les violences et les déprédations collectives.

cassis n.m. Tête, crâne : *J'ai pris un coup sur le cassis.* / *Cassis de lutteur* ou *de déménageur,* vin rouge.

cassos (faire) loc. S'en aller, se tirer, se casser : *On fait cassos.*

cassure n.f. Comédien vieilli : *Une vieille cassure* (spect.).

castagne n.f. Combat, bagarre : *Aller à la castagne.* / Coup ; marron.

castagner v.t. Frapper, donner des coups.
☐ **se castagner** v.pr. Se battre : *Fallait les voir se castagner !*

castapiane n.f. Blennorragie.

castrole n.f. Casserole.

casuel n.m. Location de chambre d'hôtel à l'heure : *Faire le casuel.*
☐ adj. Fragile, cassant : *La verrerie est casuelle.*

cat n.m. Amateur ou musicien de jazz.

cata n.f. Catastrophe : *Les maths, c'est la cata !*

cata n.m. Catamaran (embarcation à voiles) : *Location de catas.*

catalogue n.m. Code pénal (arg.).

cataloguer v.t. Juger quelqu'un, le classer dans une catégorie : *Celui-là, je l'ai tout de suite catalogué.*

catapulter v.t. Envoyer quelqu'un dans un lieu éloigné pour une intervention rapide : *J'ai été catapulté dans une succursale de province.*

catastrophe (en) loc.adv. Immédiatement, toutes affaires cessantes : *Quand il l'a su, il s'est ramené en catastrophe.*

catastropher v.t. Étonner, abattre : *Cette nouvelle m'a catastrophé.*

catho n. et adj. Catholique.

catholique adj. Conforme à la morale et aux mœurs : *Il n'a pas un air très catholique.*

catin n.f. Prostituée.

causant adj. Communicatif.

causer v.i. Parler : *Tu causes, tu causes, c'est tout c'que tu sais faire.* / ***Cause à mon cul, ma tête est malade,*** tu m'importunes avec tes discours, je ne te crois pas.

cavale n.f. Évasion ; désertion ; fuite. – ***Être en cavale,*** pour un prisonnier, être en fuite.

cavaler v.i. Courir. / Ennuyer ; courir : *Tu me cavales.* / Poursuivre les femmes de ses assiduités ; courir. □ **se cavaler** v.pr. S'enfuir, s'en aller : *Il s'est cavalé vite fait.*

cavalerie n.f. ***De la grosse cavalerie,*** du tout-venant : *Pas un livre de valeur dans sa bibliothèque, rien que de la grosse cavalerie.* / ***Traite de cavalerie,*** traite de complaisance : *Faire de la cavalerie.* / ***Balancer la cavalerie,*** dénoncer ses complices (arg.).

cavaleur n.m. Coureur de filles.

cave n.m. Individu non affranchi, niais ; client d'une prostituée. □ n.f. ***Descente à la cave,*** séquestration. / Cunnilingus.

cavette n.f. Femme non prostituée professionnelle qui fait des passes.

caviarder v.t. Supprimer un passage dans un article de presse, dans un livre.

cavouse n.f. Cave souterraine (arg.).

ceinture n.f. Privation. – ***Se mettre, se serrer la ceinture,*** se priver.

cell', cello, cellulo n.m. Abrév. de celluloïd, pellicule cellulosique employée en photographie, photogravure, radiographie, cinéma.

cellotte n.f. Cellule de prison.

cendar n.m. Cendrier : *Il lui a balancé le cendar sur la tronche.*

centre n.m. Nom propre ou sobriquet ; nom usuel (arg.). / Sexe de la femme.

centrouse n.f. Prison centrale.

cerceau n.m. Volant d'automobile. / Côte de la cage thoracique.

cercle de barrique n.m. Côte de la cage thoracique ; cerceau.

cercueil n.m. Cocktail (bière, Picon et grenadine).

cérébral n.m. Intellectuel, penseur : *C'est un cérébral.*

cerf n.m. ***Se déguiser en cerf,*** prendre la fuite. / ***Bander comme un cerf,*** être en érection.

cerise n.f. Malchance : *Avoir la cerise* (arg.). / ***Se refaire la cerise,*** rétablir sa santé.

certif n.m. Certificat ; certificat d'études primaires : *Mon gamin a eu son certif.*

césarienne n.f. Ouverture au rasoir d'un sac ou d'une poche pour en voler le contenu (arg.).

césarin, césarine n.m. et n.f. Lui, elle ; var. de cézig : *Comme par hasard, c'est toujours césarin qui est le premier au rab.*

cézig n.pr. et n.m. Lui. – *Cézig pâteux,* celui-là (péjor.). Le f. de *cézig* est *césarine,* rarement *céziguette.*

chabanais n.m. Maison de prostitution (du nom de la rue où se trouvait, au n° 12, une célèbre maison de prostitution parisienne). / Vacarme, désordre : *Quel chabanais !*

chabler v.t. Frapper, cogner violemment (arg.).

chabraque adj. Fou.

chagatte n.f. Vulve ; chatte (javanais).

chagrin (aller au) loc. Porter plainte (arg.). / Se rendre au travail ; aller au charbon.

chaille n.f. Dent : *Le vioc perd ses chailles.*

chaîne n.f. Liaison qu'on ne parvient pas à briser : *Entre Paul et Marguerite, c'est la chaîne.*

chaise n.f. *Avoir le cul entre deux chaises,* être dans une position fausse, ne pas pouvoir choisir entre deux partis à prendre.

chaleur n.f. *Être en chaleur,* rechercher le mâle (se dit des femmes comme des femelles des animaux).

chambard n.m. Vacarme ; protestation violente.

chambardement n.m. Bouleversement, renversement de l'ordre établi. – *Le grand chambardement,* la révolution.

chambarder v.t. Bouleverser, mettre en désordre.

chambrer v.t. Se moquer, railler ; mettre en boîte.

chameau n.m. Personne acariâtre : *Un vieux chameau.* / Toboggan pour déceler les boules farcies (jeu de boules). / Table d'examen de gynécologue.

champ' n.m. Vin de Champagne.

champignon n.m. Accélérateur : *Appuyer sur le champignon.*

champion adj.inv. Remarquable : *Venise, c'est champion.*

Champs (les) n.pr. Les Champs-Élysées, à Paris.

chandelle n.f. Bougie (auto). / Article sur une seule colonne (presse). / Morve qui coule du nez. / Prostituée qui racole à un point fixe. / *Tenir la chandelle,* assister à des rapports amoureux ou les favoriser ; être un mari ou une épouse complaisants.

changer v.i. Se dit pour « échanger », et se construit généralement avec *pour* et non avec *contre* : *Changer un cheval borgne pour un aveugle.* / *Change pas de main,* continue, tout va bien (même sens dans le domaine érotique). / *Changer de disque,* changer de conversation.

chansonnette n.f. Interrogatoire de police (arg.). / Chantage.

chanstiquer v.t. et v.i. Changer, transformer, bouleverser (arg.). / Restaurer à la hâte, sans soin (brocante).

chanvre n.m. Haschisch (drogue).

chanvré adj. Intoxiqué, drogué au haschisch.

chapeau n.m. *Chapeau !* Interj. : Bravo : *Grand-père à trente-cinq berges, chapeau !* / ***Perdre son chapeau de paille,*** pour un homme, perdre son pucelage. / ***Porter le chapeau,*** assumer une responsabilité, en supporter les inconvénients. / ***Sur les chapeaux de roue,*** à toute vitesse : *Un virage sur les chapeaux de roue* (auto). / ***Travailler du chapeau,*** être fou. / ***En baver des ronds de chapeau,*** subir une contrainte éprouvante.

charançons n.m.pl. Gonocoques (arg.).

charbon (aller au) loc. Exercer un travail de façade ; exercer irrégulièrement un travail. / S'astreindre à un travail pénible.

charcutage n.m. Opération chirurgicale maladroite.

charcuter v.t. Faire une opération chirurgicale ; faire du charcutage.

charcutier n.m. Chirurgien.

charge n.f. Drogue. – Dopage (sport). / ***Prendre une charge,*** prendre une cuite, une caisse.

chargé adj. Sous l'influence de l'alcool, de la drogue, du dopage.

chariboter v.i. Exagérer, charrier : *Dis donc, tu charibotes un peu.*

Charlemagne (faire) loc. Se retirer du jeu après avoir gagné, sans accorder la revanche à l'adversaire.

Charles n.pr. *Tu parles, Charles !* acquiescement ironique.

charlot n.m. Individu sans valeur : *Les chanteurs d'aujourd'hui, tous des charlots.*

Charlot n.pr. *La bascule à Charlot,* la guillotine. / ***Amuser Charlot*** ou ***s'amuser comme Charlot,*** se masturber (homme).

charlotte n.f. Pince à effraction (arg.).

charmeuses n.f.pl. Moustaches : *Dire que les garçons de café ont dû faire grève pour avoir droit de porter des charmeuses !*

charmouille adj. Charmant.

charre n.m. Exagération. – *Sans charre ?* Sans blague ? / Mensonge, bluff : *Arrête ton charre* (ou : *Arrête ton char, Ben Hur !*) / Moquerie : *C'est sérieux ou c'est des charres ?* / ***Faire du charre,*** flirter. / ***Faire des charres,*** faire des infidélités.

charrette n.f. Licenciement collectif : *Il a été vidé dans une charrette.* / Automobile : *Je t'emprunte ta charrette.* / ***Être, faire charrette,*** se hâter de terminer un projet (étud. Beaux-Arts) ; donner un coup de collier, sans cesse ni repos. / ***Sauter en charrette,*** sauter simultanément des deux côtés de l'avion, à un rythme rapide (parachutistes).

charriage n.m. Attaque brutale. / Exagération, mensonge, bluff, moquerie ; charre.

charrier v.t. Se moquer : *Charrier un collègue.*
☐ v.i. Exagérer : *Tu charries un peu, avec tes vannes.* / ***Charrier dans les bégonias,*** exagérer ; attiger.

charron (crier ou **gueuler au)** loc. Ameuter, appeler au secours.

chasse n.m. Chasse-neige.
☐ n.f. Accélération pour rejoindre des coureurs cyclistes échappés (sport). / ***Être en chasse,*** chercher l'âme sœur ; draguer.

châsse n.m. Œil : *Donner un coup de châsse ; fermer les châsses.*

chasselas (avoir un coup de) loc. Être ivre ; être chlâsse.

chasser v.i. Prendre part à une chasse (sport). / Chercher l'âme sœur ; être en chasse ; draguer.

châssis (beau) n.m. Femme au corps harmonieux.

chat n.m. ou **chatte** n.f. Sexe de la femme. / ***Il n'y a pas un chat,*** il n'y a personne.

châtaigne n.f. Coup de poing : *Recevoir une châtaigne.* – Bagarre. / ***Aller à la châtaigne,*** à la castagne.

château n.m. Pièce exceptionnelle (brocante) : *Le dessus de ta bronzaille, c'est pas un château.* / ***Château-Lapompe,*** eau (boisson).

chatouille n.f. Chatouillement : *Faire des chatouilles.*

chatouiller v.i. Accélérer par à-coups (auto).

chaud adj. Agité : *Les syndicats nous préparent un printemps chaud.* / ***Ça ne me fait ni chaud ni froid,*** cela m'est indifférent. / ***Ne pas être chaud pour,*** ne pas avoir envie de. / ***Chaud de la pointe, chaud de la pince*** ou ***chaud lapin,*** érotomane, coureur de filles. / ***Chaud !*** ou ***Chaud devant !*** Cri des garçons de café et de restaurant pour demander le passage.

chaude-lance, chaude-pisse ou **chaude-pince** n.f. Blennorragie.

chauffard n.m. Automobiliste imprudent et dangereux.

chauffer v.t. Chaparder, dérober : *On m'a chauffé mon pébroque.* / Presser, mener vivement : *Chauffer une affaire.* / Préparer graduellement à l'enthousiasme : *Chauffer l'auditoire.*
☐ v.i. S'animer, s'exalter. / Jouer de façon à faire monter l'enthousiasme des auditeurs : *Ça chauffe* (jazz).

chaussette n.f. Pneu (auto). / ***Chaussettes à clous,*** grosses chaussures attribuées aux policiers ; les policiers eux-mêmes. / ***Mettre les chaussettes à la fenêtre,*** pour une femme, ne pas éprouver d'orgasme. / ***Avoir la voix dans les chaussettes,*** ne pas avoir la voix placée (chant).

chauve à col roulé n.m. Membre viril.

chbeb n.m. Joli garçon homosexuel (arg.).

chébran adj. Branché (verlan).

chef n.m. Individu que l'on respecte, sans pour autant que l'on reconnaisse son autorité : *Salut, chef !* / ***Comme un chef,*** parfaitement : *Il s'est démerdé comme un chef.*

cheminée n.f. Verre de bière, ou demi.

chèque en bois n.m. Chèque sans provision : *Il m'a filé son chèque en bois.*

chèqueton n.m. Chèque.

chercher v.t. Provoquer : *Tu me cherches ?* / *Chercher des crosses à quelqu'un,* lui chercher querelle. / *Chercher la petite bête,* être méticuleux à l'excès. / *Chercher dans,* atteindre : *Ça va chercher dans les 100 F.*

chéro adj. inv. D'un prix élevé : *Cent balles le caoua, c'est chéro.*

cherrer v.i. Exagérer ; charrier ; attiger.

chetron n.f. Figure ; tronche (verlan) : *Une chetron sauvage.*

cheval n.m. *Cheval de labour,* travailleur infatigable. / *Grand cheval,* femme trop grande. / *Cheval de retour,* récidiviste. / *Ce n'est pas le mauvais cheval,* il n'est pas méchant. / *Ça ne se trouve pas sous le pas d'un cheval,* c'est rare, difficile à trouver. / *Fièvre de cheval,* fièvre très forte. – *Remède de cheval,* remède très énergique. / *À un cheval près,* approximativement, à un poil près. / *Cheval,* héroïne (drogue). / Article sur plusieurs colonnes en bas de page (presse).

cheveu n.m. Fine fêlure ou défaut dans une pièce métallique ou dans la porcelaine. / *Il y a un cheveu,* il y a un ennui, un défaut. / *Couper les cheveux en quatre,* faire des distinctions subtiles. / *Raisonnement tiré par les cheveux,* paradoxal, trop subtil. / *Se prendre aux cheveux,* se quereller. / *Se faire des cheveux,* se faire du souci. / *Avoir mal aux cheveux,* avoir mal à la tête à la suite d'excès de boisson. / *Arriver comme un cheveu sur la soupe,* mal à propos. / *Ne tenir qu'à un cheveu,* dépendre de très peu de chose. / *À un cheveu,* à peu de chose près ; à un poil.

cheville n.f. Connivence, complicité – *Être en cheville avec quelqu'un,* être en rapport d'affaires.

cheviller (se) v.pr. S'aboucher ; se mettre en cheville.

chiader v.t. Travailler d'arrache-pied (étud.). / Soigner un travail.

chialer v.i. Pleurer, gémir ; se plaindre.

chialeur n. Qui chiale.

chiant adj. Ennuyeux.

chiard n.m. Petit enfant.

chiasse n.f. Diarrhée. – Peur. / Ennui ; emmerdement : *Déjà deux heures, quelle chiasse !*

chiatique adj. Ennuyeux ; chiant ; emmerdant.

chibis (faire) loc. S'évader (arg.).

chibre n.m. Membre viril.

chic (de) loc.adv. Au bluff ; au chiqué.

chicaya n.f. Querelle, chicane (pataouète).

chicha ou **chichon** n.m. Haschisch (verlan, drogue).

chiche ! interj. Défi.
☐ adj. *T'es pas chiche de,* tu n'oserais pas.

chichite n.f. Maladie imaginaire.

chicorée n.f. Réprimande. / *Être chicor* ou *chicorée,* être ivre ; noir. / *Défriser la chicorée,* pousser très loin un flirt.

chicorer v.t. Battre, donner une correction.

chicos adv. et adj.inv. Chic, beau, agréable : *Un plan toile, c'est chicos.*

chie-dans-l'eau n.m. Marin.

chiée n.f. Grande quantité : *Des gars honnêtes, y en a pas des chiées.* / Onze : *Combien t'en as ? – Une chiée.* (V. MÉGACHIÉE, POLYCHIÉE.)

chien n.m. *Être chien avec quelqu'un,* être chiche, avare. / *Ne pas attacher ses chiens avec des saucisses,* être très avare. / *Avoir du chien,* avoir du charme, du chic. / *Métier de chien,* métier difficile et désagréable. – *Vie de chien,* vie difficile. / *Être malade comme un chien,* être très malade. / *Avoir un mal de chien à,* avoir des difficultés. / *Temps de chien,* mauvais temps. – *Coup de chien,* tempête soudaine. / *Ce n'est pas fait pour les chiens,* il faut s'en servir. / *Chien du commissaire,* secrétaire de commissariat de police. – *Chien de quartier,* adjudant (armée). / *Chien vert,* valet de pique (jeu de cartes).

chiendent n.m. Difficulté, embarras. / *Arracher le chiendent,* attendre ; poireauter. / *Fumer le chiendent,* fumer de la marijuana (drogue).

chiennerie n.f. Autorité des mâles et des phallocrates.

chié adj. Bien, parfait, au point (ou le contraire, selon le contexte) : *C'est chié ! Il est chié.*

chier v.t. Déféquer. / *À chier partout,* se dit d'un repas abondant et succulent. / *Envoyer chier,* éconduire. / *Faire chier,* déranger, ennuyer, importuner : *Fais-moi pas chier.* / *Faire chier des gaufrettes à quelqu'un,* lui faire subir des mauvais traitements. / *Se faire chier,* s'ennuyer. / *Chier dans le pot, dans la colle,* exagérer, manquer de tact. / *Chier dans les bottes de quelqu'un,* l'importuner. / *Ça va chier !,* attention, il va y avoir des désagréments, de la bagarre ; ça va barder. / *À chier,* mauvais, sans intérêt : *Ce comédien, il est à chier.* / *On dirait qu'il a chié la colonne Vendôme,* se dit d'un individu vaniteux. (On ajoute parfois : *... et qu'elle lui pend encore au cul !* / *Tu vas pas nous en chier une pendule ?,* tu ne vas pas en faire une histoire ? / *Il y a pas à chier, faut que ça chie,* ce n'est pas la peine d'hésiter, il faut se mettre au travail. / *Une gueule à chier dessus,* un visage antipathique. / *Chier du poivre,* échapper à la police (arg.).

chierie n.f. Désagrément, ennui, ensemble de choses chiantes : *Quelle chierie !*

chifforton n.m. Chiffonnier.

chiftire n.m. Chiffonnier : *Les chiftires font les poubelles.* / Chiffon : *Passe-moi le chiftire.*

chignole n.f. Mauvaise voiture ; tout véhicule (vélo, locomotive, avion...). / Machine (dans toutes les professions).

chignon n.m. *N'avoir rien sous le chignon,* être borné, imbécile.

chine n.f. Commerce non sédentaire de vieilleries et d'objets de rebut. / *De chine,* d'emprunt : *Tabac de chine.*

chiner v.t. Railler, critiquer. / Demander avec insistance, mendier. / Marchander.
□ v.i. Faire commerce non sédentaire d'objets de rebut. – Aller à la recherche de marchandise à acheter (brocante). – Fouiller les étalages des marchés aux puces et des brocanteurs.

chinetoque adj. et n. Chinois ; tout individu de race jaune, Asiatique ; bridé.

chineur n.m. Railleur, moqueur. / Emprunteur ; tapeur. / Amateur à la recherche de brocante.

chinois n.m. Membre viril. / *Se polir le chinois,* se masturber.

chiotte n.f. Automobile (péjor.). / *C'est la chiotte !* C'est ennuyeux. / Au pl. Lieux d'aisances : *Aux chiottes, l'arbitre !* / *Avoir un goût de chiottes,* ne pas avoir le sens de la valeur esthétique, avoir mauvais goût.

chipé adj. Amoureux, séduit : *Je suis chipé pour ma voisine* (se construit toujours avec *pour*).

chipolata n.m. Membre viril.

chipoter v.i. Manger sans appétit, du bout des lèvres. / S'attarder à des vétilles. / Marchander ; chiner.

chips n.m.pl. Billets de 20 et de 50 F : *Ramasser les chips.*

chique n.f. Fluxion dentaire : *Avoir la chique.* / *Poser* ou *avaler sa chique,* mourir. / *Mou comme une chique,* sans énergie. / *Couper la chique,* couper la parole.

chiqué n.m. Affectation : *Faire du chiqué.* / Bluff : *Faire quelque chose au chiqué.* / Simulation : *C'est du chiqué.*

chiquer v.t. Simuler, bluffer.
□ v.i. Ergoter, hésiter.

chirdent n.m. Chirurgien-dentiste.

chizbroc n.m. Scandale, bruit, bagarre ; chproum.

chlaffe n.f. Sommeil : *Aller à la chlaffe.*

chlasse n.m. Couteau : *Passe-moi ton chlasse.*

chlâsse adj. Ivre ; fatigué : *Je suis chlâsse.*

chleu n.m. et adj. Allemand : *Un car de chleus à Pigalle.*

chlinguer, chlingoter v.i. Sentir mauvais : *Ça chlingue, dans le dur.*

chlipoter v.i. Sentir mauvais (moins fort que chlinguer et que chniquer).

chloffe n.m. Sommeil : *Aller à chloffe.*

chmoutz n.m. Juif (péjor. et raciste).

chnique. V. SCHNICK.

chniquer v.i. Sentir mauvais : *Il chnique, ton cador.*

chnoque n.m. et adj. Imbécile : *Vieux chnoque.*

chnouffe n.f. Héroïne (drogue).

chnouffer (se) v.pr. Se droguer à l'héroïne.

choc adj.inv. Frappant : *Prix choc.* / *De choc,* dynamique : *Curé de choc.*

chochotte n.f. Femme maniérée. – Jeune homme efféminé.

chocolat n.m. *Être* ou *faire chocolat,* être dupé, frustré, privé. / *C'est du chocolat,* c'est facile ; c'est du beurre.

chocotte n.f. Dent. / *Avoir les chocottes,* avoir peur.

chocotter v.i. Trembler de peur.

choir (laisser) loc. Abandonner, cesser de s'occuper de quelqu'un, laisser tomber.

chôme n.f. Chômage : *Je suis à la chôme.*

chômedu n.m. Chômeur : *Je suis* ou *je fais chômedu.* – Chômage : *Je suis au chômedu.*

choper v.t. Prendre, attraper : *Choper un rhume.* / Voler, dérober, chiper : *Choper un portefeuille.*

chopin n.m. Bonne affaire : *Faire un chopin.* / Belle fille : *C'est un chopin.* / Béguin (pour une femme).

chopotte n.f. Petite bouteille : *Une chopotte de beaujol.* / Membre viril.

chou n.m. Tête. – *En avoir dans le chou,* être intelligent. – *Avoir le chou farci,* avoir des soucis en tête. / *Se taper* ou *se farcir le chou,* bien manger, se bourrer, se saouler. / *Rentrer dans le chou,* attaquer de front. / *Bête comme chou,* simple, facile. / *Feuille de chou,* journal (péjor.). / *Feuilles de chou,* oreilles. / *Être dans les choux,* être en retard, dans les derniers. – *Tomber, finir dans les choux,* rater une entreprise, être dans les derniers. / *Faire chou blanc,* rater, subir un échec. / *Faire ses choux gras de quelque chose,* en faire son profit. / *Aller planter ses choux,* se retirer à la campagne. / *Il s'entend à ramer les choux,* il n'y connaît rien (car les choux ne se rament pas). / *Chou pour chou,* mot pour mot, sans changement : *Composer chou pour chou* (impr.). – Relations homosexuelles au cours desquelles les partenaires, hommes ou femmes, changent de rôle.
☐ adj.inv. Gentil : *Tu es chou.* – Joli : *Il est chou, son petit chapeau.*

chouaga adj.inv. Beau, bien ; choupaïa.

choucard adj. Beau, belle, agréable, de bonne qualité.

chouchou, chouchoute n. Préféré, favori.

chouchouter v.t. Gâter, dorloter.

choucroute n.f. *Petite choucroute,* chevelure frisée. / Drogue dure. / *Pédaler dans la choucroute,* avancer avec peine. (V. PÉDALER.)

chouette adj. Beau, bon, agréable. – *Chouette !* ou *Chouette, papa !* ou *Chouette, papa, maman fume !* Interj. de satisfaction. – Honnête, correct, gentil : *C'est une chouette fille.* – *Avoir quelqu'un à la chouette,* avoir pour lui de la sympathie ou de l'amour ; l'avoir à la bonne. / *Se faire chouette, être chouette,* se faire prendre ; être bon, être pris, berné.
☐ n.m. Anus. – *Donner* ou *filer du chouette,* pratiquer la pédérastie passive. – *Prendre du chouette,* pratiquer la pédérastie active.
☐ n.m.pl. Papiers d'identité authentiques (arg.).

chouettos adj.inv. Synonyme de chouette : *Vivre à la campagne, c'est chouettos.*

chou-fleur n.m. *Avoir les oreilles en chou-fleur,* déformées par les coups. / *Avoir des choux-fleurs,* des hémorroïdes.

chouïa ou **chouille** n.m. Petite quantité : *Donne-m'en juste un chouille.* – Il y en a peu : *Y en a pas chouïa.*

choupaïa adj.inv. Bon, beau ; chouette.

choupette n.f. Houppe.

choupinet adj. Mignon, gentil.

chourave n.f. Vol (arg.).

chouraver ou **chourer** v.t. Voler.

chouriner v.t. Tuer à coups de couteau ; suriner.

chourineur n.m. Assassin dont l'arme est le couteau ; surineur.

chpile (avoir beau) loc. Réaliser facilement, avoir beau jeu.

chproum n.m. Scandale, colère. – *Faire du chproum,* faire du scandale.

chrono n.m. Chronomètre (sport) : *Il fait du 140 chrono.*

chroumer v.t. Voler, chouraver. – Piller dans les voitures en fourrière (arg.).

chtar n.m. Coup. / Cachot (arg.).

chtouille n.m. Maladie vénérienne (blennorragie ou syphilis).

chtrasse n.f. Chambre d'hôtel de passe (prost.).

chtrope n.m. Mauvaise marchandise malgré l'apparence (brocante).

chtuc n.m. Petit morceau : *Donne-moi juste un chtuc.*

chute (point de) loc. Lieu de rendez-vous, de rencontre.

cibiche n.f. Cigarette : *File-moi une cibiche.*

ciboulot n.m. ou **ciboule** n.f. Crâne, cerveau : *Il en a, dans le ciboulot.*

cifelle n.f. Ficelle (verlan). / *La tour Cifelle,* la tour Eiffel, à Paris.

ciflard n.m. Saucisson ; sauciflard : *Un bout de ciflard !*

cigare n.m. Tête. – *Y aller du cigare,* risquer sa tête. – *Le coupe-cigare,* la guillotine. / *Cigare à moustaches,* membre viril.

Cigogne n.pr. Palais de justice ; préfecture de police (arg.).

cigue n.m. Vingt francs. / 20 années d'âge. *Avoir un cigue,* avoir vingt ans.

ciguer v.t. Payer : *C'est le moment de ciguer.*

cil (jeter un) loc. Faire une œillade.

cinéma n.m. Comédie (au fig.). – *C'est du cinéma,* c'est invraisemblable ; c'est du chiqué. – *Faire tout un cinéma,* faire une démonstration compliquée et vaniteuse. – *Se faire du cinéma,* se faire des illusions ; être mythomane ; gamberger.

cinémateux adj. Cinématographique.

cinoche n.m. Cinéma. / *Se faire du cinoche,* se faire des illusions, imaginer.

cinochier adj. Qui a trait, qui appartient au cinoche, cinématographique.
☐ n.m. Amateur de cinéma : *Les cinochiers du dimanche.*

cinq sur cinq loc.adv. Parfaitement (télécomm. ; armée) : *Je vous reçois cinq sur cinq.*

cintième n.m. Se dit pour cinquième : *Madame Irma demeure au cintième sur la cour.*

cintre n.m. Guidon de bicyclette : *Couché sur le cintre.*

cintré adj. Fou : *Il est complètement cintré.*

cipale n.f. Voie principale (ch. de fer).

cirage (être dans le) loc. Ne plus rien voir, être dans le noir, être dans le vague ; ne pas comprendre ; être évanoui ; être ivre ; avoir des embarras d'argent ; etc.

circuit (ne pas être dans le) loc. N'être pas informé des habitudes d'une profession.

cirer (n'en avoir rien à) loc. N'en avoir cure, n'en avoir rien à faire, à foutre, à branler : *Tes opinions politiques, j'en ai rien à cirer.*

cirque n.m. Agitation, désordre : *Qu'est-ce que c'est que ce cirque ?* – Lieu d'agitation, d'activité. / *Mener le petit au cirque,* faire l'amour.

cisaillé adj. Ruiné ; fauché : *Je suis complètement cisaillé.*

cisailler v.t. Frapper de stupeur : *Cette nouvelle l'a cisaillé.*

citoyen n.m. Individu : *Un drôle de citoyen* (péjor.).

citron n.m. Tête. – *Se creuser le citron,* réfléchir, chercher une idée. – *Se lécher le citron,* s'embrasser.

citrouille n.f. Tête.

civelot n.m. Civil, pékin (par opposition à militaire).

claboter v.i. Mourir : *Il est* (ou : *il a*) *claboté hier.*

clair adj. *Il est clair,* il est dans un état normal (ni ivre, ni drogué) ; il n'a rien à se reprocher ; il sait où il va. / *Clair comme de l'eau de roche,* parfaitement clair et compréhensible. / *Clair comme de l'eau de vaisselle,* incompréhensible. / *Clair comme un tas de boue* ou *comme un pavé dans la gueule d'un flic,* évident, parfaitement clair.

clampin n.m. Individu vague, de profession et de moralité indéfinies : *Il y avait deux ou trois clampins qui godaillaient dans le coin.*

clamser ou **clamecer** v.i. Mourir : *Il vient de clamser.*

clandé n.m. Maison de prostitution clandestine. / Tripot (clandestin).
☐ n.f. Prostituée travaillant dans une maison de prostitution : *C'est une clandé.*

claouis n.m.pl. Testicules.

claper v.t. Manger : *J'ai rien à claper.*

clapet n.m. Bouche. – *Ferme ton clapet,* tais-toi.

clapier n.m. Petit logement dans un grand ensemble. – Logement malpropre.

claque n.m. Maison de prostitution.
☐ n.f. *En avoir sa claque,* être excédé, en avoir assez, être au bout de la fatigue.

claquer v.t. Dépenser, gaspiller : *Claquer son fric.* / Fatiguer, éreinter : *Ce travail m'a claqué.*
☐ v.i. *Claquer du bec,* avoir faim. / Mourir : *Il vient de claquer.* / Échouer : *L'affaire m'a claqué dans les doigts.*
☐ **se claquer** v.pr. Se fatiguer, se ruiner la santé : *Je me suis claqué.* / *Se claquer un muscle,* le déchirer sous l'effort.

clarinette n.f. Membre viril : *Jouer un air de clarinette baveuse.* / Pince de cambrioleur (arg.).

classe n.f. *Être de la classe,* faire partie du contingent qui sera libéré du service militaire dans l'année. (L'expression s'applique à toute cessation de travail, mise à la retraite, par ex.) – Date de libération : *Vive la classe !* – *Faire ses classes,* recevoir les premiers rudiments d'instruction. / *En avoir classe,* en avoir assez ; en avoir marre.
☐ adj. *Être classe,* jugement de valeur favorable, avoir de l'élégance, du chic. – *C'est classe,* c'est chic.

classieux adj. Qui est classe, qui est chic, a de la valeur.

classique adj. Habituel, courant : *C'est le coup classique.*

classiques (avoir ses) loc. Avoir ses règles.

clébard n.m. Chien (péjor.) : *Quel sale clébard !*

clebs n.m. Chien : *Je vais faire pisser mon clebs.*

clefs (rendre ses) loc. Mourir.

Cléopâtre (faire) loc. Pratiquer la fellation.

cleupo n.m. Cigarette ; clope (verlan).

cliche n.f. Diarrhée : *Avoir la cliche.*

cliché n.m. Visage laid, antipathique, gueule : *Quel cliché !*

clicli n.m. ou **cliquette** n.f. Clitoris.

client n.m. *Ne pas être client,* ne pas être disposé à effectuer un acte désavantageux ou désagréable : *Vingt bornes à pince ? Merci, je ne suis pas client.*

clille n.m. Client : *Depuis ce matin, j'ai pas vu un clille.*

cliques n.f.pl. *Prendre ses cliques et ses claques,* s'en aller.

clito n.m. Clitoris.

clochard n. Mendiant, sans domicile fixe ; individu mal habillé ; cloche ; clodo.

cloche n.f. L'état de clochard : *Être de la cloche.* / Clochard : *C'est une cloche.* / Estomac. – *Se taper la cloche,* bien manger. / *Déménager à la cloche de bois,* sans avoir payé son loyer. / *Sonner les cloches à quelqu'un,* le réprimander vertement.
☐ adj. Laid ; bête : *Pas besoin d'être clodo pour être cloche.*

clodo n.m. Clochard.

clope n.m. Mégot de cigarette ou de cigare : *Un piqueur de clopes.* – Cigarette : *T'as des clopes ?* (Souvent au f.).

cloper v.i. et t. Fumer.

clopinettes (des) n.f.pl. Rien : *Ils m'ont laissé des clopinettes.*

cloporte n.m. ou n.f. Concierge : *Dépose le pacson chez la cloporte.*

cloque (mettre en) loc. Engrosser.

cloquer v.t. Donner, jeter, flanquer, mettre : *Cloquer une beigne.* / Céder à bas prix, bazarder, fourguer.

clou n.m. Attraction principale d'un spectacle : *Le clou de la soirée.* / Mont-de-piété : *Mettre sa montre au clou.* / Bicyclette : *Prête-moi ton clou.* / Machine de mauvaise qualité : *Ma bécane, c'est un clou.* / ***Têtes de clous,*** caractères typographiques usés (impr.). / ***Ça ne vaut pas un clou,*** ça ne vaut rien. / ***Des clous !*** Interj. : Rien ! Non ! / ***Maigre comme un clou,*** très maigre.

clouer v.t. Faute d'argent, retenir un objet qu'on laisse sur place avant de revenir le payer (brocante).

coaltar n.m. Vin rouge épais. / Ennui, empêchement : *Être dans le coaltar.*

coccinelle n.f. Petite automobile Volkswagen (vieux).

cocher n.m. Pilote (aéron.). / Chef d'orchestre (musique).

cochon n.m. ***Travail de cochon,*** travail mal exécuté. – ***Comme un cochon avec sa queue,*** maladroitement. / ***Jouer un tour de cochon,*** nuire par une action malveillante. / ***Tête de cochon,*** individu buté et désagréable. / ***Copains comme cochons,*** familiarité excessive. □ adj. Sale, malpropre. / Licencieux : *Une histoire cochonne.*

cochonceté n.f. Saleté ; cochonnerie (au pr. et au fig.).

cochonnaille n.f. Charcuterie.

cochonner v.t. Exécuter malproprement et maladroitement ; salir.

cochonnerie n.f. Malpropreté. / Propos obscènes : *Raconter des cochonneries.* / Objet sans valeur : *Il ne vend que des cochonneries.*

coco n.m. Individu douteux : *Un joli coco !* / Essence : *Vingt litres de coco.* / Adhérent du parti communiste : *C'est un coco.* / Œuf (enfant). □ n.f. Cocaïne (drogue).

cocotier n.m. *Grimper au cocotier,* se mettre rapidement en colère.

cocotte n.f. Femme entretenue ; prostituée. / Cheval : *Hue, cocotte !* / Terme d'affection, souvent narquois, à une femme : *Oui, ma cocotte.* / Support des poignées de freins. – ***Les mains aux cocottes,*** position de relaxation du coureur (cyclisme).

cocotte-minute n.f. Prostituée pratiquant l'abattage. / Guérite surélevée d'où un agent règle la circulation au centre d'un carrefour (vieux).

cocotter v.i. Sentir mauvais : *Ça cocotte, par ici.*

cocu n.m. Époux trompé. (Une des insultes les plus fréquentes ; rarement au féminin.)

codé adj. À la mode, dans le vent ; branché ; chébran ; câblé.

coffiot n.m. Coffre, coffre-fort.

coffre n.m. Poitrine. – ***Avoir du coffre,*** avoir une voix puissante.

coffrer v.t. Emprisonner.

cogiter v.i. Réfléchir (ironique).

cogne n.m. Agent de police, gendarme : *Méfie-toi des cognes.*

cogner v.i. Sentir mauvais : *Ça cogne.* / ***Ça cogne,*** il fait chaud, le soleil tape.
□ **se cogner** v.pr. S'administrer, se forcer à faire : *Se cogner une corvée.* / ***Je m'en cogne,*** je m'en moque.

cognoter v.i. Sentir mauvais ; cogner.

coiffe n.f. ***En avoir ras la coiffe,*** être excédé ; en avoir ras la casquette ; en avoir ras le bol.

coiffer v.t. ***Être coiffé, se coiffer avec un pétard,*** être mal coiffé. / Arrêter : *Je me suis fait coiffer par les lardus.* / Être à la tête : *Il coiffe plusieurs services.* / ***Se faire coiffer au poteau,*** se laisser dépasser à l'arrivée (au fig.).

coin n.m. Endroit, lieu, quartier : *Ma sœur habite dans le coin.* / ***Sur le coin de la gueule,*** sur la figure. / ***En boucher un coin,*** étonner, laisser coi : *Ça t'en bouche un coin !* / ***Blague dans le coin,*** blague à part. / ***Le petit coin,*** les cabinets d'aisances.

coincé adj. Mal à l'aise, guindé, timide.

coincer v.i. Sentir mauvais : *Ça coince.*
□ v.t. ***Coincer la bulle,*** se coucher, faire la sieste, dormir.

coing n.m. ***Bourré comme un coing,*** complètement ivre.

coinsto n.m. Endroit ; lieu ; coin.

coke n.f. Cocaïne ; coco.

-col ou **-colle** suff. arg. des pronoms personnels : *Técol,* toi.

col n.m. ***Col blanc,*** employé de bureau. / ***Se pousser du col,*** se vanter, se mettre en avant. / ***Faux col,*** mousse de la bière : *Garçon, un demi sans faux col.*
□ n.f. Colonne : *Un article sur deux cols* (presse).

colas n.m. Cou.

colbac n.m. Cou : *Quand il m'a reconnu, il m'a sauté au colbac.*

colère adj. En colère : *Elle est colère.*

colibar n.m. Colis : *Porter un colibar.*

coliques n.f.pl. ***Avoir des coliques bâtonneuses,*** être en érection.

colis n.m. Prostituée envoyée à l'étranger (arg.). / Fille quelconque.

collabo n.m. ou n.f. Qui collabore avec l'ennemi, collaborateur.

collage n.f. Union libre, mariage à la colle.

collant adj. Importun, dont on ne peut se débarrasser : *Ce qu'il est collant, c't'emmerdeur !*

collante n.f. Convocation à un examen (étud.) : *Recevoir une collante.*

colle n.f. Retenue, punition (arg. scol.). / Interrogation *(id.).* / Concubinage, union libre ; collage : *Vivre à la colle, être à la colle, mariage à la colle.* / ***Match à la colle,*** truqué (forain). / ***Faites chauffer la colle !*** Exclamation quand on entend casser quelque chose.

coller v.i. Aller, convenir, bien se porter : *Ça colle ?*

☐ v.t. Mettre, appliquer : *Coller une prune* (une contravention), *coller une tarte* (une gifle). / ***Coller quelqu'un, lui coller au train,*** l'importuner, ne pas le quitter ; être collant. / Mettre dans l'impossibilité de répondre à une question : *Je l'ai collé en histoire.* / Refuser à un examen : *Il a été collé au bac.* / Punir : *Donner une colle à un élève.* / ***Être collé,*** ne pas réussir à se débarrasser de titres en Bourse ; être plombé.
☐ **se coller** v.pr. Se mettre en ménage ; à la colle.

collet rouge n.m. Commissaire de l'hôtel des ventes, à Paris (brocante).

collidor n.m. Se dit pour corridor.

collier n.m. ***Donner un coup de collier,*** fournir un grand effort. – ***Reprendre le collier,*** se remettre au travail (après les vacances, par ex.).

collimateur n.m. ***Avoir quelqu'un dans le collimateur,*** l'avoir à l'œil, le surveiller plus particulièrement que d'autres.

colo n.f. Colonie de vacances : *Envoyer les mouflets en colo.*

colombienne n.f. Marijuana forte (drogue).

colombin n.m. Étron. / ***Avoir les colombins,*** avoir peur.

colon n.m. Camarade : *Mon colon, tu m'as fait peur.*

colonne n.f. ***Se taper la colonne,*** se masturber (homme).

coloquinte n.f. Tête, crâne.

coltin n.m. Travail. ***Aller au coltin,*** aller au travail, se coltiner un travail.

comac ou **comaco** adj. Très gros, volumineux : *Un cigare comaco.*

combien n.m.inv. Indique le rang : *Tu es arrivé le combien ?* La date : *On est le combien ?* La fréquence : *L'autobus passe tous les combien ?*

combientième adj. et n. Indique le rang : *T'es arrivé le combientième ?*

combinard n. et adj. Qui emploie des combines, des moyens plus ingénieux qu'honnêtes.

combine n.f. Moyen peu scrupuleux pour parvenir à ses fins.

commande n.f. Affaire délictueuse préméditée (arg.).

comme n.f. Commission, pourcentage : *Et ma petite comme ?*

comment que adv. *T'as vu comment qu'il est ?* / ***Comment !*** ou ***Et comment !*** interj. Exprime l'accord, l'approbation : *Tu viendras ? – Et comment !*

commission (grosse ou **petite)** n.f. Besoins naturels (enfants).

commode n.f. Piano (musique) : *Taper sur la commode.*

communard n.m. Vin rouge additionné de cassis. (C'est le kir au vin rouge.)

compagnie n.f. Réunion de plusieurs personnes : *Salut la compagnie !* / ***Et compagnie,*** et cetera : *Tout ça, c'est crapule et compagnie.*

compal n.f. Composition scolaire ; compo.

compas n.m.pl. Jambes. – ***Agiter les compas,*** courir.

complet ! (c'est) interj. Se dit quand un dernier ennui vient s'ajouter à une série d'autres.

compo ou **compote** n.f. Composition scolaire ; compal.

compote (en) loc.adv. Meurtri : *Les pieds en compote.*

compotier n.m. *Agiter les pieds dans le compotier,* commettre une gaffe et insister lourdement.

compte à demi n.m. Achat à deux (brocante).

comptée n.f. Recette d'une prostituée remise à son souteneur (arg.).

compteur n.m. *Relever le compteur,* percevoir la comptée (arg.).

con n.m. Vagin.
□ **con, conne** n.m. et n.f. Imbécile : *Le roi des cons.* Locutions : *Si les cons volaient, tu serais chef d'escadrille ; si les cons dansaient, tu ne serais pas à l'orchestre.* / *À la con,* grotesque, ridicule : *Un boulot à la con.* / *Se retrouver comme un con,* tout bête, démuni, seul. / Nombreux comparatifs : *Con comme la lune, comme un balai, comme une bite, comme un panier, comme une valise,* etc. *Con comme la mort* s'applique à un événement, une chose et non à une personne.

conard adj. et n. Imbécile.

conasse n.f. Vagin. / Fille. – Au pl. : les femmes (péjor.). – Fille ou femme stupide. / Prostituée solitaire travaillant sans « protection ».

concentre n.f. Concentration, réunion de motocyclistes.

concepige n.m. ou f. Concierge ; cloporte.

conceté n.f. Bêtise crasse.

concocter v.t. Élaborer avec soin.

concours Lépine n.pr. Le cours Albert-Ier et le cours La Reine, à Paris.

condé n.m. Agent de la sûreté : *Mort aux vaches, mort aux condés !* (vx). / *Avoir un condé,* une permission, un accord tacite de la police : *J'ai un condé pour faire sauter mes contredanses.*

coneau adj. et n. Imbécile.

confesse n.f. Confession : *Aller à confesse.*

confiance (fais-moi) loc. Croismoi, sois certain de ce que j'affirme.

confiture n.f. Pédérastie passive. / Opium prêt à être fumé (drogue).

confrérie n.f. *La grande confrérie,* les maris trompés. / Les homosexuels.

cônir v.t. Tuer.

connaissance n.f. Amie de cœur, maîtresse : *Tu me présenteras ta connaissance ?*

connaître v.t. *En connaître un rayon,* ou *en connaître un bout,* bien connaître une question, un sujet.

connard, conneau. V. CONARD, CONEAU.

connerie n.f. Bêtise, imbécillité ; ennui ; paroles stupides.

conobrer v.t. Connaître : *Je le conobre pas.*

conomètre n.m. *Faire péter le conomètre,* être excessivement con.

conséquent adj. Se dit pour important, considérable.

constipé adj. Avare : *Constipé du morlingue.* / Sérieux, triste, boudeur.

contact n.m. Individu qui met deux personnes en rapport : *J'ai un contact à Bordeaux.*

contrat n.m. Engagement d'un tueur. / Exécution d'un assassinat sur commande (arg.).

contrecarre n.f. Concurrence ; entrave.

contrecoup n.m. Contremaître.

contredanse n.f. Contravention.

contreficher (se) ou **se contrefoutre** v.pr. Se moquer complètement.

convalo n.f. Convalescence.

converse n.f. Conversation.

cool, Raoul loc. Avec calme, détendu.

coolos ou **coulos** adv. et adj.inv. Tranquillement, doucement.

coopé n.f. Coopérative. / *La Coopé,* service effectué dans la Coopération (aide aux pays en voie de développement).

cop n.m. Copain, camarade : *Ce soir, on sort avec les cops.*

copaille n.f. Bon à rien : *Ce type-là, c'est une copaille.*

copain, copine n. Camarade : *Viens chez moi, j'habite avec une copine.* / *Les petits copains,* les bénéficiaires du copinage.

copeau n.m. *Avoir les copeaux,* avoir peur. / *Arracher le copeau,* faire jouir un client (prost.).

copinage n.m. Camaraderie, entente intéressée.

coquard n.m. Ecchymose à l'œil, œil au beurre noir : *Un beau coquard.*

coquelicot n.m. Œil tuméfié. □ n.m.pl. Menstrues : *Avoir ses coquelicots.*

coquette n.f. Membre viril.

coquillard n.m. Œil. / *Je m'en tamponne le coquillard,* je m'en moque, je m'en bats l'œil.

coquin n.m. Vin qui enivre. / Amant : *Son coquin, c'est René.*

cor au pied n.m. Pétard avertisseur (ch. de fer).

corbaque n.m. Corbeau. / Curé en soutane.

corbeau n.m. Curé en soutane.

corbi n.m. Corbillard.

corde n.f. *Sur la corde raide,* périlleusement, difficilement (au fig.). / *Se mettre la corde au cou,* se marier. / *Sentir la corde,* être suspect.

cormoran adj.inv. et n.m. Israélite (péjor. et raciste).

cornanche n.f. Marque faite à une carte par un tricheur (arg.).

cornard n.m. et adj. Mari trompé, cocu.

cornet n.m. Estomac : *Se mettre quelque chose dans le cornet.*

corniaud n.m. Imbécile.

Corniche n.pr. Classe préparatoire à Saint-Cyr.

cornichon n.m. Téléphone : *Souffler dans le cornichon.* / Imbécile : *Quel cornichon !* / Élève de la classe de Corniche.

corrida n.f. Bagarre, bousculade : *Quelle corrida, dans le métro aux heures de pointe !*

cossard adj. Paresseux.

cosse n.f. Paresse. – *Avoir la cosse,* ne pas avoir envie de travailler ; avoir la pompe.

costard n.m. Costume : *Un chouette costard à carreaux.*

costume n.m. *Se faire tailler un costume en bois,* mourir.

cote n.f. Réputation : *Avoir la cote.*

côte n.f. Vin des Côtes du Rhône : *Garçon, une côte !* / *Avoir les côtes en long,* être paresseux. / *Être à la côte,* être sans ressources.

côtelette n.f. Côte : *Il s'est pété une côtelette.* / *Pisser sa côtelette,* accoucher. / Commission de discipline des taxis parisiens. – Retrait temporaire de permis de conduire (taxi).

coton n.m. Difficulté. – *C'est coton,* c'est difficile, compliqué. / *Filer un mauvais coton,* être gravement malade.

couaquer v.i. *Se faire couaquer,* provoquer le cri du corbeau sur son passage (ecclés.).

couche (en avoir une ou **en tenir une)** loc. Être particulièrement bête.

coucher n.m. Nuit d'amour tarifée (prost.).
□ v.i. Faire l'amour. / *Un nom à coucher dehors,* difficile à prononcer.
□ **se coucher** v.pr. Abandonner dans une compétition (sport). / Se laisser volontairement battre (boxe).

coucou n.m. Vieux véhicule ; vieille machine.

coude n.m. *Huile de coude,* énergie nécessaire à un travail manuel. / *Lever le coude,* boire. / *Ne pas se moucher du coude,* être vaniteux.

couenne n.f. Peau. – *Se gratter la couenne,* se raser. / Individu stupide : *Quelle couenne, ce gars-là !*

couic (que) loc.adv. Rien ; que pouic : *Je ne pige que couic.*

couille n.f. Testicule. / *À couilles rabattues,* intensément. / *Avoir des couilles au cul* ou *en avoir,* être courageux. / *Tomber, partir* ou *tourner en couille,* défaillir, ne pas réussir, rater. / *Couille molle,* individu sans énergie. / *C'est de la couille,* c'est sans intérêt, sans valeur. / Erreur : *Faire une couille.* – Ennui grave : *Il m'est arrivé une couille.*

couiller v.t. Tromper, escroquer : *Je me suis fait couiller.*

couillibi n.m. Imbécile ; couillon.

couillon n.m. Imbécile : *Arrête de faire le couillon.*

couillonnade ou **couillonnerie** n.f. Imbécillité. – Maladresse, erreur.

couillonner v.t. Tromper ; rouler : *Je me suis fait couillonner.*

couineur n.m. Automobiliste qui klaxonne sans utilité : *Un mariage de trente couineurs.*

coulage n.m. Gaspillage. / Petits vols dans une entreprise par le personnel.

coulant adj. Indulgent, accommodant.

coulante n.f. Blennorragie.

coule (être à la) loc. Être au courant ; être au parfum.

couler v.t. Discréditer. / *Se la couler douce,* ne pas se faire du souci, vivre heureux.

couleur n.f. *Annoncer la couleur,* être franc, prévenir, franchement. / *En voir de toutes les couleurs,* subir toutes sortes d'épreuves. / *Ne pas en voir la couleur,* pas même l'apparence.

couleuvre (avaler la) loc. Recevoir un affront sans pouvoir protester.

couloir aux lentilles n.m. Anus.

coulos V. COOLOS.

counou n.m. Imménoctal (utilisé comme drogue).

coup n.m. *Tirer un coup,* éjaculer. – *C'est un coup,* c'est une fille sexuellement douée. – *Je vais te présenter un de mes anciens coups,* une ancienne maîtresse. – *Un bon coup* peut aussi s'employer au fig. ; d'un sportif, on dira : *C'est un bon coup.* / Action de boire : *Boire un coup.* – *Avoir un coup dans l'aile,* être ivre. / *Faire un coup,* réaliser une affaire juteuse, mais sans suite. / *Coup fourré,* délit ; situation malhonnête ; coup déloyal. / *Coup de torchon,* rixe, combat bref ; violent coup de vent en mer. / *Coup de filet, coup de serviette, coup de torchon,* rafle de police. / *Coup de Trafalgar,* attaque, alerte. / *Coup de feu,* moment de presse (restaurants). / *Coup de boule,* coup de tête dans la poitrine ou l'estomac. / *Coup de pompe, coup de barre, coup de masse,* fatigue soudaine. / *Coup de bambou,* accès de folie. / *Coup de masse, coup de fusil,* addition trop forte. / *Coup de fil,* appel téléphonique. / *Coup d'épaule,* aide, assistance. – *Coup de pouce,* aide légère ou frauduleuse. / *Coup de châsse,* clin d'œil, œillade. / *Avoir un bon coup de fourchette,* avoir de l'appétit. / *Valoir le coup,* valoir la peine. / *Être dans le coup,* être complice, participer à une affaire. – Être au courant, à la mode. / *Être au coup,* être au courant, au parfum. / *Écraser le coup,* oublier sa rancune. / *Monter le coup,* tromper. / *En mettre un coup, un vieux coup,* faire un gros effort. / *Prendre un coup de vieux, en prendre un coup,* vieillir brusquement. / *Deux coups les gros,* loc.adv. Aussitôt.

couparès ou **coupé** adj. Sans argent ; fauché.

coupe-chiasse n.m. Pharmacien.

coupe-cigare n.m. Guillotine.

coupe-la-soif n.m. Boisson alcoolisée.

couper v.t. *Couper le sifflet,* couper la parole. – *Couper la chique,* déconcerter : *Ça te la coupe !*
□ v.i. *Couper à une corvée,* y échapper. – *Ne pas y couper,* ne pas échapper à une corvée, à une punition, etc. / *Couper dans le truc,* donner dans le panneau.

coupe-tifs n.m. Coiffeur.

coupure n.f. Renseignement confidentiel ; tuyau. / Excuse, alibi. – *Connaître la coupure,* être au courant d'un expédient.

courailler v.i. Courir de côté et d'autre ; courir les filles.

courant d'air n.m. Indiscrétion : *Être à l'affût des courants d'air.* / ***Faire courant d'air avec les chiottes,*** sentir mauvais (de la bouche) : *Tais-toi, tu fais courant d'air avec les chiottes.*

courante n.f. Diarrhée : *Avoir la courante.*

courette n.f. Poursuite.

coureur n.m. Qui cherche la fréquentation des femmes : *Coureur de jupons.*

courir v.t. ***Courir les filles,*** être coureur.
☐ v.i. ***Courir sur l'haricot*** ou ***sur le système,*** ou simplement ***courir,*** agacer, énerver, importuner : *Tu me cours.*

courrier n.m. Valet (jeu de cartes).

cours (ne pas avoir) loc. Être inadmissible : *En croquer, ça n'a pas cours.*

course n.f. ***Ne pas être dans la course,*** ne pas s'adapter à son temps, à une situation. / ***Course à l'échalote,*** jeu (?) qui consiste à faire courir l'adversaire en le tenant par le col et le fond du pantalon. – Poursuite en touchant presque la voiture qui précède.

court-circuit n.m. Douleur vive et rapide : *Un court-circuit dans le gésier.* (V. COURT-JUS.)

court-circuiter v.t. Ne pas passer par la voie normale ou habituelle : *J'avais posé ma candidature, mais je me suis fait court-circuiter.*

courtines n.f.pl. Courses hippiques : *Flamber aux courtines.*

courtineur n.m. Chauffeur de taxi des champs de courses (taxi).

court-jus n.m. Court-circuit : *Attraper un court-jus.* / Douleur vive et rapide. – ***Court-jus dans la penseuse,*** migraine.

couru (c'est) loc. C'est certain.

couscous-pommes frites adj.inv. et adv. désignant les couples mixtes franco-maghrébins héritiers de deux cultures : *Pierre et Fatima* (ou : *Ahmed et Jacqueline*) *forment un couple couscous-pommes frites.*

cousu adj. ***Du cousu main,*** sûr, certain, facile, sans difficulté. / ***Une toute cousue,*** une cigarette toute faite (non roulée à la main).

couvert n.m. ***Mettre le couvert,*** disposer une table pour une partie de cartes. / ***Remettre le couvert,*** recommencer, remettre ça (particulièrement en amour).

couverte ou **couvrante** n.f. Couverture (literie) ; couverture (alibi).

couverture n.f. Profession fictive servant d'alibi. / Responsabilité prise par un supérieur : *Je ne le ferais pas si je n'avais pas une couverture.* / ***Tirer la couverture à soi,*** accaparer le bénéfice d'une affaire.

couvrir v.t. Prendre la responsabilité : *Je m'en fous, je suis couvert.* / ***Couvrir un événement,*** en assurer l'information complète (presse).

cow-boy n.m. Agent de police en mobylette.

crabe n.m. Gardien de prison (arg.). / Caporal (armée). / Comédien (cinéma). / Pou de pubis, morpion.

/ *Vieux crabe,* vieillard. / Pince pour ôter les agrafes. / Cancer : *Avoir le crabe.*

craché (tout) adj. Ressemblant : *C'est lui tout craché.*

cracher v.t. Payer à contrecœur. / Avouer (arg.). / *Ne pas cracher sur quelque chose,* ne pas dédaigner, aimer : *Il ne crache pas sur le pinard.* / *Cracher dans la soupe,* déprécier le travail qui vous fait vivre. / *Cracher son venin,* éjaculer.

cracher (se) v.pr. Quitter la route par accident ; se scratcher (auto, moto).

crachoir (tenir le) loc. Parler longuement de façon importune.

crachouiller v.i. Crachoter.

crack n.m. Dérivé de la cocaïne, fumable (drogue).

cracra adj. Crasseux, sale : *Sors pas avec cette fille-là, c'est la môme cracra.*

crade, cradingue, crado ou **cradoc** adj. Crasseux, sale.

craignos adj. V. CRAINDRE.

craindre v.i. (Verbe à sens multiples et instables.) Être incompétent, ne pas être à la hauteur : *Je crains en anglais.* / Être recherché par la police. / *Ça craint, c'est craignos :* c'est difficile, dangereux ; démodé, ringard ; déplaisant, rebutant.

cramé n.m. Odeur de brûlé : *Ça sent le cramé.* / Partie brûlée : *Ce que je préfère dans le gigot, c'est le cramé.*

cramer v.i. et v.t. Brûler, carboniser : *Ton bif va cramer.*

cramouille n.f. Vulve.

crampe n.f. *Tirer sa crampe,* faire l'amour.

crampser ou **cramser** v.i. Mourir, clamser.

cran n.m. Jour de punition, de prison, d'arrêts : *Vous me ferez quatre crans* (armée). / *Être à cran,* être exaspéré.

crâne n.m. *Crâne de piaf,* prétentieux, imbécile. / *Faire un crâne,* procéder à une arrestation (arg. police).

crapahu n.m. Exercice de combat au sol (armée).

crapahuter v.i. Faire du crapahu (armée).
☐ **se crapahuter** v.pr. Se déplacer, se rendre quelque part.

crapaud n.m. Petit enfant. / *Crapaud de murailles,* ouvrier maçon.

crapautard n.m. Porte-monnaie.

crape n. et adj. Crapule.

crapoteux adj. Sale, crasseux : *Un apparte vraiment crapoteux.*

craps n.m. Jeu de dés.

craquant ou **craquos** adj. Agréable ; épatant ; chouette : *Une toile, c'est craquant.*

craque n.f. Mensonge, hâblerie : *Raconter des craques.*

craquer v.i. Subir une défaillance, s'effondrer nerveusement. / Défaillir de plaisir : *Venise, je craque.* / Dire des craques.
☐ v.t. *Craquer une porte,* s'introduire par effraction (arg.).

craquette n.f. Vulve.

craquos n.m. Bouton de fièvre ou d'acné juvénile : *Il a des craquos plein la gueule.* (V. CRAQUANT).

craspec ou **craspect** adj. Crasseux, sale.

crasse n.f. Indélicatesse, méchanceté : *Faire une crasse.*

crasseux n.m. Peigne.

crassouillard adj. Sale, crasseux.

crassouille n.f. Saleté, crasse.

cravate n.f. Esbroufe, vantardise : *Il raconte encore ses cravates.* / ***Faire une cravate,*** passer le bras par-derrière autour du cou de l'adversaire. / ***S'en jeter un derrière la cravate,*** boire un verre. / Serviette hygiénique : *Cravate à Gaston, cravate à Gustave,* etc.

cravater v.t. Appréhender : *Se faire cravater.* / Voler, chaparder : *On m'a cravaté mon portefeuille.* / Tromper par un récit, des vantardises. / Faire une cravate.

cravateur n.m. Hâbleur.

crayon n.m. Crédit : *Avoir du crayon.* / Cheveu : *Se faire tailler les crayons.* / Canne : *S'appuyer sur son crayon.*

crayonner v.i. Accélérer (auto) : *Crayonne, Lulu !*

crèche n.f. Chambre, domicile : *Rentrer à la crèche.*

crécher v.i. Habiter : *Je crèche en banlieue.*

crédence n.f. Abdomen.

crédo n.m. Crédit : *Il ne fait pas de crédo.*

crème n.m. Café crème : *Garçon, un crème !*

□ n.f. Travail facile. / Le meilleur : *Dans un lot, la crème est pas toujours au-dessus.* – ***C'est la crème des hommes, des maris,*** c'est le meilleur des hommes, des maris. / ***La crème,*** l'élite sociale.

crémerie n.f. Café, restaurant. / Établissement quelconque : *Changeons de crémerie.*

crêpage de chignon n.m. Dispute entre femmes qui en viennent aux mains.

crêpe n.f. ***Se retourner comme une crêpe,*** changer complètement d'opinion. / Casquette. / Imbécile : *Quelle crêpe !*

cresson n.m. Cheveux. / Poils du pubis : *Brouter le cresson.* / Argent : *Le cresson ne pousse pas sans effort.* / ***Idem au cresson***, pareil, la même chose.

creuser v.i. Donner de l'appétit : *La marche, ça creuse.*

□ **se creuser** v.pr. ***Se creuser la tête, la cervelle, le citron, le ciboulot,*** réfléchir laborieusement.

creux n.m. *Avoir un creux,* avoir faim.

crevant adj. Fatigant : *Le travail, c'est crevant.* / Drôle, amusant : *Le travail, c'est pas toujours crevant.*

crevard n.m. Malade, malingre, qui a la crève. / Insatiable, qui a toujours faim : *Tu bouffes encore ? Quel crevard !*

crève n.f. Maladie. – ***Avoir la crève,*** être malade. – ***Attraper la crève,*** s'enrhumer.

crevé adj. Fatigué, épuisé : *Je suis crevé.*

crever v.i. Mourir. / Avoir une crevaison (auto). / *Crever de faim,* avoir grand-faim. / *Crever la faim,* être dans la misère.
☐ v.t. Tuer : *Crever la peau. Crève-le !*
☐ **se crever** v.pr. Se fatiguer. / *Se crever la paillasse,* s'entre-tuer.

crevette n.f. Emblème de la compagnie Air France (aéron.). / *Sentir la crevette,* odeur sui generis.

crevure n.f. Individu peu recommandable : *C'est une crevure.*

cri n.m. *Un cri sec,* une escroquerie (arg.). / *Aller au cri,* faire du scandale ; dénoncer. / *La bête a lâché son cri,* éjaculation.

criave v.i. Manger : *Alors, t'as rien à criave ?*

cric n.m. Eau-de-vie : *Un coup de cric.*

crime n.m. *Avoir du crime, ne pas manquer de crime,* avoir du toupet. / *La Crime,* la brigade de police criminelle.

crincrin n.m. Instrument à cordes, violon.

crise n.f. Hilarité : *Tu parles d'une crise !*

crobar n.m. Croquis (dessin) : *Il te faut un crobar ?*

croc ou **crochet** n.m. Dent. – *Avoir les crocs,* avoir faim.

crocher v.t. Crocheter : *Crocher une serrure.* / *Crocher dedans,* se saisir (mar.).

croire v.t. *Croire que c'est arrivé,* se faire des illusions. – *Croire au père Noël,* être naïf. / *S'en croire,* être vaniteux.

croix n.f. Client exigeant (prost.). / Ignorant, individu sans intérêt. / *Croix des vaches,* cicatrice en forme de croix sur la joue en punition d'une trahison (arg.).

cromi n.m. Micro (verlan).

croque n.m. Croque-mort, employé des pompes funèbres. / Croque-monsieur : *Garçon ! un croque !*

croquenot n.m. Gros soulier.

croquer v.t. Manger : *J'ai rien croqué aujourd'hui.* / *Croquer avec une côtelette dans le genou,* jeûner. / Dilapider : *Croquer un héritage.* / *En croquer,* être indicateur de police. / Accepter argent ou cadeau pour rendre un service. / Assister à une scène érotique (voyeurisme).

croquignolet adj. Petit, mignon, gentil.

crosser v.t. Provoquer, chercher querelle. / Traiter durement, punir.

crosses n.f.pl. *Chercher des crosses,* provoquer, chercher querelle. / *Au temps* ou *autant pour les crosses,* c'est à recommencer.

crotte n.f. *De la crotte de bique,* sans valeur, sans qualité.

crotter v.i. Déféquer.

crouille ou **crouya** n.m. Arabe (péjor. et bassement raciste).

croulant n.m. et adj. Vieux : *C'est un croulant.*

croume n.m. Crédit : *Vendre et acheter à croume.*

crouni adj. Mort, décédé.

crounir v.i. Mourir.

croupanche n.m. Croupier de casino.

croupion n.m. Cul : *Un coup de latte dans le croupion.*

croupionner v.i. Tortiller des fesses en marchant.

croûte n.f. Mauvais tableau. / *Gagner sa croûte,* gagner sa vie. / *Casser la croûte,* manger. – *Casser une croûte,* faire un repas léger.

croûter v.i. Manger : *C'est l'heure de croûter.*

croûton n.m. *Vieux croûton,* vieillard arriéré et acariâtre.

cube n.m. Élève de troisième année d'une grande école. / *Gros cube,* motocyclette de plus de 500 cm^3.

cuber v.i. Coûter très cher : *Une villa au bord de la mer, ça cube.*

cucul adj. Niais, idiot.

cueille n.f. Raffle.

cueillir v.t. Passer prendre en voiture : *Je passerai te cueillir demain matin.* / Appréhender : *Se faire cueillir.* / Se faire siffler : *Il s'est fait cueillir* (spect.).

cuillère n.f. Main. – *Serrer la cuillère,* serrer la main. / *En deux coups de cuillère à pot,* presque instantanément, très vite. / *Être à ramasser à la petite cuillère,* être privé de toute énergie. / *Ne pas y aller avec le dos de la cuillère,* opérer sans ménagement.

cuir n.m. Blouson de cuir : *Il n'y pas que les voyous qui portent des cuirs.* / Peau humaine, couenne.

cuisine n.f. Manœuvre louche : *La cuisine électorale.* / Tour de main, secret de fabrication : *Chacun a sa petite cuisine.*

cuisiner v.t. Interroger pour obtenir un aveu, harceler de questions.

cuistance n.f. Cuisine : *On fait la cuistance dans la cuistance.*

cuistot, ote n. Cuisinier (ière).

cuit adj. Ivre. / *Être cuit,* être perdu, ruiné, sur le point d'être pris. / *C'est cuit,* c'est manqué ; c'est fini. – *C'est du tout cuit,* c'est gagné d'avance.

cuite n.f. Excès de boisson : *Prendre une cuite, avoir sa cuite.*

cuiter (se) v.pr. Se saouler ; prendre une cuite.

cul n.m. *Se manier le cul,* se presser, se dépêcher. / *Se crever le cul,* se donner à fond à son travail, se fatiguer. / *Cul seccotine,* qui ne quitte jamais sa chaise. / *Avoir du cul,* de la chance ; du pot. – *Avoir le cul bordé de nouilles,* avoir énormément de chance. / *Avoir chaud au cul,* passer très près d'un accident, en avoir des suées. / *Ça lui pend au cul* (on ajoute : *comme un sifflet de deux ronds*), ça va lui arriver incessamment. / *Avoir du poil au cul,* être courageux. / *Avoir le cul entre deux chaises,* être dans une position fausse, ne pas pouvoir choisir entre deux partis. / *En avoir plein le cul,* en avoir assez ; en avoir ras le bol. / *L'avoir dans le cul,* ne pas avoir de chance, être la victime. / *Avoir le feu au cul,* être très pressé. – Être excité sexuellement en permanence. / *Avoir au cul,* mépriser : *Le taulier, je l'ai au cul.* / *Tu peux te le foutre au cul,* tu peux le garder, je n'en veux pas. / *Cause à mon cul, ma tête est malade,* tu m'importunes, je ne te crois pas. / *Aller au cul,* aller faire l'amour. – *Le cul,* la pornographie et son industrie : *Un livre de cul, la presse du cul.* / *Tirer au cul,* échapper à sa tâche ; tirer au flanc. / *Lécher le cul,* flatter bassement ; faire de la lèche ; être un lèche-cul. / *Mettre quelqu'un à cul,* le rabaisser. – *Être à cul,* être au plus bas. / *Être comme cul et chemise,* être des amis très proches. / *Se taper le cul par terre,* s'amuser beaucoup. / *Péter plus haut que son cul,* être vaniteux. / *Mon cul !* Interj. négative. – *Mon cul, c'est du poulet.* Scie qui équivaut à un refus. / *Avoir* ou *faire la bouche en cul de poule,* arrondir les lèvres, prendre l'air pimbêche. / *Faire cul sec,* vider son verre entièrement et d'un trait. / *Gros-cul,* tabac de troupe. – Grosse moto ; camion poids lourd : *Les gros-culs sur l'autoroute.* / *Faux cul,* hypocrite ; faux derche. / *Bas-du-cul,* petit, court de jambes, nain. / *Cul béni,* clérical ; catholique pratiquant. / *Cul de plomb,* préparateur en pharmacie. – Employé de bureau. / *Cul terreux,* paysan. / V. TROU. □ adj.inv. Stupide, idiot : *Ce qu'il peut être cul !*

culbutant ou **culbute** n.m. Pantalon.

culbute n.f. *Faire la culbute,* vendre le double du prix d'achat ; doubler la mise.

culbuter v.t. Posséder une femme.

culeter v.t. Forniquer.

culot n.m. Dernier reçu à un concours. / Dernier-né d'une famille.

culotte n.f. Perte au jeu : *Ramasser une culotte.* / *Culotte de peau,* officier rétrograde. / *Porter la culotte de zinc,* se dit de certains ordres religieux d'une discipline rigoureuse (ecclés.).

cunimbe n.m. Cumulo-nimbus (aéron.).

cunu n.m. Calcul numérique (étud.).

cure-dent n.m. Couteau.

cureton n.m. Curé.

curieux n.m. Juge d'instruction.

cuterie n.f. Bêtise : *La politique, quelle cuterie !*

cuti n.f. Cuti-réaction. / *Virer sa cuti,* subir un changement radical dans son existence : perdre sa virginité, changer de femme, d'opinion politique, etc.

cyclo n.m. Cyclomoteur.

cygne (en). V. BAISER.

D

D (système). Débrouillardise : *Système D, système débrouille* ou *système démerde.*

dab n.m. Père : *Mon vieux dab.* Au f. *dabesse,* mère (emploi rare).

dabs n.m.pl. Parents (père et mère). (V. DARON.)

dac ! V. ACC'(D').

Dache n.pr. Lieu indéterminé et lointain : *C'est à Dache. / Envoyer à Dache* ou *chez Dache,* envoyer promener, éconduire.

dada n.m. Marotte : *Enfourcher son dada.* / Cheval (enfants). / Mélange d'héroïne et de cocaïne (drogue).

dalle n.f. Palais, bouche, gosier. – *Se rincer la dalle,* boire. – *Avoir la dalle en pente,* avoir toujours soif. / *Que dalle* ou *que dale,* rien : *N'entraver que dalle.*

dallepé n.f. et adj. Homosexuel, pédale (verlan).

dam (aller à) loc. Tomber. – *Envoyer à dam,* repousser, faire tomber (au pr. et au fig.).

dame n.f. Épouse : *Comment va votre dame ?*

damer v.i. et t. Tomber, ou faire tomber. (V. DAM).

danse n.f. Correction : *Recevoir une danse.*

danseuse (en) loc.adv. Pédaler debout, en portant l'effort alternativement sur chaque pédale.

dard n.m. Membre viril. / *Filer comme un dard,* comme une flèche.

dardillon n.m. Membre viril.

dare-dare loc.adv. À toute vitesse.

dargeot ou **dargif** n.m. Postérieur. – *Faire fumer le dargeot à quelqu'un,* le corriger, le fesser.

daron n.m. Père. (V. DAB.) – Patron. / Au f. *daronne,* mère. / Au pl. Les père et mère : *Mes darons.*

darrac n.m. Marteau : *Passe-moi le darrac.* / Membre viril.

datte n.f. Rien. – *Ne pas en faire une datte,* ne rien faire. – *Des dattes,* rien, jamais. – *C'est comme des dattes,* c'est impossible, cela ne se fera jamais.

daube n.f. Camelote : *Ton matos, c'est de la daube,* il ne vaut rien.

daubé adj. Truqué : *Un meuble daubé* (brocante).

dauffer v.t. Sodomiser.

davantage que adv. Se dit pour « plus que ».

dé n.m. *Passer les dés,* être conciliant, renoncer, abandonner : *Il ne suffit pas de jouer au con, il faut savoir passer les dés.* / *Prendre les dés,* prendre la parole. / *Dé à coudre,* anus.

deb. V. DÉBILE.

débâcher v.i. S'en aller, déménager (forains).
□ **se débâcher** v.pr. Se lever, sortir du lit.

débâcler v.t. Ouvrir : *Débâcler la lourde.*

débagouler v.t. Parler, bavarder, bonimenter. – *Débagouler la chansonnette,* chanter.

déballage (au) loc.adv. Sans maquillage, au saut du lit : *Vaut mieux pas la voir au déballage !*

déballer v.i. Raconter, avouer : *Allez, déballe.* / *Déballer ses outils,* avouer, se déculotter.

déballonner (se) v.pr. Perdre courage, renoncer par crainte ; ne pas exécuter une prouesse dont on s'est vanté ; se dégonfler : *À la dernière minute, il s'est déballonné.*

débander v.i. Cesser d'être en érection. / Avoir peur.

débarbot ou **débardot** n.m. Avocat défenseur (arg.).

débardeur n.m. Maillot de corps.

débarquement n.m. Apparition des menstrues.

débarquer v.t. Congédier : *Il s'est fait débarquer.*
□ v.i. Être naïf, ne pas être au courant : *Alors quoi, tu débarques ?* / *Débarquer chez quelqu'un,* arriver à l'improviste. / *Ils* (sous-entendu : *les Anglais*) *ont débarqué,* avoir ses règles.

débarrasser v.t. *Débarrasser le plancher,* partir : *Allez, oust ! débarrassez le plancher.*

débectant adj. Dégoûtant.

débecter v.t. Dégoûter : *Il me débecte !*

débile, deb ou **debs** adj. Idiot, crétin, infantile : *Une émission complètement débile.* (Ant. : GÉNIAL.)

débilitant adj. Qui rend triste, cafardeux : *Un docu débilitant sur la chasse aux phoques.*

débinage n.m. Médisance.

débine n.f. Misère, découragement : *Être dans la débine.* / Déroute : *La grande débine de juin 40.*

débiner v.t. Dénigrer. / *Débiner le truc,* dévoiler.
□ **se débiner** v.pr. Prendre la fuite.

débineur n. Personne qui dénigre.

débiter v.t. Parler sans réfléchir : *Qu'est-ce qu'il débite comme conneries !*

débleuir v.t. Initier, affranchir, dessaler.

débloquer v.i. Dire des sottises, déraisonner. / Médire.

déboisé adj. Chauve.

déboiser (se) v.pr. Perdre ses cheveux.

déboucler v.t. Fracturer une porte, un coffre-fort (arg.). / Libérer quelqu'un qui est enfermé.

débouler v.i. Démarrer rapidement (cyclisme).

déboulonner v.t. Révoquer d'un poste important, limoger ; faire perdre son prestige à quelqu'un.

débourrer v.i. Déféquer.

débousille n.f. Action de faire disparaître un tatouage.

déboussolé adj. Qui a perdu le sens des réalités.

déboutonner (se) v.pr. Dire tout ce qu'on pense ; avouer.

débrider v.t. Ouvrir de force : *Débrider la lourde* (arg.). / Dégainer une arme (arg.).

débris (vieux) n.m. Vieillard gâteux.

débrouille n.f. Débrouillardise. (V. DÉMERDE.)

débrouiller v.t. Tirer d'embarras ; éclaircir : *Restez là, je vais vous débrouiller ça.*

déca n.m. Café décaféiné : *Trois, dont un déca !*

décalcifier (se) v.pr. Retirer son slip, son calcif.

décaniller v.i. S'enfuir, se sauver, déguerpir.

décapant adj. Râpeux (en parlant d'un vin).

décapotable adj. Jolie femme, bien carrossée, qui accepte volontiers de se déshabiller.

décapoter v.i. Décalotter.

décarpillage n.m. Inventaire d'un butin (arg.). / Déshabillage : *Faut pas la voir au décarpillage !*

décarrade n.f. Départ ; évasion.

décarrer v.i. Partir ; s'évader ; sortir ; fuir.

décati adj. Qui a perdu sa fraîcheur : *Il est complètement décati.*

décatir v.i. ou v.pr. Perdre sa fraîcheur : *Elle commence à décatir, à se décatir.*

décesser v.t. Se dit pour « cesser » : *Vous décessez pas de faire du bruit.*

déchard adj. Malchanceux ; misérable, dans la dèche.

décharge n.f. Éjaculation.

décharger v.i. Éjaculer.

dèche n.f. Pauvreté. / Superflu : *La dèche, ce sont les cigarettes, le journal, l'apéro.*

décheur adj. Dépensier.

décoiffer v.i. *Ça décoiffe,* ça marche très fort.

décoincer v.i. Bouger ; parler.

décoller v.i. Maigrir, dépérir : *Il a décollé depuis sa maladie.* / S'éloigner de quelques pas du partenaire (spect.). / *Sans décoller,* sans arrêter.

déconnage n.m. Action de déconner.

déconnant adj. Stupide, délirant : *Il est complètement déconnant.*

déconnecter v.i. S'isoler, rompre le contact avec ses activités professionnelles.

déconner v.i. D'origine obscène, ce verbe ne signifie plus que déraisonner, dire des conneries. / Médire.

déconneur n. Celui qui déconne.

déconnographe n.m. Téléscripteur (presse).

déconnomètre n.m. Poste de radio ou de télévision, téléphone, microphone.

décor n.m. *Aller, rentrer, foncer, valser dans le* ou *les décor(s),* quitter la route accidentellement.

decrassing-room n.m. Salle de bains.

décrocher v.t. Obtenir, réussir : *Décrocher une commande, une première place.* – ***Décrocher la timbale,*** atteindre un but. / Dégager des objets du mont-de-piété. / Être en perte de vitesse (aéron.). / Cesser de se droguer. / Prendre sa retraite.

déculottée n.f. Perte au jeu.

déculotter (se) v.pr. Avouer. / Renoncer par lâcheté.

dedans adv. ***Mettre dedans,*** tromper, escroquer, mystifier. / ***Être dedans,*** être en prison : *Je vous fous dedans* (milit). / ***Rentrer dedans,*** attaquer. / ***Faire du rentre dedans,*** flirter.

défarguer (se) v.pr. Se disculper en chargeant quelqu'un.

défausser (se) v.pr. Se débarrasser d'un objet inutile ou compromettant. – Se débarrasser de cartes inutiles (jeu).

défendre (se) v.pr. Montrer de l'habileté, bien connaître et pratiquer son métier. / Se débrouiller, vivre d'un travail plus ou moins licite. / Se livrer à la prostitution (prost.). / Résister aux épreuves de l'âge.

défense (avoir de la) loc. Se défendre.

défiler (se) v.pr. S'esquiver ; se dérober devant une tâche.

déflaquer v.i. Déféquer.

défonce n.f. Drogue.

défoncer (se) v.pr. Se donner à fond, fournir un effort maximal. / Se droguer.

défonceuse n.f. Membre viril.

défouler (se) v.pr. Libérer ses instincts.

défourailler v.t. Dégainer, sortir une arme à feu. – ***Défourailler dedans,*** tirer (arg.). / Sortir de prison (arg.).

défrimer v.t. Dévisager ; reconnaître quelqu'un.

défringuer v.t. et v.pr. Déshabiller.

défriser v.t. Contrarier, désappointer : *Rien que voir sa gueule, ça m'a défrisé.*

défroquer (se) v.pr. Se déculotter, retirer son froc.

défrusquer v.t. et v.pr. Déshabiller, se déshabiller.

dég adj.inv. Sale, repoussant, dégueulasse.

dégager v.i. Sentir mauvais ; péter. / Partir, s'en aller : *Allez, dégage !* / Faire une forte impression : *Avec son costard, il dégage.*

dégaine n.f. Allure, attitude.

dégarnir (se) v.pr. Perdre ses cheveux.

dégauchir v.t. Découvrir, trouver : *Dégauchir un appartement.*

déglinguer v.t. Démolir, désarticuler, abîmer.

dégobillade n.f. Vomissure.

dégobillage n.m. Action de vomir.

dégobiller v.t. Vomir.

dégoiser v.t. Parler abondamment, dire inconsidérément : *Il m'a dégoisé son boniment.*

dégommer v.t. Destituer, dégrader : *Il a été dégommé.* / Abattre : *Il l'a dégommé au premier round.* / Recevoir une semonce : *Qu'est-ce que j'ai dégommé !*

dégonflage n.m. ou **dégonfle** n.f. Acte de lâcheté : *C'est le roi de la dégonfle.*

dégonflard, dégonflé, dégonfleur adj. et n. Lâche ; qui ne tient pas ses promesses.

dégonfler (se) v.pr. Renoncer par peur, manquer de courage ; se déballonner.

dégoter v.t. Découvrir, trouver. / Avoir de l'allure : *Qu'est-ce qu'il dégote !*

dégoulinante n.f. Horloge, pendule.

dégoûtant n.m. Individu grossier. / Voyeur.

dégoûtation n.f. Chose qui dégoûte, qui répugne.

dégrafer (se) v.pr. Renoncer.

dégraissage n.m. Licenciement collectif.

dégraisser v.i. Procéder à des licenciements collectifs.

dégraisseur n.m. Percepteur.

degré n.m. *Deuxième degré,* passage à tabac.

dégréner v.t. Débrayer, faire grève. / Débaucher, circonvenir, abuser de la confiance de quelqu'un : *Lulu a dégréné le caissier qui lui a donné la planque du signal d'alarme.*

dégringolade n.f. Décadence : *Grandeur et dégringolade des Romains.*

dégringoleur n.m. Habile dans les descentes (cyclisme).

dégrouiller v.i. ou **se dégrouiller** v.pr. Se hâter, se grouiller.

dégueulando adv. Glissando (musique).

dégueulasse adj. ou **dégueu** adj.inv. Dégoûtant, répugnant, sale : *Ce petit pinard, c'est pas le frère à dégueulasse.*

dégueulasserie n.f. Chose qui dégoûte. / Indélicatesse : *Il m'a fait une dégueulasserie.*

dégueulatoire adj. Qui donne envie de vomir.

dégueulbi, dégueulbif ou **dégueulbite** adj. Dégoûtant, répugnant, dégueulasse.

dégueuler v.t. Vomir. / *Dégueule, on va trier,* parle comme tu peux, on essaiera de comprendre.

dégueulis n.m. Vomissure.

dégueuloir n.m. Bouche.

deguin ou **degun** n.m. Personne : *Y a deguin.*

déguiser (se) v.pr. *Se déguiser en courant d'air,* s'éclipser. – *Se déguiser en cerf,* s'enfuir.

déguster v.i. Recevoir des coups : *Qu'est-ce qu'on a dégusté !*

déharnacher v.t. Déshabiller une femme.

déhotter v.t. Trouver, dénicher, dégoter : *J'ai déhotté un apparte.*
□ v.i. Partir : *Allez, on déhotte.*
□ **se déhotter** v.pr. S'en aller.

Deibler (à la) loc. Coupe de cheveux dégageant la nuque.

déj n.m. Déjeuner : *Le petit déj.*

déjanté adj. Fou ; marginal (sorti des normes) : *Un gus déjanté total.*

déloquer v.t. Déshabiller.
□ **se déloquer** v.pr. Se déshabiller : *Elle s'est déloquée dare-dare.*

délourder v.t. Ouvrir la porte : *La lourde est délourdée.*

demain il fera jour loc. À chaque jour suffit sa peine.

démancher (se) v.pr. Se démener, se décarcasser. – *Se démancher le trou du cul,* se donner du mal.

démaquer (se) v.pr. Se séparer de son compagnon ou de sa compagne.

déménager v.i. Déraisonner. / *Déménager à la cloche de bois,* sans avoir payé son loyer.

dément adj. Extraordinaire : *Un film dément.*

démerdard adj. Débrouillard.

démerde n.f. Débrouillardise. – *Système démerde,* système D.
□ adj. Débrouillard : *Un gars démerde.*

démerder v.t. Débrouiller.
□ **se démerder** v.pr. Se débrouiller. / Se dépêcher.

démerdeur n. Qui débrouille ; qui se débrouille. / Avocat.

demi n.m. Verre de bière. – *Demi direct,* demi de bière à la pression.

demi-jambe, demi-jetée ou **demi-livre** n.f. Cinquante francs.

demi-molle (l'avoir ou **être en)** loc.adv. Manquer d'énergie.

demi-portion n.f. Individu petit, avorton.

demi-sac n.m. Cinq mille francs.

demi-sel n.m. Qui se croit affranchi, mais qui n'est pas respecté par les affranchis.

demoiselle n.f. Fille (par filiation) : *Il y a longtemps que je n'ai pas vu votre demoiselle.* / Pouliche (turf).

démolir v.t. *Démolir quelqu'un,* ruiner sa réputation.
☐ v.pr. *Se démolir la santé,* se rendre malade, ruiner sa santé par ses excès.

démon de midi n.m. Andropause (ou ménopause).

démonté adj. Privé de son automobile.

démouler v.i. Faire un lit, en découvrant la couverture (hôtels, wagons-lits).

démouscailler (se) v.pr. Se débrouiller, se démerder.

démurger v.t. Sortir, quitter un lieu.

déniaiser v.t. Déflorer.

dent n.f. *Avoir la dent,* avoir faim. / *Avoir les dents du fond qui baignent,* être ivre.

dentelle n.f. *Avoir les pieds en dentelle,* avoir mal aux pieds ; refuser, refuser de « marcher ». / *Ne pas faire dans la dentelle,* ne pas s'encombrer de détails, agir avec brutalité.

dentiste n.m. *Aller au dentiste,* chercher de quoi manger.

dep n.m. Homosexuel, pédé (verlan). [V. RASDEP.]

dépagnoter (se) v.pr. Sortir du lit.

dépannage n.m. Action de dépanner.

dépanner v.t. Tirer d'embarras : *Tu peux me dépanner jusqu'à la fin du mois ?*

déphasé adj. Qui a perdu contact avec la réalité : *Il est gentil, mais il est complètement déphasé.*

dépiauter v.t. Enlever la peau ; démonter ; désosser.

déplanquer v.t. Sortir de sa cachette, de sa planque. / Dégager du mont-de-piété.
☐ **se déplanquer** v.pr. Sortir de sa planque.

déplâtrer v.t. Réussir à vendre une marchandise achetée trop cher, pour laquelle on s'est fait emplâtrer (brocante). [V. EMPLÂTRER.]

déplumer (se) v.pr. Perdre ses cheveux : *Si jeune, il commence à se déplumer.*

déponer v.i. Déféquer.

déposer son bilan loc. Mourir.

dépoter v.t. Déposer un client (taxi). / Exhumer (pompes fun.).

dépouille n.f. Action de voler.

déprime n.f. Dépression nerveuse ; cafard ; neurasthénie.

dépuceler v.t. Déflorer. / Se servir de quelque chose, ou l'ouvrir, pour la première fois.

der adj. Dernier. – *Le der* ou *le der des der,* le dernier verre avant de se séparer. / *Dix de der,* à la belote, dernière levée, comptant dix.

dérailler v.i. Déraisonner, divaguer.

derche n.m. Cul. / *Faux derche,* traître, hypocrite, faux jeton. / *Peigne-derche,* avare, pingre, peigne-cul. (V. DARGEOT, DARGIF.)

dérive n.f. Vie errante : *Il s'est rangé, après cinq ans de dérive.*

derjo adv. Derrière, en arrière.

dernière n.f. Dernière nouvelle ; récente histoire drôle : *Tu connais la dernière ?*

dérouillée n.f. Volée de coups.

dérouiller v.t. Donner des coups.
☐ v.i. Recevoir des coups. / Trouver le premier client, le premier acheteur de la journée : *Je n'ai pas encore dérouillé ce matin.*
☐ **se dérouiller** v.pr. *Se dérouiller les jambes,* les dégourdir.

dérouler v.i. Aller de café en café, traîner de bar en bar.

désaper (se) v.pr. Se déshabiller.

descendre v.t. Tuer, abattre : *Descendre un flic.* / Boire : *Descendre un verre.* / ***Descendre en flammes,*** critiquer violemment, dénigrer, perdre la réputation ou annihiler les arguments de l'adversaire.
☐ v.i. Faire une descente (police). / ***Descendez, on vous demande !*** Expression ironique lancée à quelqu'un qui tombe.

descente n.f. Rafle de police. / Irruption d'une bande dans le local d'une bande rivale. / ***Avoir une bonne descente,*** bien supporter la boisson. / ***Descente de lit,*** individu veule, prêt à toutes les bassesses. / ***Descente à la cave, au barbu, au lac,*** cunnilingus.

désert n.m. Déserteur : *C'est un désert.*

désordre n.m. ***Ça fait désordre,*** se dit ironiquement d'une affaire compromettante involontairement dévoilée, qui fait scandale, mais aussi d'une gaffe ou d'un échec.
☐ adj. Désordonné, qui n'a pas d'ordre : *Il est gentil mais il est désordre.*

désossé adj. Maigre.

désosser v.t. Démonter en pièces détachées. ***Désosser*** une voiture pour récupérer les pièces vendables ; un livre dépareillé pour vendre séparément les gravures ; une forme pour distribuer les éléments (impr.). – ***Désosser le jonc,*** casser les bijoux pour faire fondre l'or (arg.).

dessin n.m. ***Faire un dessin,*** expliquer : *Faut te faire un dessin ?*

dessouder v.t. Tuer : *Je l'ai dessoudé.*
☐ v.i. ou v.pr. Mourir : *Il a dessoudé. Se dessouder, se la dessouder.*

dessur prép. Se dit pour « sur » : *Mets la bouteille dessur la table.*

dessus n.m. Dans un lot, le meilleur, le dessus du panier (brocante) : *Il a gardé le dessus.*

destroy n.m. ***Faire un destroy :*** action consistant à tout briser, tout détruire, pour le seul plaisir de casser.

destructeur n.m. Vin rouge.

détail n.m. ***Ne pas faire de détail,*** ne pas lésiner sur les moyens.

dételer v.i. Arrêter de travailler, prendre sa retraite : *En amour, ne pas dételer.*

détente n.f. ***Être dur à la détente,*** ne donner de l'argent qu'avec peine, être radin ; ne comprendre qu'avec peine : *C'est pas qu'il est con, mais il est dur à la détente.*

détrancher (se) v.pr. Changer d'avis à la dernière minute avant de parier (turf).

détréper v.i. Éloigner les curieux qui n'achètent pas (camelots).

détroncher (se) v.pr. Détourner la tête, tourner la tête, regarder en arrière.

deuche n.f. Automobile 2 CV Citröen, deux-pattes.

deuguin. V. DEGUIN.

deuil n.m. *Faire son deuil de quelque chose,* se résigner à y renoncer. / *Porter le deuil,* avertir d'un danger ; porter plainte. / *Avoir les ongles en deuil,* sales, noirs.

deux adj.num. *Ça fait deux,* c'est tout différent. / *En moins de deux,* en un rien de temps. / *Deux coups les gros,* aussitôt. / *De mes deux,* expression de mépris : *La concierge de mes deux.*

deuxio adv. Deuxièmement : *Primo, je le connais pas ; deuxio, je m'en fous.*

deux-pattes n.f. Voiture 2 CV Citroën.

devant n.m. Organes génitaux : *Le petit a mal à son devant.*

dévisser v.t. Blesser, tuer.
☐ v.t. ou v.i. *Dévisser* ou *dévisser son billard,* mourir.
☐ **se dévisser** v.pr. Partir ; mourir.

dézinguer v.t. Démolir, déglinguer : *Il a dézingué sa tire.*

diam n.m. Diamant, pierre précieuse. Au pl. : *Les diam's.*

diche n.f. Directrice (étud.).

dico n.m. Dictionnaire. / *Passe-moi le dico,* attention, police ! (la rousse).

didite (faire) loc. Jouer un cheval qui arrive dead-heat (turf).

dieu n.m. *C'est pas Dieu possible !,* ce n'est pas croyable. / *Marcher le feu de Dieu,* aller très fort. / *Au feu de Dieu,* très loin. / *Bon Dieu, Bon Dieu de bon Dieu, Nom de Dieu, Sacré nom de Dieu,* etc., jurons.

digue (que) loc. Rien, que dalle.

digue-digue n.f. Épilepsie ; delirium tremens. / *Tomber en digue-digue,* s'évanouir.

dimanche (en) loc.adv. Endimanché : *S'habiller en dimanche.*

dîne n.f. Repas, nourriture. – *Aller à la dîne,* aller manger.

dingo n. et adj. Fou, aliéné : *On l'a mis chez les dingos.*

dingue n.m. Fou : *La maison des dingues.* / *Battre les dingues,* simuler la folie (arg.).
☐ n.f. Fièvre paludéenne ; grippe. / Pince-monseigneur (arg.).
☐ adj. Fou, absurde, bizarre : *Une histoire complètement dingue.*

dinguer v.i. *Envoyer dinguer,* rejeter, renvoyer, éconduire brutalement.

dinguerie n.f. Folie.

directo adv. Directement : *Je suis venu directo.*

dirlo ou **dirlingue** n. Directeur, directrice.

disciplote n.f. Discipline (armée).

disque n.m. *Changer de disque,* changer de conversation, parler d'autre chose : *Ça va, change de disque.*

disserte n.f. Dissertation (étud.).

distribe n.f. Distribution.

dix n.m. Anus. (Syn. DIX SOUS, DIX RONDS.) / *Dix de der.,* v. DER. / *Ça vaut dix,* c'est très drôle. / *Sortir dans les dix pour cent,* devenir fou (École polytechnique).

doc n.m. Médecin.

doche n.f. Mère. / *Belle-doche,* belle-mère. / *Les doches,* les parents. / Domino : *La boîte à doches.* / Dé. – *Passer les doches,* renoncer, passer la main. / Menstrues : *Avoir ses doches.*

docteur n.m. Se dit pour médecin : *Aller au docteur.*

docu n.m. Document. – Film documentaire, court métrage.

doigt n.m. *Avoir les doigts crochus,* être voleur. / *Y mettre les quatre doigts et le pouce,* saisir à pleine main. / *Arriver les doigts dans le nez,* arriver sans effort. / *Ne pas remuer le petit doigt,* ne faire aucun effort. / *Se mettre le doigt dans l'œil,* se tromper, faire erreur. / *Se mordre les doigts,* regretter. / *Faire un doigt de cour,* flirter. / *Le doigt du cœur,* pour une femme, le médius. / *Avoir les doigts de pied en éventail* ou *en bouquet de violettes,* paresser sans souci ; jouir de l'orgasme.

dolluche n.m. Dollar.

domb, dombi n. et adj.inv. Ridicule, minable, bidon (verlan).

domino n.m. Dent.

dondon n.f. *Grosse dondon,* grosse femme.

donner v.t. Dénoncer à la police : *Je me demande qui m'a donné.* / *C'est donné,* ce n'est pas cher. / *J'ai déjà donné,* j'ai déjà suffisamment fait sans avoir l'intention de recommencer : *La Bourse, merci, j'ai déjà donné.* / *En donner* ou *s'en donner,* ne pas ménager ses efforts.
☐ **se donner** v.pr. Accorder ses faveurs. / *Se donner de l'air,* s'évader. / *Se la donner,* se méfier. / *Se donner la main,* se valoir : *Ces deux-là, ils peuvent se donner la main.*

donneur n. Dénonciateur.

donzelle n.f. Fille, demoiselle (légèrement péjor.).

dopant n.m. Substance qui dope : *Prendre un dopant.*

dope n.f. La drogue en général. / Doping ; action de prendre un stimulant : *Il marche à la dope.*

doper v.t. Stimuler ; administrer un doping. / Réprimander, corriger, passer un shampooing.
☐ **se doper** v.pr. Se droguer ; prendre un stimulant.

doré (être) loc. Avoir de la chance, l'avoir en or.

dorer (se faire) loc. Subir un acte de sodomie ! *Va te faire dorer !*

dorme n.f. Sommeil : *C'est le moment d'aller à la dorme.*

dos n.m. *Avoir bon dos,* être accusé à la place d'un autre : *Toujours en retard, le métro a bon dos !* / *Se mettre quelqu'un à dos,* s'en faire un ennemi. / *En avoir plein le dos,* en avoir assez, ras le bol. / *L'avoir dans le dos,* être privé, être la dupe, la victime. (V. ENFANT).

dossière n.f. Cul. / Slip fendu par-derrière.

doublage n.m. Trahison. / Entretien de deux proxénètes par une seule prostituée (prost.).

doublé n.m. *Faire un doublé,* mettre au monde deux jumeaux.

doubler v.t. Tromper, duper, rouler. / Être infidèle. / Réaliser une affaire avant celui qui l'avait projetée : *Quand je suis arrivé, cette vache-là m'avait doublé.*

doublure n.f. Prête-nom.

douce n.f. Marijuana (drogue). / *En douce,* discrètement, subrepticement, en loucedé.

doucettement adv. Tout doucement.

douche n.f. Pluie pénétrante : *Prendre une douche.* / *Douche écossaise,* réprimande inattendue après un compliment.

doucher v.t. Faire éprouver une déception. / Réprimander. / *Se faire doucher,* recevoir une averse.

doudounes n.f.pl. Seins.

douillard adj. et n. Riche : *Ce mec-là, c'est un douillard.*

douiller v.i. Payer (souvent après marchandage) : *Il faut toujours finir par douiller.* / *Ça douille,* ça rapporte, ou : ça coûte cher.

douilles n.m.pl. Cheveux : *Se faire faucher les douilles.* – *Fausses douilles,* perruque.

douillettes n.f.pl. Testicules.

douleur n.f. *La douleur,* individu pénible, difficile à supporter : *Salut, la douleur !* / *Comprendre sa douleur,* réaliser sa déconvenue : *Quand il a fallu payer, j'ai compris ma douleur.* / Au pl. Rhumastismes.

doulos n.m. Chapeau. / Dénonciateur. / Au pl. Cheveux.

douloureuse n.f. Note à payer.

douze n.m. Bévue, erreur, gaffe : *Faire un douze.*

dragée n.f. Balle d'arme à feu.

drague n.f. Action de draguer.

draguer v.t. Racoler seul ou à plusieurs des filles ou des garçons (sans idée de prostitution).

dragueur n. Qui drague.

drapeau n.m. Dette impayée. – *Planter un drapeau,* faire des dettes, partir sans payer.

draps (être ou **se mettre dans de beaux)** loc. Être dans une situation embarrassante.

draupère n.m. Policier, poulet, perdreau (verlan).

driver v.t. Pour un proxénète, surveiller le travail d'une prostituée. / Diriger.

droit-co n.m. Condamné de droit commun.

droitier n.m. ou adj. Étudiant d'extrême droite.

drôlement adv. Extrêmement : *C'est drôlement bath.*

droper v.i. Aller vite, se dépêcher : *Pour arriver à l'heure, il a dû droper.*

dross n.m. Résidu dans la pipe d'opium (drogue).

drouille n.f. Marchandise sans valeur : *C'est de la drouille.* / Soldes.

drouilleur n.m. Soldeur.

-du suff. argotique. Chômeur, *chômedu ;* loque, *loquedu.*

duce n.m. Signe de connivence (jeux) : *Faire un duce.*

duchnoque adj. ou n. Crétin, chnoque.

ducon ou **duconno, duconnoso, duconnosof** n.m. Imbécile. – *Ducon-la-joie,* imbécile heureux.

dupont-la-joie n.m. Français moyen caricatural, chauvin, machiste et raciste ; beauf ; ducon.

dur n.m. Individu qui ne recule devant rien : *Pierrot, c'est un dur.* – ***Dur à cuire,*** individu endurci. / Métro ; train : *Brûler le dur,* voyager en chemin de fer sans billet. / ***Les durs,*** les travaux forcés.
□ adj. ***Dur de la feuille,*** sourd. / ***Dur à la détente,*** avare.
□ interj. Exprime une difficulté, une désillusion : *Ah ! dur !,* ah ! merde ! – ***Dur-dur !*** Pénible !

duraille adj. Difficile et pénible : *Se lever le matin, c'est duraille.*

durillon adj.inv. Difficile et délicat.

dynamite n.f. Cocaïne. – ***Marcher à la dynamite,*** se doper.

E

eau n.f. *Eau plate,* eau ordinaire. / *Eau d'affe,* eau-de-vie. / *Eau à ressort,* eau de Seltz, eau gazeuse. / *N'avoir pas inventé l'eau chaude,* ne pas être très intelligent. / *Tourner en eau de boudin,* ne pas s'achever, finir piteusement, en queue de poisson. / *De la plus belle eau,* ce qu'on fait de mieux (ironique) : *Une crapule de la plus belle eau.*

ébouser v.t. Tuer, assassiner (arg.).

écailler v.t. Escroquer (arg.).

échalas n.m. Jambe maigre.

échalote n.f. Anus. / *Course à l'échalote,* jeu (?) qui consiste à faire courir l'adversaire en le tenant par le col et le fond du pantalon.
☐ n.f.pl. Ovaires : *Se faire dévisser les échalotes,* subir une ovariectomie.

échappé de bocal n.m. Gringalet.

échassière n.f. Prostituée de bar.

échelle n.f. *Monter* ou *grimper à l'échelle,* prendre au sérieux une plaisanterie. / Se mettre en colère : *Tu peux pas lui dire deux mots, qu'il grimpe à l'échelle.*

échouer v.i. Finir en un lieu peu apprécié : *C'est ici que j'ai finalement échoué.*

éclairer v.t. Payer : *Il faut éclairer avant d'entrer.*

éclater (s') v.pr. Avoir des visions colorées (drogue). / Prendre un vif plaisir : *Quand je vois Venise, je m'éclate.*

écluser v.t. Boire : *Écluser un godet.*
☐ v.i. Uriner.

écolo n. et adj. Écologiste, défenseur de la nature, larzac.

éconocroques n.f.pl. Économies : *Faire des éconocroques.*

écoper v.i. Recevoir des coups, des reproches, des punitions ; être la victime : *C'est toujours les mêmes qui écopent. Écoper de deux jours de tôle.*

écorcher v.t. Faire payer trop cher : *Écorcher le client.*

écosser (en) loc. Travailler dur. / Se prostituer. / Dépenser.

écoutilles n.f.pl. Oreilles : *Ouvrir les écoutilles.*

écrase-merde n.f.pl. Larges chaussures.

écraser v.i. Ne pas insister : *Tais-toi, écrase.* – *Écraser le coup,* faire en sorte qu'une affaire (délictueuse ou vénielle) ne voie pas le jour ; ne pas insister. / *En écraser,* dormir profondément : *Qu'est-ce qu'il en écrase.*
☐ v.t. *Écraser le champignon,* accélérer (auto). / *Écraser de l'ivoire,* jouer du piano (mus.).

écrémer v.t. Choisir le meilleur : *Écrémer une bibliothèque.* / Alléger.

écroule (avoir un plan) loc. Avoir envie de se coucher, de rester au lit.

écureuil n.m. Coureur cycliste sur piste.

édredon (faire l') loc. Voler un client endormi (prost.).

effacer v.t. Boire hâtivement : *Effacer un guindal.* / Tuer. / *Machine à effacer le sourire,* matraque.
☐ **s'effacer** v.pr. Mourir.

effeuilleuse n.f. Strip-teaseuse.

égoïner v.t. Évincer, scier. / Forniquer, limer.

éjecter v.t. Faire sortir brutalement ; jeter.

élastique n.m. *Les lâcher avec un élastique,* payer avec réticence.

éléphant n.m. Terrien (marine).

emballage n.m. Arrestation.

emballarès adj. Emballé, appréhendé.

emballer v.t. Appréhender, arrêter : *Se faire emballer par la police.* / Racoler, faire une conquête. / *Emballez, c'est pesé !* Exclam. qui confirme le succès ou l'achèvement d'une action, d'un travail.

emballeur n.m. Policier. / Croque-mort.

embaquer (s') v.pr. Perdre au jeu (turf).

embarquer v.t. Appréhender, arrêter.

embistrouiller v.t. Embêter, ennuyer, emmerder.

emboîtage n.m. Action de siffler, de conspuer, d'emboîter (spect.).

emboîter v.t. Mystifier, mettre en boîte. / *Se faire emboîter,* se faire siffler, conspuer (spect.).

emboucaner v.t. Embêter, emmerder. / Sentir mauvais.

embouché (mal) adj. Grossier en paroles, d'un abord désagréable.

embourber v.t. Posséder une femme.

embrasser un platane loc. Heurter un arbre des accotements (auto).

embrayer v.t. Commencer, se mettre en train, se mettre en route. / Commencer à comprendre.

embringuer v.t. Engager, enrôler fâcheusement : *Se laisser embringuer dans une sale affaire.*

embrouille n.f. Ennui, confusion, tractation louche, malentendu. – *Un sac d'embrouilles,* une cause d'ennuis, de confusion volontaire.

Embrouille (l') n.pr. La Bourse (arg.).

embrouilleur n.m. Qui fait des embrouilles.

émeraudes n.f.pl. Hémorroïdes.

emmanché adj. Imbécile. / Homosexuel passif.

emmancher v.t. Sodomiser : *Se faire emmancher.*
☐ **s'emmancher** v.pr. Commencer, s'engager : *L'affaire s'emmanche mal. / S'emmancher comme des rateaux neufs,* se sodomiser.

emmêler (s') v.pr. *S'emmêler les pédales, les pinceaux, les crayons, les pieds,* s'embrouiller dans une situation, des explications ou un discours.

emmerdant adj. Ennuyeux, embêtant, chiant, chiatique.

emmerde n.f. Ennui, gêne, emmerdement : *Il va encore nous faire des emmerdes.*

emmerdé adj. Ennuyé, embêté.

emmerdement n.m. Embêtement, ennui grave : *C'est pas demain que cesseront les emmerdements.*

emmerder v.t. Ennuyer, importuner : *Celui-là, il m'emmerde.* / Tenir pour négligeable : *Celui-là, je l'emmerde.*
☐ **s'emmerder** v.pr. S'ennuyer : *Ah ! ce qu'on s'emmerde ici ! / Ne pas s'emmerder,* ne pas se gêner, avoir de l'aplomb, savoir profiter : *Au prix du beurre, ils s'emmerdent pas.*

emmerdeur, euse n. Importun, gêneur, embêtant, ennuyeux.

emmieller v.t. Importuner, emmerder.

emmouscailler v.t. Ennuyer, importuner, emmerder. (V. MOUSCAILLE.)

empaffé adj. Efféminé. / Gêneur. (V. PAF.)

empaffer v.t. Sodomiser.

empaillé n.m. Imbécile maladroit.

empalmer v.t. Voler, dérober, subtiliser avec la main.

empapaouter v.t. Sodomiser.

empaqueté adj. Imbécile maladroit, empoté.

empaqueter v.t. Appréhender, arrêter, emballer.

empaumer v.t. Tromper, rouler : *Il s'est laissé empaumer. / Se faire empaumer,* se faire prendre.

empégaler v.t. Engager au mont-de-piété. (V. PÉGAL.)

empeigne n.f. *Gueule d'empeigne,* visage antipathique.

empiffrer (s') v.pr. Se bourrer de nourriture.

empiler v.t. Duper, escroquer : *Je me suis fait empiler.*

empileur n. Petit escroc, qui empile.

emplafonner v.t. Frapper d'un coup de tête. / Heurter de front, emboutir, emplâtrer (auto).

emplâtre n.m. Coup.

emplâtrer v.t. Heurter, emboutir, emplafonner. / *Se faire emplâtrer :* pour le marchand, se faire refiler une marchandise de peu d'intérêt, ou d'un prix trop élevé (brocante). (V. DÉPLÂTRER.)

emproser v.t. Sodomiser.

emprunt forcé n.m. Chantage, racket.

en adv. Lieu inavouable : *Il en sort* (de prison).
☐ pr. pers. Catégorie méprisable : *Il en est.*

en-bourgeois n.m. Policier en civil.

encadrer v.t. Frapper (généralement par succession de coups au visage). / Heurter violemment un obstacle : *Encadrer un arbre.* / *Ne pas pouvoir encadrer quelqu'un,* ne pas pouvoir le supporter.

encaisser v.t. Recevoir des coups : *Qu'est-ce qu'il a encaissé !* / Supporter : *Ils ne peuvent pas s'encaisser.*

encalbécher v.t. Frapper à coups de tête.

encaldosser v.t. Saisir par-derrière. – Sodomiser.

encarrade n.f. Action d'entrer, d'encarrer.

encarrer v.t. Entrer, faire entrer, adresser, envoyer.

enceintrer v.t. Engrosser, mettre en cloque.

enchtiber v.t. Mettre en prison.

encloquer v.t. Engrosser.

encoinsta ou **encoinsto** n.m. Cale de bois pour forcer les portes (arg.).

encordé adj. Qui fait partie d'un ordre qui porte une cordelière (ecclés.).

encore adv. Emploi pléonastique avant ou après les verbes itératifs : *Refais-le encore.*

encrister v.t. Appréhender : *Se faire encrister.*

encroumé adj. Endetté : *Je suis encroumé jusqu'aux yeux.*

enculage n.m. Sodomie. / *Enculage de mouches,* analyse minutieuse et tâtillonne ; syn. PINAILLAGE.

enculer v.t. Sodomiser. / *Enculer les mouches,* pousser très loin l'analyse ; syn. PINAILLER.

endauffer v.t. Sodomiser.

endêver (faire) loc. Tourmenter, importuner, emmerder.

endormir v.t. Donner confiance, bourrer le crâne.
☐ **s'endormir** v.pr. *S'endormir sur le rôti, sur le mastic,* paresser.

endosses n.m.pl. Dos ; épaules : *Se mettre un costard sur les endosses.*

enfant n.m. *Faire un enfant dans le dos,* trahir la confiance de quelqu'un.

enfer n.m. *C'est l'enfer,* c'est insupportable, c'est très mauvais, c'est affreux. / Par antiphrase : c'est très bon, c'est génial. (Le sens dépend du contexte) : *Avoir un look d'enfer,* et, même, par plaisanterie, *un look Denfert-Rochereau.*

enfifrer v.t. Sodomiser.

enfiler v.t. Forniquer, posséder. / *Enfiler des perles,* perdre son temps.
☐ **s'enfiler** v.pr. Faire l'amour. / Avaler : *S'enfiler un verre.*

enfle adj. Enflé : *J'ai été piqué par un moustique, je suis enfle.*

enflé n.m. ou **enflure** n.f. Imbécile.

enfoiré adj. Imbécile, gêneur. / Homosexuel.

enfoirer v.t. Sodomiser.

enfoncer v.t. Accuser, charger.

enfouiller v.t. Empocher : *Il a enfouillé mes chips sans les compter.*

enfouraillé adj. Armé, fouraillé.

enfourailler (s') v.pr. Se munir d'une arme.

enfourcher v.t. *Enfourcher son dada,* se lancer dans une démonstration, un raisonnement favori.

enfourner v.t. Avaler goulûment.

engelure n.f. Emmerdeur : *Il me colle au train, cette engelure.*

engin n.m. Membre viril.

engourdir v.t. Voler : *Je me suis fait engourdir mon vélo.*

engrainer v.t. Embaucher : *J'ai engrainé une dactylo tout ce qu'il y a de plus olpette.*

engrais n.m. Argent. – Somme oubliée par des joueurs.

engraisser v.t. Donner régulièrement de l'argent à quelqu'un.

engueulade n.f. Réprimande. / Échange d'insultes.

engueuler v.t. Insulter. / Réprimander.

enguirlander v.t. Réprimander, engueuler.

énième adj.ord. Au rang suivant d'une certaine quantité : *Pour la énième fois, je vous demande de vous taire.*

enjuponné adj. Ivre, pris de boisson, jupé, juponné.

ennuyant adj. Ennuyeux.

enquiller v.i. Pénétrer, entrer.
□ **s'enquiller** v.pr. S'introduire.

enragé n.m. Révolutionnaire extrémiste et radical.

enrouler v.i. Pédaler en souplesse (cycliste).

ensoutané adj. et n. Prêtre en soutane.

ensuqué adj. Fatigué, abruti ; drogué.

entamer v.t. *Entamer son capital,* perdre sa virginité.

entifler v.i. Entrer, pénétrer.
□ **s'entifler** v.pr. Se marier (vieux).

entoiler v.t. Arrêter : *Se faire entoiler.*

entôlage n.m. Vol commis par une prostituée aux dépens d'un client (arg.).

entôler v.t. Commettre un entôlage, anglaiser (arg.).

entonnoir à musique n.m. Oreille.

entortiller v.t. Séduire par des paroles trompeuses.

entourloupe ou **entourloupette** n.f. Mauvais tour, tromperie : *Il m'a fait une entourloupe.*

entraver v.t. Comprendre : *Je n'entrave que dalle.*

entrée n.f. *D'entrée,* à première vue, de prime abord, tout de suite : *D'entrée, j'y ai dit merde.* / *Entrée des artistes,* anus.

entremichon n.m. Raie des fesses.

entréper v.t. Attirer les badauds.

entreprendre v.t. Essayer de convaincre, de persuader : *Il m'a entrepris sur la politique.*

entubage n.m. Escroquerie.

entuber v.t. Sodomiser. / Duper, escroquer : *Je me suis fait entuber.*

entubeur n.m. Escroc.

envapé adj. Drogué.

envelopper v.t. Abuser, posséder.

enviander v.t. Sodomiser.

envoyer v.t. *Envoyer promener, envoyer paître, envoyer au bain,* etc., éconduire, repousser. / *Les envoyer,* payer. – *Envoyer la soudure,* payer. / *Ça, c'est envoyé !,* bravo, bien dit, ou bien frappé.
□ **s'envoyer** v.pr. Posséder, s'octroyer : *S'envoyer une nana.* / Absorber : *S'envoyer un verre.* / S'administrer à contrecœur : *S'envoyer tout le boulot.* / *S'envoyer en l'air,* faire l'amour, prendre son pied.

épahule n.f. Épaule : *Rouler des épahules.*

épate n.f. *Faire de l'épate* ou *des épates,* chercher à étonner.

épater v.t. Étonner : *Tu m'épates.*

épée n.f. Expert dans sa spécialité : *Mon toubib, c'est une épée.*

épicemar n.m. Épicier.

épinard n.m. *Plat d'épinard,* mauvais tableau de paysage. / *Aller aux épinards,* se faire entretenir par une prostituée.

épingler v.t. Appréhender : *Ils se sont fait épingler.*

époilant adj. Étonnant.

éponge n.f. Poumon : *Avoir les éponges mitées,* être atteint de tuberculose. / Ivrogne : *C'est une vieille éponge.* / Nymphomane. / *Passer l'éponge,* pardonner, oublier ses rancunes : *J'ai fini par passer l'éponge.*

éponger v.t. Dépouiller complètement quelqu'un. / Subir sans réagir : *Éponger une vanne.* / Procurer une jouissance érotique.

époques n.f.pl. Menstrues.

équerre n.f. *D'équerre,* droit, honnête. / Par antiphrase : saoul ; drogué.

erreur d'aiguillage n.f. Erreur d'orientation (d'un dossier, d'un visiteur, etc.).

esbigner (s') v.pr. S'enfuir, se retirer.

esbroufe n.f. Bluff, vantardise, épate. – *Vol à l'esbroufe,* au cours d'une bousculade.

esbroufer v.t. Bluffer, faire des épates.

esbroufeur n. Bluffeur.

escabeau n.m. Échelle d'accès à bord (aéron.).

escadrin n.m. Escalier : *Se taper l'escadrin.*

escagasser v.t. Abîmer, frapper, assommer.

escaladeuse de braguette n.f. Prostituée.

escalope n.f. Pied, panard. / Oreille. / Langue.

esgourde n.f. Oreille.

esgourder v.t. Entendre, écouter.

espèce n.m. S'emploie au lieu du f. : *Un espèce d'abruti.*

espérer après quelqu'un loc. L'attendre.

espingo ou **espingouin** adj. et n. Espagnol.

esquinter (s') v.pr. *S'esquinter le tempérament,* se donner beaucoup de mal.

essoreuse n.f. Moto bruyante.

essuyer v.t. *Essuyer les plâtres,* être le premier à essayer une nouveauté, à s'occuper d'une affaire nouvelle, à roder une machine et en subir les inconvénients.

estampage n.m. Tromperie, duperie.

estamper v.t. Faire payer trop cher : *Estamper le client.*

estampeur n.m. Petit escroc, commerçant indélicat, qui estampe.

estanco n.m. Bistrot. / Magasin.

estom n.m. Estomac. / Audace, culot.

estomac n.m. *Avoir de l'estomac,* avoir du toupet. / *Avoir l'estomac bien accroché,* supporter sans haut-le-cœur une odeur, une vue qui inspirent le dégoût.

estomaquer v.t. Étonner vivement.

estourbir v.t. Assommer ; tuer.

établi n.m. Le bureau, le lieu de travail. / La table de jeu (pour les joueurs professionnels). / Le lit (prost.).

étagère à mégot n.f. Oreille.

étendre v.t. Refuser à un examen : *Il a été étendu au bac.* / Perdre au jeu : *Se faire étendre.*

éternuer v.i. *Éternuer dans le sac, dans le son, dans la sciure,* mourir par décapitation.

Étienne (à la tienne,) ! Formule de toast.

étincelle n.f. *Faire des étincelles,* être brillant (fig.).

étiquette n.f. Oreille.

étoile filante n.f. Prostituée occasionnelle.

étouffer v.t. Voler : *Je me suis fait étouffer mes alloufs.* / Pour un intermédiaire, conserver les sommes illicites qu'il devait transmettre. / Passer sous silence, écraser. / Boire pendant les heures de travail.

être v.i. *L'être,* être cocu : *Il l'est.* / *En être,* être de la police ; être homosexuel : *Il en est.* / *Être du matin, du soir,* être mieux disposé le matin, le soir. / *Être de corvée,* désigné pour une corvée. – *Être d'enterrement, de noce,* être obligé d'assister à une cérémonie. / *Être là, être un peu là,* être solide (au pr. et au fig.).

étrenner v.i. Réaliser la première vente, la première affaire de la journée : *Je n'ai pas encore étrenné ce matin.*

étriller v.t. Faire payer très cher, estamper : *Il m'a étrillé.*

eustache n.m. Couteau.

éventail n.m. *Avoir les orteils en éventail,* éprouver une grande satisfaction.

évident (pas) adj. *Ce n'est pas évident,* ce n'est pas facile : *Le bac, c'est pas évident.*

exam n.m. Examen (étud.). [V. EXO.]

excusez-moi si je vous demande pardon. Formule ironique de politesse.

exo n.m. Exercice (étud.). [V. EXAM.] □ n.f. Place de spectacle exonérée de taxes.

expliquer (s') ou **s'espliquer** v.pr. Se disputer, se battre. / Se livrer à un délit, notamment à la prostitution : *Elle s'explique à Pigalle.*

F

fabriquer v.t. Faire : *Qu'est-ce que tu fabriques ?* / *Fabriquer quelque chose,* le voler. – *Fabriquer quelqu'un,* l'escroquer. – *Être fabriqué, se faire fabriquer,* se faire voler ; se faire appréhender ; se faire « faire ».

fac n.f. Faculté (étud.).

façade n.f. Visage. – *Se faire démolir la façade,* se faire frapper au visage, se faire casser la gueule. / *Se ravaler la façade* ou *ravaler sa façade,* se maquiller ; subir une opération de chirurgie esthétique.

face n.f. *Face de,* formule d'insulte : *Face de crabe, face de rat, face d'œuf,* etc.

facho n. et adj. Fasciste ou, simplement, de droite, faf.

facile adv. Facilement : *Un petit vin comme ça, on en boit un litre facile.*

facteur (pédaler en) loc. En se tenant bien droit (cyclisme).

factionnaire n.m. *Relever un factionnaire,* V. RELEVER.

fade n.m. Part. – *Avoir son fade,* avoir sa part de butin ; avoir son compte, soit après avoir été rossé, soit après avoir trop bu. / *Payer, y aller de son fade,* payer sa part. / *Prendre son fade,* prendre sa part de plaisir, prendre son pied, jouir.

fadé adj. Qui a son compte, son fade (ivre, rossé ou malade). / *C'est fadé,* c'est fort ; c'est bien servi.

fader v.i. Partager (un butin, des bénéfices, des frais, un écot, une maladie). / *Se faire fader,* contracter une maladie vénérienne.

faf n. Fasciste, facho ou, simplement, de droite.

faffe n.m. Morceau de papier. / Billet de banque. / Au pl. Papiers d'identité.

fafiot n.m. Papier. / Billet de banque.

faflard n.m. Passeport. / Papier.

fagot n.m. Ancien truand, ancien voleur (amical) : *Le père Auguste, ce vieux fagot.* / Au pl. Les bois (musique).

fagoté adj. Habillé : *Être mal fagoté.*

faible adj. et n.m. *Tomber faible,* s'évanouir. / *Tomber faible sur quelque chose,* dérober, chaparder. / *Avoir un faible pour,* avoir un goût prononcé pour : *Il a un faible pour le gros rouge.*

faire v.t. Valoir : *Un tableau qui fait trois briques.* / Opérer : *Faire les porte-monnaie* (voler). – *Faire une femme* (séduire), etc. – *Savoir y faire,* savoir s'y prendre. / *Faire médecin,* faire des études de médecine. / Parcourir, visiter : *Faire l'Italie.* / *Faire cinquième,* obtenir cet ordre dans un classement. / *La faire à,* simuler, jouer la comédie : *La faire aux sentiments. Faut pas me la faire.* / *La faire à l'oseille,* tromper, se moquer. / *Être fait, être fait, marron, comme un rat,* perdre, être arrêté. / *Faut le faire !* Exclam. admirative. / *Faire,* déféquer. – *Faire dans sa culotte, dans son froc,* avoir peur ; être craintif, avoir peur des responsabilités.
□ **se faire** v.pr. *Il faut se le faire,* il faut le supporter, se le farcir. / *S'en faire,* se faire du souci.

faisan ou **faisandier** n.m. Escroc, tricheur, individu louche.

faisandé adj. Suspect ; faux.

falot n.m. Conseil de guerre, tribunal militaire : *Passer au falot.*

falzar n.m. Pantalon.

famille n.f. *La famille tuyau de poêle,* les homosexuels. / *Des familles,* sans prétention : *Un petit gueuleton des familles.*

fana adj. et n. Enthousiaste, passionné.

fanfan n.m. Enfant.

fanfres (tirer aux) loc. Tirer n'importe où (pétanque).

Fanny. *Baiser Fanny, baiser le cul de Fanny,* perdre la partie en n'ayant marqué aucun point (pétanque).

fantaisie n.f. Fellation.

fantassin n.m. Pou de pubis.

fantoche adj. De fantaisie : *Une tenue fantoche* (armée).
□ n.f. Fellation.

farci adj. Truqué : *Un meuble farci* (brocante) ; *une boule farcie* (pétanque).

farcir v.t. Cribler de balles.
□ **se farcir** v.pr. S'offrir. – *Se farcir quelque chose,* le voler. – *Se farcir un aliment,* l'absorber. – *Se farcir tout le boulot,* se l'envoyer, le faire à contrecœur. – *Se farcir une femme,* la posséder. / *Se farcir quelqu'un,* être obligé de le supporter : *Faut se le farcir !* ; s'octroyer le plaisir de le battre : *Celui-là, je vais me le farcir.*

farfadet n.m. Fœtus.

farguer v.t. Accuser, charger (arg.).

fargueur n.m. Témoin à charge (arg.).

faridon n.f. *Faire la faridon,* faire la noce, faire la foiridon.

faubert en ville (passer le) loc. Se balader dans les rues (mar.).

faubourg n.m. Cul.

fauche n.f. Vol : *Il connaît que la fauche.* / Privation, fait d'être fauché.

fauché ou **faucheman** adj. et n. Sans argent, démuni : *Je suis fauché comme les blés.* / *Avec lui, on n'est pas* *fauché,* se dit par antiphrase de quelqu'un qui vous déçoit.

faucher v.t. Voler, chaparder : *On m'a fauché mon vélo.*

fauteuil n.m. *Arriver dans un fauteuil,* arriver facilement le premier (turf).

faux adj. *Faux comme un jeton, faux jeton, faux cul, faux derche,* déloyal, sournois, hypocrite. / *Fausse couche, résidu de fausse couche,* individu mal conformé ; lâche, méprisable. / *Fausse poule,* faux policier (arg.).

faux poids n.m. Jeune fille mineure paraissant plus que son âge.

fav' n.m. Favori (turf).

faveur n.f. Fellation.

favouille n.f. Poche, fouille (javanais).

fayot n.m. Haricot. / Qui fait du zèle ; flagorneur. / Rengagé (armée). / Officier marinier de la Marine nationale.

fayotage n.m. Action de fayoter.

fayoter v.i. Faire du zèle, flatter ses supérieurs.

fébou n.f. Nourriture, bouffe (verlan).

féca n.m. Café (verlan).

feignant, feignasse adj. et n. Se dit pour fainéant.

feinter v.t. Tromper : *Il m'a feinté.*

fêlé n. et adj. Fou, folle.

femme n.f. *Bonne femme,* épouse : *Viens dîner avec ta bonne femme ;* au pl., les femmes : *Ah ! ce qu'on serait heureux si y avait pas les bonnes femmes !* / *Raisonnement de femme saoule,* propos absurdes. / *Ma femme,* mon bréviaire (ecclés.). / *Femme du capitaine,* poupée gonflable à usage érotique. / *Coucher avec la femme de l'adjudant,* être puni de salle de police (armée).

fendard, fendant ou **fendu** n.m. Pantalon d'homme.

fendre (se) v.pr. Rire : *Se fendre la gueule, la pipe, la pêche,* etc. / *Se fendre de,* payer, débourser, donner : *Je me suis fendu de mille balles.*

fenêtre n.f. *Se mettre à la fenêtre,* essayer de voir les cartes de l'adversaire (jeu). / *Mettre les chaussettes à la fenêtre,* pour une femme, n'éprouver aucun plaisir physique.

fenêtrière n.f. Prostituée qui racole de sa fenêtre (prost.).

fente n.f. Vulve.

fer n.m. *Fer à repasser,* mauvais cheval (turf). / *Avoir un fer à repasser dans chaque poche,* gravir une côte en se dandinant (cyclisme). / *Fer à souder,* grand nez. / *Mauvais fer,* individu dangereux : *Fais gaffe, Henri c'est le mauvais fer.*

fermer v.t. *La fermer, fermer sa gueule,* se taire.
☐ Interj. La ferme ! Silence, tais-toi !

férocité (en) loc. Présentation des fauves avec le fouet.

ferraille n.f. Pièces de monnaie : *Je n'ai que de la ferraille.*

fers n.m.pl. Outils destinés à ouvrir un coffre-fort (arg.).

fesse n.f. Femme, élément féminin : *Y a de la fesse ici, ce soir.* / Érotisme, pornographie : *Un journal de fesse, un livre de fesse.* – ***Pain de fesse,*** argent rapporté par la prostitution, ou par le commerce de la pornographie. (V. CUL.) / ***Serrer les fesses,*** craindre.

feu n.m. Revolver : *Il a sorti son feu.* / ***Péter le feu,*** être en pleine forme. / ***Avoir le feu quelque part,*** sembler très pressé. – ***Il n'y a pas le feu,*** rien ne presse. / ***Donner, recevoir, avoir le feu vert,*** recevoir une autorisation.

feuille n.f. Oreille. – ***Dur de la feuille,*** ou ***constipé des feuilles,*** sourd. – ***Feuilles de chou,*** grandes oreilles. – ***Glisser dans les feuilles,*** confier un secret. / ***Jouer à la feuille,*** jouer de mémoire. / ***Jouer les feuilles mortes,*** ne pas avoir d'oreille (musique). / ***Feuille de chou,*** journal. / ***Voir la feuille à l'envers,*** faire l'amour (à la campagne). / ***Mille-feuille,*** liasse de dix billets de 100 F. / Sexe de la femme. / ***C'est pas du mille-feuille,*** ce n'est pas facile.

fias n.m. Individu quelconque : *Tu connais ce fias-là ?*

fiasc ou **fiasque** n.m. Fiasco, échec.

ficelé adj. Habillé, arrangé : *Être mal ficelé.*

ficelle n.f. Cravate. / Galon : *Trois ficelles sur la manche.*
□ n.f. et adj. Rusé : *Être ficelle.*

ficher ou **fiche** v.t. Mettre, jeter : *Ficher* ou *fiche à la porte.* / Donner : *Ficher une gifle.*
□ **se ficher** ou **se fiche** v.pr. Se moquer, se foutre.

fichets n.m.pl. Menottes.

fichu adj. Capable : *Il est fichu d'arriver à la bourre.*

fiérot adj. Vaniteux, fier.

fiesta n.f. Fête : *Faire une fiesta.*

fieu n.m. Gars ; fils : *C'est un bon fieu.*

fifi n.m. Moineau.

fifille n.f. Fille (terme d'affection).

fifine n.f. Serviette hygiénique.

fifre (que) loc. Rien, que dalle.

fifrelin n.m. La moindre valeur : *Je suis fauché, je n'ai pas un fifrelin.*

fifti-fifti loc.adv. Moitié-moitié, fifty-fifty, afanaf.

figne ou **fignard, fignarès, fignedé, fignolet, fion, fouinedarès** n.m. Cul.

figue n.f. Sexe de la femme. / Au pl. Testicules. – ***Avoir les figues molles,*** n'éprouver aucun désir.

figuier n.m. *Tronc de figuier,* Arabe (péjor.).

figure de... loc. Insulte.

filer v.t. Donner : *File-moi une pipe.* – ***Filer une avoine, une toise, une danse, une trempe,*** donner une correction. / ***Filer le train,*** suivre pas à pas.
□ v.i. ***En filer,*** ou ***filer du chouette,*** pratiquer la sodomie passive.
□ **se filer** v.pr. S'introduire : *Aussi sec, je me suis filé dans le placard.*

filetouze n.m. Filet à provisions.

fileur n.m. Policier qui file un suspect. / Individu qui cherche à obtenir des tuyaux des entraîneurs ou des jockeys (turf).

fileuse n.f. Indicateur (ou indicatrice) de cambriolages à faire (arg.).

filochard adj. Débrouillard.

filoche n.f. Filature (arg.).

filocher v.t. Prendre en filature. □ v.i. Aller vite.

filon n.m. Situation lucrative et peu fatigante. / Chance durable.

fils d'archevêque n.m. Fils à papa pistonné au cours de ses études, pour obtenir une place, etc.

fin adj. Bon : *C'est la fine occase.* □ adv. Complètement : *Il est fin saoul.*

fin de mois n.f. Prostituée occasionnelle.

fin de saison n.f. *Sentir la fin de saison,* vieillir : *Il commence à sentir la fin de saison.*

fini adj. Achevé, accompli dans son genre : *C'est une vache finie.* / Sans avenir : *Il est fini.*

fiole n.f. Tête.

fion n.m. Anus. / Chance : *Avoir du fion.* / ***Donner le coup de fion,*** mettre la dernière main. / Balayer, nettoyer.

fiotte n.f. Homme efféminé.

fissa adv. Vite : *Faire fissa* (pataouète).

fissure n.f. *Mastiquer une fissure,* étonner, en boucher un coin.

fissurer v.i. Être sur le point de défaillir de plaisir, de craquer : *Je fissure...*

fiston n.m. Fils.

fistot n.m. Élève de première année à l'École navale.

fixe n.m. Piqûre (drogue).

fixer (se) v.pr. Se piquer (drogue).

flac (il y en a) loc. Il y en a assez, il y en a marre.

flacdal ou **flacdalle** n.m. Mou, imbécile ; sans valeur.

Flacmann (aller chez) loc. Déféquer, flaquer.

flacon n.m. *Prendre du flacon,* vieillir.

fla-flas n.m.pl. Manières affectées, giries : *Faire des fla-flas.*

flag n.m. Flagrant délit : *Tomber en flag.*

flagada adj. Fatigué, sans force : *Ce matin, je me sens tout flagada.*

flagda n.m. Haricot.

flagelle n.f. Flagellation érotique.

flageolet n.m. Membre viril.

Flahute n.pr. Flamand.

flambe n.f. Jeu d'argent : *Un habitué de la flambe.*

flambeau n.m. Jeu de tripot. / Chance, affaire profitable : *Avoir le* ou *du flambeau.*

flamber v.i. Jouer avec passion : *Flamber aux courtines.* / Dépenser sans compter : *Flamber sa paye.* / *Être flambé,* être ruiné (après une perte au jeu). / *Flamber* est parfois syn. de *frimer* (en bien).

flambeur n.m. Joueur : *C'est un flambeur.*

flan n.m. *Du flan,* pas sérieux, du bidon : *C'est du flan.* – *À la flan,* pas sérieux, sans soin, à la con : *Une combine à la flan.* / *Faire du flan,* mentir, tromper. / *Au flan,* au hasard, en comptant sur la chance, au culot. – *Coup de flan,* délit non prémédité (arg.). / *En rester comme deux ronds de flan,* ébahi, stupéfait.

flanc n.m. *Être sur le flanc,* être exténué. / *Se battre les flancs,* s'activer inutilement. / *Tirer au flanc,* se soustraire à une tâche, à une obligation, tirer au cul.

flanche n.m. Délit (arg.). / Boniment de camelot. / Tripot clandestin.

flancher v.i. Céder, faiblir. Ne pas persister dans une résolution, se dégonfler.

flanelle n.f. Client qui s'attarde et ne consomme pas : *Faire flanelle.* / Fiasco : *Elle raconte qu'il a fait flanelle.*

flâneuse n.f. Chaise.

flanquer v.t. Mettre, jeter, appliquer : *Flanquer à la porte, flanquer sa main sur la gueule,* etc. (V. FICHER, FOUTRE.)

flanquette (à la bonne) loc. Se dit pour « à la bonne franquette ».

flapi adj. Fatigué, épuisé.

flaquer v.i. Déféquer. / Céder, flancher.

flash n.m. Montée de couleur au visage au moment de l'injection (drogue).

flasher v.i. Avoir le coup de foudre. / Éprouver un vif plaisir. (V. FLASH.)

flauper v.t. Battre, rosser.

flèche n.m. Petit sou : *Pas un flèche !* □ n.f. Équipe : *Faire flèche.* / Le milieu (arg.).

flécher v.i. Travailler en association, s'associer.

flemme n.f. Paresse. / *Tirer sa flemme,* se reposer, paresser.

flemmingite n.f. Paresse : *Être atteint de flemmingite aiguë.*

fleur n.f. Gratification, cadeau, service ; faveur : *Faire une fleur à quelqu'un.* / Virginité : *Perdre sa fleur* ou *sa fleur d'oranger.* / *Être fleur,* être démuni d'argent, fauché. / *Arriver comme une fleur,* naïvement, avec innocence. / *Fleur de nave,* imbécile. / *Beau comme un paf en fleur,* habillé de neuf.

Fleury n.pr. Centre pénitentiaire de Fleury-Mérogis.

flibuster v.t. Filouter.

flibustier n.m. Filou.

flic n.m. Agent de police.

flicage n.m. Surveillance et encadrement quasi policiers, mal supportés par un groupe (personnel d'entreprise, étudiants, etc.).

flicaille n.f. Police : *La flicaille.*

flicard n.m. Agent de police (péjor.). / Indicateur.

flic-flac n.m. Paire de gifles.

flingue n.m. Arme à feu : *Sortir son flingue.*

flingue ou **flingué** adj. À bout de ressources.

flinguer v.t. Tirer avec une arme à feu ; tuer. / Casser, démolir. / Posséder une femme.

flingueur n.m. Tireur acharné ; tueur.

flip n.m. Drogue.

flippant adj. Qui procure les effets de la drogue (drogue). / Démoralisant, qui fait peur : *C'est flippant.*

flippé adj. Un peu fou ; drogué. / Déprimé ; qui a mauvais moral, est vivement déçu.

flipper v.i. Planer, délirer (drogue). / Avoir mauvais moral, éprouver une vive déception.

fliquer v.t. Surveiller à l'excès, user de flicage : *Avec la nouvelle direction, on est tous fliqués.*

flop n.m. Échec, fiasco : *Faire un flop.*

flopée n.f. Grande quantité : *Des épées, y en a pas des flopées.*

flottard n.m. Élève préparant le concours de l'École navale.

Flotte (la) n.pr. L'École navale.

flotte n.f. Eau (sous toutes ses formes) ; pluie.

flotter v.imp. Pleuvoir : *Il flotte.*

flouse n.m. Argent, monnaie : *Du flouse.*

flouser v.i. Péter.

flubard n.m. Téléphone.
□ adj. Poltron, peureux.

fluber v.i. Avoir peur.

flubes (avoir les) loc. Avoir peur, avoir les grelots.

flurer le pet loc. Chercher des noises.

flûtes n.f.pl. Jambes : *Jouer des flûtes.*

foie n.m. *Avoir les jambes en pâté de foie,* avoir les jambes molles. / *Avoir les foies* ou *les foies blancs,* avoir peur.

foin n.m. Tabac. – *Faire du foin,* faire du vacarme ; faire scandale.

foirade n.f. Diarrhée. / Reculade.

foire n.f. Tumulte confus : *Quelle foire ! – Faire la foire, la foiridon* ou *la foirinette,* faire la noce, s'amuser bruyamment, sans réserve. / Diarrhée ; peur : *Avoir la foire.*

foirer v.i. Déféquer. / Échouer, manquer son but, rater : *Je sens que ça va foirer.*

foireux adj. Souillé d'excréments : *Pet foireux.* / Peureux : *C'est un foireux.*

foiridon ou **foirinette** n.f. *Faire la foiridon,* faire la foire, la noce.

foiron n.m. Cul. – *Avoir le foiron flottant,* marcher en tortillant les fesses.

foisonner v.i. Sentir mauvais : *Ça foisonne ici !*

foldingue ou **folingue** n. et adj. Fou ; original : *Il est un peu folingue.*

folichon adj. Gai (s'emploie surtout négativement) : *Ce n'est pas folichon.*

folkeux n. Amateur de musique folklorique.

folklo adj. Démodé (folklorique).

folklorique adj. Pittoresque, mais pas sérieux : *Un député folklorique.*

folle n.f. Homosexuel : *C'est une folle.*

foncer v.i. Aller très vite. / Être actif, efficace.

fonceur n. Individu actif, efficace : *C'est un fonceur.*

fondre v.i. Maigrir.

fondu adj. Fou, inconscient de la conséquence de ses actes.

fonte n.f. Poids et haltères : *Manier la fonte.*

forcir v.i. Engraisser.

format n.m. *Petit format,* billet de 100 F. *Grand format,* billet de 500 F.

forme n.f. Bonne condition physique : *Tenir la forme.*

formidable n.m. Verre de bière d'un demi-litre.
□ adj. Extraordinaire, excellent.

formide adj. Extraordinaire, formidable.

fort adj. Difficilement croyable, outré, exagéré, étonnant : *Ça, c'est fort ! C'est un peu fort de café.*

fortiche adj. et n. Malin, rusé, fort : *Faire le fortiche.*

fossile n.m. et adj. Individu arriéré : *Un vieux fossile.*

fouettard n.m. ou **père Fouettard** loc. Cul.

fouetter v.i. Sentir mauvais : *Ça fouette ici ! /* Avoir peur : *Tu fouettes ?*

foufou, fofolle adj. et n. Écervelé.

foufoune n.f. Sexe de la femme.

fouignedé n.m. Anus, fouinedarès, figne.

fouille, fouillouse n.f. Poche, favouille. – *C'est dans la fouille,* c'est dans la poche, l'affaire est dans le sac.

fouille-merde n.m. Espion. / Enquêteur. / Journaliste.

fouiller (se) v.pr. Manquer, être privé.

fouinard adj. Indiscret, fouineur, curieux.

fouine n.f. Indiscret, fouineur. / Action de fouiner.

fouindarès ou **fouignedé** n.m. Cul.

fouiner v.i. Se montrer indiscret. / Fouiller avec curiosité : *Ce que j'aime, aux puces, c'est fouiner.*

fouler (se) v.pr. *Ne pas se fouler,* ne pas se donner de peine : *Celui-là, il se foule pas les méninges.*

foultitude n.f. Foule, grand nombre.

four n.m. Échec complet (spect.).

fouraille n.f. Arme à feu.

fouraillé adj. Armé : *Aujourd'hui, le plus petit casseur est fouraillé.*

fourailler v.t. Fourrer.
□ v.i. Tirer avec une arme à feu.

fourbi n.m. Toute espèce d'objets : *Un tas de fourbis.* – Objets personnels : *Il porte toujours son fourbi. / Fourbi arabe,* désordre incompréhensible.

fourchette n.f. *Avoir une bonne fourchette, un bon coup de fourchette,* un grand appétit. / *La fourchette du père Adam,* les doigts (pour manger). / *À la fourchette,* à la main. / *Coup de fourchette,* coup donné dans les deux yeux avec l'index et le majeur.

fourgue ou **fourgat** n.m. Receleur (arg.).

fourguer v.t. Céder à bas prix, bazarder. / Vendre à un receleur, à un fourgue (arg.).

fourmi n.f. Petit passeur de drogue.

fournée n.f. Ensemble de personnes nommées en même temps aux mêmes dignités : *Il a été décoré dans une fournée.*

fourragère n.f. Croix pectorale (ecclés.).

fourreau n.m. Pantalon.

fourrer v.t. Introduire, mettre : *Fourrer sa main dans sa poche.* – Enfermer : *Fourrer en prison.* – Faire entrer : *Fourre-toi ça dans la tête.* / *Fourrer son nez dans les affaires des autres,* se mêler de ce qui vous regarde pas. / Forniquer : *Fourrer une femme.* / *Se fourrer le doigt dans l'œil,* ou *dans l'œil jusqu'au coude,* se tromper, faire erreur. / *Ne pas savoir où se fourrer,* ne pas savoir comment se dérober à la confusion. / *Se fourrer dans un guêpier,* être mêlé à une sale affaire.

fourrure n.f. *Humecter sa fourrure,* uriner (femme).

foutaise n.f. Vétille.

fouteur de merde n.m. Qui sème le désordre.

foutoir n.m. Lieu de débauche. / Pièce en désordre.

foutral adj. Formidable (vx).

foutre n.m. Sperme.
☐ v.t. Forniquer. / Faire, ficher : *Ne rien foutre. Qu'est-ce que ça fout ?* / Donner, mettre : *Foutre un pain sur la gueule ; foutre en taule.* / *Foutre par terre,* faire tomber. *Foutre en l'air,* démolir. / *Foutre le camp,* s'en aller, s'enfuir. / *Foutre à la porte,* éconduire. / *Ça la fout mal,* ça fait mauvais effet ; c'est regrettable ; c'est scandaleux.
☐ **se foutre** v.pr. Se moquer : *Tu te fous de moi ?* / *Je m'en fous,* ça m'est égal.

foutrement adv. Très, beaucoup : *C'est foutrement bon.*

foutu adj. Perdu, condamné : *Avec son cancer, il est foutu.* / *Bien* ou *mal foutu,* bien ou mal bâti. / Habillé : *Mal foutu ; foutu comme quat'sous, foutu comme l'as de pique.* / Capable : *Il est foutu de le faire.* / Sacré, rude (toujours placé avant le nom) : *Un foutu con.*

fraîche n.f. Argent liquide : *Il faut d'abord penser à la fraîche.* – *Une fraîche,* une carafe d'eau.

fraîchement adv. Avec peu d'empressement : *Être reçu fraîchement.*

frais adj. Qui n'a pas encore été inhumé (pompes fun.).

fraise n.f. Visage. / *Ramener sa fraise,* se manifester hors de propos ; faire le malin. / *Envoyer sur les fraises,* éconduire. / *Sucrer les fraises,* être atteint de tremblements séniles. / *Al-*

ler aux fraises, quitter la route par accident.

fraline n.f. Sœur, frangine.

framboise n.f. Clitoris.

Franchecaille n.pr. La France.

franchouillard n. et adj. Français (péjor.) ; Français moyen, beauf, blaireau.

franco adv. Franchement, sans réticence : *Y aller franco.*
☐ adj. Sûr, loyal : *Un gars franco.*

franco-français adj. Exclusivement français : *La division droite-gauche de l'électorat est un problème franco-français.*

François n.pr. *Coup du père François,* étranglement ; fracture des vertèbres cervicales ; agression avec étranglement (arg.).

francouillard n.m. Franc (monnaie).

frangin n.m. Frère ; camarade, ami. / Franc-maçon : *Les frangins.*

frangine n.f. Sœur. / Femme ; maîtresse ; prostituée. / Lesbienne. / Religieuse.

fransquillon n.m. et adj. Français.

frappadingue adj. Fou ; frappé, dingue (mot valise).

frappe n.f. Voyou, fripouille : *Une petite frappe.*

frappé adj. Fou.

frapper v.t. Emprunter, taper.
☐ **se frapper** v.pr. S'émouvoir, s'inquiéter.

frayer v.i. Fréquenter une personne ou un lieu.

freak [frik] n.m. Solitaire neurasthénique et drogué.

frégaton n.m. Capitaine de frégate (mar.).

frelot n.m. Jeune frère, frérot.

fréquenter v.t. Avoir des relations sentimentales : *Il la fréquente, mais c'est pour le marida.*
☐ **se fréquenter** v.pr. Se masturber.

frère n.m. Ami, camarade : *T'es un frère.* / Individu mal défini : *Qu'est-ce qu'ils veulent, ces frères-là ? / C'est pas le frère à dégueulasse,* c'est excellent. / *Petit frère,* membre viril.

frérot n.m. Jeune frère.

fric n.m. Argent : *Tu peux sortir ton fric.*

fricassée de museaux n.f. Embrassade.

fric-frac n.m.inv. Vol de *fric* avec ef*frac*tion.

frichti n.m. Repas, plat cuisiné. – *Être de frichti,* être chargé de la cuisine.

fricot n.m. Repas.

fricotage n.m. Manigance.

fricoter v.i. Manigancer : *Qu'est-ce qu'il fricote ?* / Vivre de travaux plus ou moins licites.
☐ v.t. Préparer, faire cuire un plat.

fricoteur n. Qui fricote.

Fridolin n.pr. Allemand.

fri-fri n.m. Sexe de la femme. – *Cache fri-fri,* cache-sexe.

frigo n.m. Réfrigérateur. / Viande frigorifiée. / *Mettre au frigo* (ou *au frigidaire*), mettre de côté, en réserve (au fig.).
□ adj. Froid : *Il fait frigo.*

frimant n. Figurant (spect.).

frime n.f. Visage, silhouette : *Quelle frime !* / Figuration (spect.). / Feinte, fausse apparence, chose futile : *C'est de la frime.* / *Pour la frime,* pour rien, inutilement. / *Laisser en frime,* abandonner, laisser en rade.

frimer v.t. Regarder, observer.
□ v.i. Paraître, avoir l'air : *Il frime mal.* / Faire impression sur les autres : *Ça frime.*

fringué adj. Habillé : *Mal fringué.*

fringuer v.t. Habiller.
□ **se fringuer** v.pr. S'habiller.

fringues n.f.pl. Habits, vêtements. / *Fringues de coulisse,* sous-vêtements.

frio adj. Froid, frigo.

fripe n.f. Le commerce des vêtements. / Au pl. Vêtements ; vêtements d'occasion.

friqué adj. Riche.

friquet n.m. Mouchard.

Frisé ou **Frisou** n.pr. Allemand.

frit adj. Pris, cuit.

frite n.f. Visage. / *Avoir la frite,* être en forme. / Coup rapide et douloureux donné sur la fesse avec l'index replié.

fritz adj. et n. Allemand. / *Le fritz,* la langue allemande.

froc n.m. Pantalon. – *Baisser son froc,* s'humilier, se soumettre.

frocard n.m. Moine, religieux.

frognon n.m. Irritation du périnée causée par la marche et le frottement.

frolot n.m. Frère, frélot, frérot.

from, fromegi, frometon, fromgom, fromjo, fromtegom n.m. Fromage.

fromage n.m. Travail lucratif et peu fatigant, sinécure : *Avoir un bon fromage.* / Chargeur circulaire de mitraillette, dite boîte à camembert. / *Fromage blanc,* casquette d'uniforme à coiffe blanche. Chef de train (ch. de fer). / Juré de cour d'assises : *Les douze fromages.* / *En faire tout un fromage,* donner de l'importance à ce qui n'en a pas, en faire tout un plat. / Au pl. Pieds : *Marche pas sur mes fromages.*

frotte n.f. Gale.

Frotte (la) n.pr. Hôpital Saint-Louis, à Paris.

frottée n.f. Correction, défaite : *En 40, on a pris une frottée.*

frotter v.t. *Frotter les oreilles,* réprimander.
□ v.i. Flirter. – Danser en serrant de près.
□ **se frotter** v.pr. Danser en se serrant de près. / S'attaquer à, s'en prendre à : *Qu'il ose se frotter à moi.*

frotteuse n.f. Allumette.

frotting n.m. Dancing : *Le samedi, on va au frotting.* (V. FROTTER.)

frusquer (se) v.pr. S'habiller.

frusques n.m.pl. Habits : *Enfiler ses frusques.*

frusquin (saint-). V. SAINT-FRUSQUIN.

fuite n.f. Indiscrétion, révélation d'un secret. / Libération, départ en vacances : *Vive la fuite !*

fumant adj. Étonnant, extraordinaire : *Un coup fumant.*

fumante n.f. Chaussette.

fumasse adj. ***Être fumasse,*** être en colère, fumer.

fumée n.f. Danger : *Évitez d'aller au tabac, y a de la fumée.* / ***Envoyer*** ou ***balancer la fumée,*** tirer des coups de feu ; éjaculer. / ***Avaler la fumée,*** pratiquer la spermophagie.

fumelle n.f. Femme.

fumer v.i. Être en colère, éprouver du dépit. / ***Tiens ! fume, c'est du belge !*** Insulte qui accompagne une basane.

fumerons n.m.pl. Pieds, jambes. / ***Avoir les fumerons,*** avoir peur.

fumette n.f. Action de fumer le haschisch (drogue).

fumier n.m. Individu méprisable (insulte).

furax adj. Furieux.

furibard adj. Furieux, furibond.

fusain n.m. Prêtre en soutane. / Au pl. Jambes.

fusant n.m. Pet.

fusée n.f. Vomissement. / Diarrhée.

fusil n.m. Estomac : *Se coller quelque chose dans le fusil.* / ***Coup de fusil,*** note excessivement chère. / ***Fusil à trois coups,*** prostituée qui utilise toutes les ressources de son corps.

fusiller v.t. Démolir, bousiller : *Les ressorts de la tire sont fusillés.* / Faire payer très cher, donner le coup de fusil. / Dépenser toutes ses ressources : *Fusiller sa paye aux bobs.* / ***Se faire fusiller,*** perdre au jeu.

futal ou **fute** n.m. Pantalon : *Ma nénette s'est payé un futal.*

fute-fute adj. Malin, intelligent : *Il est pas fute-fute.*

G

gabelou n.m. Douanier.

gabier de poulaines n.m. Imbécile, incapable (mar.).

gabouiller v.i. Commettre une maladresse.

gâche n.f. *Une bonne gâche,* emploi de tout repos, bien payé, un bon job. / Papier gâché en cours de tirage (impr., photo, reprographie, etc.).

gâcher v.i. Travailler. / Gaspiller. / *Gâcher le métier,* faire concurrence en travaillant au-dessous du tarif normal.

gâchette n.f. Tireur : *Une bonne gâchette.*

gâcheuse n.f. Jeune homme efféminé. / Femme prétentieuse.

gadin n.m. Chute, culbute : *Prendre* ou *ramasser un gadin,* faire une chute. / Tête. / *Y aller du gadin,* être condamné à mort ou à une très forte peine de prison.

gadjé n.m. Tout individu non gitan (gitans). / Naïf, cave.

gadjie ou **gadgie** n.f. Compagne, amie.

gadouille n.f. Boue. / Pagaille, désordre.

gaffe n.m. Gardien de prison. / *Faire gaffe,* faire attention, se méfier, surveiller.
☐ n.f. Maladresse, impair : *Faire une gaffe.*

gaffer v.i. Faire une gaffe. / Surveiller ; faire attention, faire gaffe.

gaffeur n. Qui commet des gaffes, des maladresses.

gaga adj. et n. Tombé en enfance, sénile, gâteux.

gagne-pain n.m. Cul.

gagneuse n.f. Prostituée travailleuse (terme flatteur, arg.).

gail, gaille ou **gaye** n.m. Cheval. / Chien.

gale n.f. Personne ayant un mauvais caractère, agressive.

galère n.f. Angoisse ; peine, fatigue : *Le travail, c'est la galère. Ah ! galère !*

galérer v.i. S'ennuyer, ne pas avoir de but : *Je galère.* / Se lancer dans une entreprise laborieuse, sans résultat. / Trimer, peiner.

galerie n.f. Ensemble de ceux qui regardent en spectateurs : *Travailler pour la galerie.*

galérien n.m. Chauffeur d'un taxi muni d'une galerie à bagages.

galétard ou **galetteux** adj. Riche.

galetouse ou **galtouse** n.f. Gamelle : *Manger à la galtouse.*

galette ou **galtouse** n.f. Argent (monnaie). [V. BISCUIT, BELINS.] / Métrage de film enroulé (cinéma). / Disque : *Envoyez la galette !* (radio).

galine n.f. Jeune homme efféminé.

galipette n.f. Écart de conduite.

galoche n.f. Baiser. – *Rouler une galoche,* embrasser sur la bouche.

galon n.m. *Prendre du galon,* avoir de l'avancement.

galopard n.m. Pou.

galopin n.m. Demi de bière.

galoup n.m. ou **galoupe** n.f. Infidélité, indélicatesse, goujaterie.

galtouse n.f. V. GALETOUSE et GALETTE.

galuche n.f. Cigarette Gauloise, goldo.

galure ou **galurin** n.m. Chapeau.

gamahucher v.i. Pratiquer le cunnilingus et la fellation.

gamberge n.f. Réflexion, méditation ; souci. / Flânerie.

gambergeailler v.i. Rêvasser.

gamberger v.i. Réfléchir, imaginer, méditer, combiner. / Flâner.

gambette n.f. Jambe.

gambille n.f. Danse, action de danser.

gambiller v.i. Danser.

gamelle n.f. *Manger à la gamelle,* manger à l'ordinaire de la troupe (armée). – Manger sur le lieu de travail (avec ou sans gamelle). / *Ramasser une gamelle,* tomber, prendre une pelle. / *S'accrocher une gamelle,* être privé. / *Mettre une gamelle,* renoncer ; s'en aller. / *Attacher une gamelle à quelqu'un,* l'abandonner. / Projecteur (spect.). / Casque (moto). / Mémoire périphérique (informatique). / Filtre à air (auto). / Au pl. Pistons (auto). / Cymbales (musique).

gamin n.m. Fils : *Mon gamin a fait septième en maths.* / Jeune garçon.

gamine n.f. Fille : *Ma gamine.* / Fillette : *C'est encore une gamine.*

gamme n.f. *Toute la gamme,* toute la série, toute la suite : *Le président, les ministres, toute la gamme !*

ganache n.f. Sot, incapable : *Vieille ganache.*

gandin n.m. Valet du jeu de cartes.

gano n.m. Magot ; butin.

gapette ou **gâpette** n.f. Casquette, guimpette.

garage n.m. Chambre d'hôtel (prost.). / *Voie de garage,* endroit, poste où tout avancement est impossible et vers lequel on dirige un dossier ou une personne.

garçon n.m. Fils : *C'est mon garçon.* / Célibataire : *Il est vieux garçon.*

garde-mites n.m. Capitaine d'habillement (armée) ; magasinier, sergent fourrier.

gare n.f. *À la gare !,* Allez-vous-en ! / *Envoyer à la gare,* éconduire, mettre dehors.

garé en double file (être) loc. Attendre une prostituée occupée avec un autre client.

gargane n.f. Gorge : *Trancher la gargane.*

gargariser (se) v.pr. Se délecter (fig.).

gargue n.f. Bouche.

garni ou **garno** n.m. Hôtel de passe, hôtel meublé.

garouse n.f. Gare.

gaspard n.m. Rat.

gâteau n.m. *Partager le gâteau,* le profit. / *Avoir sa part de gâteau,* participer aux bénéfices. / *C'est du gâteau,* c'est facile. (V. TARTE.)
☐ adj. Indulgent : *Un papa gâteau.*

gâterie n.f. Fellation.

gau n.m. Pou.

gauche n.f. *Passer l'arme à gauche,* mourir. / *Jusqu'à la gauche,* jusqu'au bout, complètement. / *En mettre à gauche,* économiser, thésauriser.

gaucho adj.inv. et n. Gauchiste.

gaufre n.f. Visage. – *Se sucrer la gaufre,* se maquiller, se poudrer. / *Ramasser une gaufre,* prendre une gamelle, tomber. / Erreur : *Faire une gaufre.* / Casquette.

gaufrer v.t. Arrêter, surprendre : *Il s'est fait gaufrer.*
☐ **se gaufrer** v.pr. Se régaler : *Qu'est-ce qu'il s'est gaufré !* / Faire une chute, ramasser une gaufre.

gaule n.f. Membre viril. – *Avoir la gaule,* être en érection.

gauler v.t. Posséder une femme. / Voler : *Je me suis fait gauler ma mob.* / *Se faire gauler,* se faire surprendre, arrêter.

gavousse n.f. Lesbienne (javanais).

gaye. V. GAIL.

gaz n.m. Pet : *Lâcher un gaz.* / *Éteindre son gaz,* mourir. / *Mettre les gaz,* s'enfuir. / *Plein gaz* ou *à plein gaz,* à toute vitesse. / *Il y a de l'eau dans le gaz,* il y a quelque chose qui ne va pas.

gazer v.i. Aller à toute vitesse. / Aller bien : *Alors, ça gaze ?* / *Gazer avec,* éprouver un amour réciproque.

gazier n.m. Homme quelconque : *Tu connais ce gazier ?*

gazon n.m. Toison pubienne. / Chevelure.

géant adj. Formidable : *C'est géant.*

gégène n.f. Génératrice d'électricité. / Torture par l'électricité.
☐ n.m. Général (milit.).
☐ adj. et n.f. V. GÉNIAL.

gelé adj. Ivre : *Complètement gelé, le mec.* / Fou.

gelée n.f. *Dans la gelée,* position d'un cheval qui ne peut se dégager du peloton (turf).

gendarme n.m. Hareng saur.

génial adj. Formidable : *Un film génial.* – On dit aussi « gégène » : *C'est gégène, c'est la gégène.*

genou n.m. Crâne chauve. / *Faire du genou,* faire un appel du genou. / *Être sur les genoux,* être fatigué, épuisé.

genre n.m. Faux (brocante) : *C'est un genre de Gallé.*

géo n.f. Géographie (étud.).

géranium n.m. *Dépoter son géranium,* mourir.

gerbe n.f. Condamnation. / Année de prison, berge (verlan, arg.). / Vomissement.

gerbement n.m. Jugement ; condamnation (arg.).

gerber v.i. Vomir.
☐ v.t. Être condamné à : *Il a gerbé cinq ans* (arg.). / Condamner ; incarcérer : *Il est gerbé* (arg.).

gerboise n.f. Jeune homosexuel soumis, giton.

gerce n.f. Prostituée.

gervais n.m. Mi-travailleur, mi-proxénète. / Demi-sel.

gésier n.m. Estomac. – *Courts-circuits dans le gésier,* crampes d'estomac.

gi ! interj. Oui, d'accord !

gibier n.m. *Manger le gibier,* ne pas remettre la totalité de la comptée.

giclée n.f. Rafale de mitraillette. / Éjaculation.

gicler v.i. Partir (arme à feu). / S'enfuir : *Allez, gicle !*
☐ v.t. Faire sortir, jeter.

gicleur n.m. Bouche : *Ferme ton gicleur.*

gidouille n.f. Ventre. / Nombril. / Spirale.

gig n.m. Engagement de courte durée (jazz).

gigo ! interj. Oui, d'accord !, gi !

gigolo n.m. Jeune homme entretenu par une femme. / Valet du jeu de cartes.

gigolpince n.m. Gigolo.

gigot n.m. Cuisse : *Une paire de gigots.*

gileton ou **gilton** n.m. Gilet : *Oublie pas de mettre ton gileton.*

Ginette (Sainte-). V. SAINTE-GINETTE.

gingin (avoir du) loc. Être intelligent, avoir de l'esprit.

girafe n.f. Potence mobile portant un micro (spect.). / *Peigner la girafe,* perdre son temps à un travail inutile : *Faire ça ou peigner la girafe !...*

girie n.f. Manière affectée : *Faire des giries.*

girond n.m. Homosexuel soumis ; garçon entretenu, giton.
☐ adj. Beau, bien fait : *Elle est gironde.*

gisquette n.f. Jeune fille : *Une gisquette de seize ans.*

giton n.m. Jeune homosexuel soumis.

givré n.m. Fou : *Complètement givré.* / Ivre.

glaise n.f. Terre, surtout la terre cultivée : *Remuer la glaise.*

glaiseux n.m. Paysan, bouseux.

gland n.m. et adj. Imbécile.

glander v.i. Flâner, perdre son temps. / Faire (vague, sans précision) : *Qu'est-ce que tu glandes, aujourd'hui ?*

glandeur n. Flâneur, paresseux, glandouilleur.

glandilleux adj. Difficile, délicat.

glandouiller v.i. Perdre son temps, se promener sans but, glander.

glandouilleur n.m. Paresseux, glandeur, qui glande et glandouille.

glandouilleux adj. Pas clair, difficile.

glandu n.m. Imbécile (verlan).

glasse n.m. Verre à boire ; consommation : *Prendre un glasse.*

glaude n.f. Poche : *Opérer les glaudes.* □ n.m. et adj. Imbécile.

glauque adj. Pas clair, pas net ; qui inspire la méfiance : *Il est glauque, ce mec.* / Ennuyeux, décevant : *Ah, glauque !*

glaviot n.m. Crachat, gluau.

glavioter v.t. Cracher.

glisser v.t. *Glisser un fil,* uriner (homme). / *Se laissser glisser,* mourir (de maladie ou de mort naturelle).

gluant n.m. Nouveau-né : *C'est un gueulard, ton gluant.* / Savon : *Passe-moi le gluant.*

gluau n.m. Crachat, glaviot.

gluc n.m. Chance, bol.

gnace ou **gniasse** n.m. Gars, homme : *Tu le connais, ce gniasse ?*

gnaf n.m. Cordonnier : *Un gnaf qui fait des ribouis.*

gniard n.m. Enfant en bas âge : *Les gniards paient demi-tarif.*

gnière n.m. Gars, homme quelconque, gnace (péjor.).

gnognote n.f. Chose sans valeur : *C'est de la gnognote.*

gnôle ou **gniole** n.f. Eau-de-vie.

gnon n.m. Coup, jeton.

gnouf n.m. Prison, poste de police : *J'ai passé la nuit au gnouf.*

-go ou **got** suff. argotique. Auxiliaire : *auxigo ;* parisien : *parigot.*

Gob' (les) n.pr. Quartier des Gobelins, à Paris.

gober v.t. Croire naïvement. / Aimer : *Elle ne le gobe pas.* □ **se gober** v.pr. Avoir une haute opinion de soi-même.

gobette n.f. Habitude de la boisson.

gobi n.m. Nègre (péjor. et raciste).

gobilleur n.m. Juge d'instruction (arg.).

godailler v.i. Flâner, paresser. / Être en érection, goder.

godant adj. Excitant, intéressant, bandant.

godasse n.f. Soulier, pompe.

gode ou **godemiché** n.m. Membre viril postiche, jacquot.

goder v.i. Être en érection. / Désirer.

godet n.m. Verre à boire, consommation : *Écluser un godet.*

godeur adj. Ardent en amour.

godiche n.f. Fièvre paludéenne : *Il a ramené la godiche.*

godille (à la) loc.adv. Sans méthode : *Travailler à la godille.* / De travers : *Un coup de châsse à la godille.*

godiller v.i. Être en érection, goder.

godillot n.m. Grosse chaussure.
☐ adj. Fidèle, inconditionnel : *Les députés godillots.*

gogne adj. Mal présenté, mal habillé.

gogneux, euse adj. *Lettre gogneuse,* dont l'adresse est mal rédigée (postes).

gogo n.m. Individu crédule ; badaud. / *À gogo,* à satiété.

gogol ou **gol** adj. Débile, idiot. (Abrév. de *golmon,* verlan de *mongolien*.)

gogues ou **goguenots** n.m.pl. Lieux d'aisances : *Où sont les gogues ?*

goinfrer (se) v.pr. S'approprier, faire des profits.

goldo n.f. Cigarette Gauloise, galuche : *Un paquet de goldos.*

gomme n.f. Pneu (auto). / *Mettre la gomme,* accélérer, forcer l'allure. / *Remettre la gomme,* rengager. / *À la gomme,* de mauvaise qualité, sans intérêt : *Des bobards à la gomme.* / *Gomme à effacer le sourire,* matraque.

gommé adj. Adouci avec du sirop : *Un blanc gommé.*

gone n.m. Gamin lyonnais.

gonfle n.f. Gonflement : *Docteur, j'ai la gonfle.*

gonflé ou **gonflaga** adj. Courageux, résolu : *Pour faire ça, il faut être gonflaga.*

gonfler v.i. Exagérer, bluffer : *Écoute pas ce qu'il dit, il gonfle.*
☐ v.t. Ennuyer : *Il me gonfle.*

gonflette n.f. Exercice physique ayant pour seul but le développement des muscles : *Les adeptes de la gonflette.*

gonfleur n.m. Bluffeur.

gonze ou **gonzier** n.m. Individu mâle, homme digne de ce nom.

gonzesse ou **gonze** n.f. Femme, épouse (plus fam. que péjor.). / Homme sans énergie, lâche.

gorgeon n.m. Gorgée ; contenu d'un verre.

gorille n.m. Garde du corps.

gosse n. Enfant : *Mes gosses.* / Terme affectueux : *Ma gosse.* / *Être beau gosse,* bel homme et jeune.

gosseline n.f. Fillette.

goualante n.f. Chanson : *La goualante du pauvre Jean.*

gouale n.m. Chantage (arg.).

goualer v.t. Chanter. / *Faire goualer,* exercer un chantage (arg.).

goualeur n.m. Maître chanteur (arg.).

gouape n.f. Voyou, vaurien.

goudou n.f. Lesbienne.

gougnafier n. et adj. Maladroit ; mauvais ouvrier.

gougnote n.f. Lesbienne.

gougnoter v.t. Pratiquer l'amour lesbien.

gouine n.f. Lesbienne.

goule n.f. Bouche, gueule.

goulée n.f. Gorgée.

goulot n.m. *Taper* ou *repousser du goulot,* sentir mauvais de la bouche.

goumi n.m. Matraque de caoutchouc : *Un coup de goumi sur les endosses.*

goupiller v.t. Arranger, préparer, combiner : *Qu'est-ce qu'il goupille encore ?*

goupillon n.m. Membre viril.

gourance ou **gourante** n.f. Erreur. / Doute. (V. GOURER.)

gourbi n.m. Chambre, domicile : *Viens dans mon gourbi.*

gourde adj. et n. Imbécile, pas débrouillard : *Avoir l'air gourde.*

gourdin n.m. *Avoir le gourdin,* être en érection.

gourer (se) v.pr. Se tromper, faire erreur. / *S'en gourer,* se méfier de.

gourmand adj. S'applique à un individu corrompu (qui en croque) plus exigeant que d'autres.

gourmandise n.f. Fellation.

gousse n.f. Lesbienne.

goût n.m. *Faire passer le goût du pain,* tuer.

goutte n.f. Alcool : *Boire la goutte.* / *Boire la goutte,* se noyer ; subir une perte d'argent. / *Goutte militaire,* blennorragie chronique.

gouzi-gouzi n.m. Chatouille.

goyau n.m. Paysan, plouc. / Prostituée de bas étage.

grabasse adj. Ivre.

graf n.m. Graffiti.

graffin n.m. Chiffonnier.

graille n.f. Repas, absorption de nourriture : *Aller à la graille.*

grailler v.t. Manger.

graillon n.m. Odeur de friture ou de graisse brûlée : *Ça sent le graillon.* / Crachat.

graillonner v.i. Cracher bruyamment.

grain n.m. *Avoir un grain,* être un peu fou. / *Grain de café,* clitoris.

graine n.f. *Monter en graine,* grandir. / *Casser la graine,* manger. / *En prendre de la graine,* profiter d'un exemple. / *Graine de bois de lit,* nouveau-né. / *Graine de con,* imbécile.

grainer v.i. Manger, casser la graine.

graisse n.f. *À la graisse d'oie, à la graisse de chevaux de bois,* faux, mensonger. / *Faire de la graisse,* exagérer, baratiner, gonfler.

graisser la patte loc. Payer pour obtenir un service, donner un pot-de-vin.

Grande Boulange (la) loc. La Banque de France.

grande maison (la) loc. Préfecture de police, police : *Il fait partie de la grande maison.*

grand-mère n.f. Contrebasse (musique).

grappin n.m. *Mettre le grappin,* accaparer. / *Poser le grappin,* arrêter.

gras adj. *Gras du bide,* bedonnant.
☐ n.m. Bénéfice : *Faire du gras.* / *Tailler le bout de gras,* discuter, échanger des propos.
☐ adv. *Y a pas gras,* pas beaucoup.

gras-double n.m. Ventre.

gratin n.m. La haute société : *Il fréquente le gratin.*

gratiné adj. Extraordinaire, outré : *Une cuite gratinée.*

gratos adj. et adv. Gratuit ; gratuitement.

gratouille n.f. Maraca (musique).

gratte n.f. Gratification, prime. – *De la gratte,* du supplément, du rab. / *Des grattes,* les dernières économies réunies en grattant les fonds de tiroir. / *La gratte,* la gale ; des démangeaisons. / Action de se gratter. (V. FROTTE.) / Guitare : *Toucher à la gratte.* / Antisèche, aide-mémoire.

gratter v.i. Travailler : *Je gratte de 8 à 12.*
☐ v.t. Dépasser, devancer : *Il croyait m'avoir, mais je l'ai gratté.* / *Gratter le jambonneau,* jouer de la guitare. / *Gratter les fonds de tiroir,* réunir ses dernières économies.
☐ **se gratter** v.pr. Hésiter, se tâter : *Il est grisol, votre cador. Je me gratte.* / Se passer de, se bomber : *Tu peux te gratter, tu ne l'auras pas.* / *Se gratter la couenne,* se raser la barbe.

gratteur n.m. Violoniste (musique).

Gravelotte n.pr. *Ça tombe comme à Gravelotte,* ça arrive, de tous les côtés.

gravosse n. et adj. Gros, grosse (javanais) : *Elle est chouette, la gravosse.*

greffier n.m. Chat.

greffière n.f. Sexe de la femme ; pubis ; chatte.

grelot n.m. Téléphone : *Je te passerai un coup de grelot.* / *Attacher le grelot,* prendre l'initiative. / Au pl. Testicules. / *Avoir les grelots,* avoir peur.

grelotter v.i. Avoir peur.

greluche n.f. Femme ; épouse (familier ou péjor.).

grenouillage n.m. Intrigues douteuses, médisances, complots : *Le grenouillage électoral.*

grenouille n.f. *Grenouille de bénitier,* femme dévote. / *Manger la grenouille,* s'approprier une caisse, un budget que l'on est chargé de gérer. / *Grenouilles de bidet,* traces de sperme. – *Giclée de grenouille,* spermophagie.

grenouiller v.i. Participer au grenouillage.

grenouilleur n. Qui grenouille.

griffe n.f. Main : *Serrer la griffe.* / Pied. – *Aller à griffe,* aller à pied.

griffer v.t. Prendre, attraper : *Griffer un bahut.*
☐ **se griffer** v.pr. Se grimer, se maquiller : *Y a pas que les nénettes et les travelots qui se griffent la tronche.* / Se masturber.

grifton. V. GRIVETON.

grigri n.m. Bijou porté en pendentif : *Mon grigri, c'est une jeannette.*

grille d'égout n.f. Denture.

griller v.t. Fumer (du tabac) : *En griller une.* / Déconsidérer : *Il est grillé.* / Dépasser, devancer : *Il m'a grillé.* / *Griller un feu rouge,* ne pas s'arrêter au feu rouge de signalisation (auto). / Rater : *Maintenant, c'est grillé.*

grillot n.m. Document compromettant (arg.).

grimpant n.m. Pantalon : *Enfiler son grimpant.*

grimper v.t. Posséder une femme. / *Grimper à l'arbre,* croire naïvement, se faire mystifier.

grimpette n.f. Passe.

grinche n.f. Vol : *Vivre de la grinche* (arg.).
☐ n.m. Voleur : *C'est un grinche.*

grincher v.t. Voler.

gringue n.m. *Jeter, faire du gringue,* faire la cour. – *Être en gringue,* flirter.

gringuer v.i. Faire de la séduction, du gringue, flirter.

grinque n.f. Nourriture.

grippette n.f. Sexe de la femme. / Petite grippe, rhume.

grisbi n.m. Argent.

grisol adj. Coûteux, chéro.

grive n.f. L'armée ; le service militaire : *Faire sa grive.*

griveton ou **grifton** n.m. Soldat.

grognasse n.f. Femme (péjor.).

grolles n.m.pl. Chaussures. / *Avoir les grolles,* avoir peur.

gros n.m. *Les gros,* les riches.
☐ adj. *C'est gros, c'est un peu gros,* c'est exagéré, abusif.
☐ adv. Beaucoup : *Il gagne gros.*

gros-cul n.m. Tabac gris ordinaire. / Camion automobile : *Rien que des gros-culs sur l'autoroute.* / Grosse moto.

grossium n.m. Personnage important.

grosso merdo loc.adv. Grosso modo.

grouiller v.i. ou **se grouiller** v.pr. Se hâter, se dépêcher : *Grouille-toi, on est à la bourre.*

grouillot n.m. Saute-ruisseau. – Individu sans responsabilité aux ordres de quelqu'un.

groumer v.i. Grogner.

grouper v.t. Arrêter : *Il s'est fait grouper !*

groupiste n.m. Responsable du groupe électrogène (spect.).

grue n.f. Prostituée. / *Faire le pied de grue,* attendre patiemment sur place.

guenon n.f. Besoin de drogue, guêpe.

guêpe n.f. Besoin de drogue, guenon. / *Pas folle la guêpe !* Se dit à propos de soi-même ou d'une personne fine et habile.

guérite n.f. Confessionnal (ecclés.).

guette-au-trou n.m. et n.f. Accoucheur ; sage-femme.

gueulante n.f. Cris de protestation ou d'acclamation : *Pousser une gueulante.*

gueulard n. et adj. Gourmand. / Rouspéteur.
□ adj. Dissonant : *Des couleurs gueulardes.*

gueule n.f. Visage. *Avoir une bonne gueule,* ou *une sale gueule,* être sympathique, ou antipathique. – *Gueule de raie, gueule à chier dessus,* visage antipathique. – *Gueule de vache,* personnage brutal et autoritaire. – *Gueule d'amour,* séducteur. – *Faire la gueule,* faire la tête, bouder. *Gueule noire,* mineur. / *En prendre plein la gueule,* éprouver un vif sentiment d'admiration. / *Avoir de la gueule,* être beau, imposant. / *Avoir la gueule de l'emploi,* avoir le faciès correspondant à l'idée qu'on se fait d'une profession. / *Délit de sale gueule,* infraction limitée au faciès. / *Casser la gueule,* battre. – *Se casser la gueule,* faire une chute ; se battre. / Bouche : *Ta gueule ! Ferme ta gueule !* – *Grande gueule,* qui parle haut, mais n'agit pas. – *Fine gueule,* gourmet. – *Ça emporte la gueule,* c'est très épicé. – *S'en mettre plein la gueule,* manger beaucoup. – *Se saouler la gueule,* s'enivrer. – *Gueule de bois,* bouche pâteuse après l'ivresse. / *Se fendre la gueule,* rire aux éclats. / *Pousser un coup de gueule,* des cris de colère. / *Crever la gueule ouverte,* mourir de faim. / *Ma gueule,* moi : *Les pépins, c'est pour ma gueule.* – Terme d'affection (langage des amoureux) : *Ma gueule.* / Voir aussi CASSE-GUEULE.

gueulement n.m. Cri ; protestation.

gueuler v.i. et v.t. Crier ; protester. / Produire une dissonance : *Des couleurs qui gueulent.*

gueuleton n.m. Repas copieux : *Tu parles d'un gueuleton !*

gueuletonner v.i. Faire un bon repas.

guibolle n.f. Jambe : *Tu tiens pas sur tes guibolles.*

guigne n.f. Malchance, poisse.

guignol n.m. Tribunal : *Passer au guignol.* / Gendarme (On dit aussi, plus rarement, *arlequin).* / Excentrique, pas sérieux, ridicule : *Un vrai guignol.* / Trou du souffleur (spect.).

guiguite n.f. Membre viril (enfant).

guimauve n.f. Sentimentalité niaise ; rythme trop lent. / Guitare.

guimbarde n.f. Voiture en mauvais état.

guimpette n.f. Casquette, gapette.

guinche n.m. Bal : *Un petit guinche de banlieue.*

guincher v.i. Danser.

guincheur n. Danseur.

guindal n.m. Verre à boire : *Écluser un guindal* (au pl. : des *guindals*).

guinde n.f. Voiture, guimbarde : *Elle est naze, ta guinde.* / Grosse corde (théâtre).

guise ou **guizot** n.m. Membre viril.

guitare n.f. Bidet. / *Avoir une belle guitare,* avoir les hanches larges.

guitoune n.f. Chambre, domicile. – Tente de camping. / Guitare électrique.

gusse ou **gus** n.m. Individu quelconque : *Qu'est-ce que c'est que ce gusse ?*

H

h n.m. Héroïne (drogue). – Haschisch, hasch (drogue).

habillé n.m. Policier en uniforme. ☐ adj. *Habillé d'une peau de vache,* qui a une sale tête et ne donne pas confiance.

habitant n.m. *Avoir des habitants,* avoir de la vermine.

hambourgeois n.m. Policier en civil, en bourgeois.

hanneton n.m. *Pas piqué des hannetons,* conforme et non inférieur à ce qu'on doit en attendre : *Une caricature pas piquée des hannetons.*

hard adj.inv. Excessif, tendu, agressif, générateur d'angoisse pour les voisins.

hardeux adj. D'apparence, d'allure hard (cheveux, badge, santiags).

hareng n.m. Proxénète. / Gendarme. / *Être serrés comme des harengs,* très serrés.

haricot n.m. *Des haricots,* rien. – *La fin des haricots,* la fin de tout. / *Hôtel des haricots,* prison municipale. / *Courir sur l'haricot,* agacer, énerver, importuner. / *Jambes en haricots verts,* cintrées.

harnacher v.t. Habiller : *T'as fini de t'harnacher ?* – Arranger, maquiller (au fig.).

harnais n.m.pl. Vêtements.

harpigner v.t. Prendre, saisir.

harponner v.t. Arrêter au passage : *Je me suis fait harponner sur le trottoir par cet enflé.*

hasch n.m. Haschisch (drogue).

haut (faire le) loc. Faire la parade (forains).

haute n.f. Haute société, grand monde, élite : *Des gars de la haute.*

herbe n.f. Tabac. / Marijuana (drogue). / *Brouter l'herbe,* être désarçonné (turf).

heure n.f. *À l'heure qu'il est,* maintenant, à notre époque. / *L'heure H,* le moment de la décision. / *L'heure du berger,* le moment propice à l'amour. / *Ouvriers de la onzième* *heure,* toujours en retard. / *Bouillon d'onze heures,* poison. / *Je ne vous demande pas l'heure qu'il est,* mêlez-vous de ce qui vous regarde. / *S'emmerder à cent sous de l'heure,* énormément. / *Avant l'heure c'est pas l'heure, après l'heure c'est plus l'heure,* dicton.

heureux adj. Content de lui : *Imbécile heureux.*

high (être) loc. Planer aux amphétamines (drogue).

hippie n. et adj. Jeune à cheveux longs, habillé de façon non conformiste : *La mode hippie.* Au pl. : *les z'hippies.*

hirondelle n.f. Resquilleur (dans les cocktails, les théâtres, etc.).

histoire n.f. *Faire des histoires,* faire des façons ; faire des ragots. / Ennuis : *S'attirer des histoires.* / Objet quelconque : *Qu'est-ce que c'est que cette histoire ?* / *Histoire de,* pour, en vue de : *Histoire de rigoler.*

hivio n.m. Hiver.

homard n.m. Anglais. / *Rouge comme un homard,* rubicond.

homme n.m. Homme digne de ce nom : *Ça, c'est un homme. Parole d'homme.* / Qui a les qualités requises : *Je suis votre homme.* / Époux, mari, amant : *Je vous présente mon homme.* – Proxénète. / *Homme de barre,* camarade, complice. / *Homme de poids,* personnage important. / *Homme de paille,* prête-nom. / *Homme de main,* qui agit pour le compte d'un autre. *Homme orchestre,* bon pour tout. / *Comme un seul homme,* tous ensemble. / *Jeune homme,* fils : *Comment va votre jeune homme ?* – Monsieur (homme jeune) : *Hep ! jeune homme, partez pas sans payer !*

homo n. et adj. Homosexuel.

honte n.f. *C'est la honte,* cela fait mauvais effet : *Les santiags, c'est la honte.*

horreurs n.f.pl. Obscénités : *Dire des horreurs.* / *Musée des horreurs,* têtes antipathiques.

hosto n.m. Hôpital : *Entrer à l'hosto.*

hotte n.f. Automobile : *J'ai fourgué ma hotte.*

hotu n.m. et adj.inv. Médiocre, idiot.

hourdé adj. Idiot.

houri n.f. Femme.

housard n.m. Trou percé dans un mur (arg.).

H.S. adj. Abr. pour « hors service ». – Malade, bon à rien, dépassé : *Il est H.S.*

hublot n.m. Verre de lunette.

huile n.f. Personnage important : *C'est une huile.* / *Huile de coude,* énergie au travail. / *Tronche à l'huile,* naïf, cave. / *Filer de l'huile,* mourir doucement. / *Mettre de l'huile sur le feu,* envenimer une querelle.

huit (faire des) loc. Zigzaguer.

huitième sacrement n.m. Quête (ecclés.).

huître n.f. Personne stupide. / Crachat.

humecter (s') v.pr. *S'humecter le gosier,* boire.

hure n.f. Visage. *Se gratter la hure,* se raser. / *Hure à Untel !,* conspuez-le ! (étud.).

hyper- préfixe indiquant le superlatif ; a tendance à remplacer super-.

hypocrite (à l') loc. Sans prévenir : *Le feu est passé au rouge à l'hypocrite.*

hystérique n.f. et adj. Nymphomane : *C'est une hystérique.*

hystéro n. et adj. Très nerveux, délirant.

I

icite ou **icigo** adv. Ici. (*Icigo* est fort peu employé. La langue pop. lui préfère *icite*.)

idem au cresson loc. La même chose.

ièche v.i. Chier (verlan). *On se fait ièche,* on s'embête. *C'est ièche,* c'est à chier. (On écrit aussi *yèche.)*

illico adv. Immédiatement. – *Illico presto,* très vite.

ils pr. pers. Ceux qu'on ne veut pas désigner autrement ; les patrons : *Ils m'ont vidé ;* les huissiers, la police : *Ils sont venus vous demander ;* l'argent : *Ils sont de sortie ;* les règles : *Ils ont débarqué ;* etc.

image n.f. *Grande image,* billet de 500 F.

imbitable adj. Incompréhensible.

imbuvable adj. Insupportable : *Ce mec-là est imbuvable.*

impair n.m. Incorrection grave : *Il m'a fait un impair.*

impasse n.f. Partie de programme non apprise pour un examen : *J'ai fait l'impasse de la géo.*

impec adj. et adv. Impeccable, impeccablement.

imper n.m. Vêtement imperméable : *Il pleut, mets ton imper.*

incendier v.t. Réprimander vivement, engueuler : *Je me suis fait incendier par le singe.*

inco n. et adj. Incorrigible. / Inconnu.

incollable adj. Qui peut répondre à toutes les questions.

incon adj. et n. Inconditionnel, godillot.

inconnoblé adj. Inconnu, inco.

incurable n.m. Condamné à mort (arg.).

indécrottable adj. Impossible à améliorer : *Un cossard indécrottable.*

indérouillable adj. Gauche, qui n'apprendra jamais le métier.

indic n.m. Indicateur de police.

infichu ou **infoutu** adj. Incapable.

info n.f. Information (presse) : *L'heure des infos.*

installer (en) loc. Se vanter.

insti ou **instit** n. Instituteur.

insupporter v.t. Se dit pour être insupportable : *Cette musique m'insupporte.*

intello n. et adj. Intellectuel.

inter n.m. Interprète : *J'ai besoin d'un inter.*

interdit de séjour loc. Qui n'est pas accepté ni reçu dans un lieu public (café, par ex.), tricard.

intox n.f. Intoxication, action d'influencer les esprits : *Faire de l'intox.*

intoxico n. Drogué, intoxiqué, toxico.

introduire (l') loc. Duper, entuber : *Si je m'étais laissé faire, il me l'aurait introduit.*

invalo n. Invalide.

Invalos ou **Invaloches (les)** n.pr. Le quartier des Invalides, à Paris.

inventaire (faire l') loc. Faire des arpèges (musique).

investir (s') v.pr. Investir (psychol.). *S'investir complètement dans quelque chose,* se lancer dans un projet auquel on attache personnellement beaucoup d'importance.

invitation à la valse n.f. Invitation à payer.

iroquois n.m. Jeune homme portant une coupe de cheveux teints, hérissés au sommet du crâne, tempes rasées. (Cette mode s'accompagne de tatouages, badges, boucles d'oreilles, etc.)
□ **iroquoise** n.f. Coiffure d'un iroquois.

isoloir n.m. Urinoir.

itou adv. Idem, aussi : *Moi itou.*

J

jab n.m. Coup dans le ventre.

jabot n.m. Estomac.

jaboter v.i. Parler, dire, bavarder. / Manger.

jacques, jacquot ou **jacot** n.m. Membre viril. – Membre viril postiche, gode. / Mollet. / Pince-monseigneur. / *Faire le jacques,* faire l'imbécile. / Coffre-fort. / *Jacquot,* taximètre.

jactance n.f. Conversation, bagou, baratin : *Il a de la jactance.* / Action et habitude de se vanter.

jacter v.i. Parler : *La bignole est toujours en train de jacter.* / Médire : *Quelqu'un a jacté sur moi.*

jaffe n.f. Nourriture : *Aller à la jaffe.*

jaffer v.i. Manger.

jaja n.m. Vin rouge : *Un coup de jaja.*

jalmince adj. et n. Jaloux.

jambe n.f. *Partie de jambes en l'air,* amour physique. / *Par-dessous* ou *par-dessus la jambe,* avec négligence. / *Ça se fait sur une jambe,* c'est facile, c'est peu de chose. / *Tenir la jambe à quelqu'un,* l'importuner par une conversation. / *La jambe !,* tu m'ennuies ! / *Ça lui fait une belle jambe,* ça ne lui rapporte aucun avantage. / *Une demi-jambe,* cinquante francs.

jambon ou **jambonneau** n.m. Cuisse.

jambonneau n.m. Guitare, mandoline, banjo : *Gratter le jambonneau.* / Crosse de fusil.

jambonner v.i. Jouer d'un instrument de musique à cordes.

jante n.f. *Rouler sur la jante,* être à la limite de ses forces (cyclisme).

jaquette n.f. Homosexualité masculine. – *Être, filer de la jaquette,* être homosexuel.

jar ou **jars** n.m. Argot : *Dévider le jars.*

jardin n.m. *Faire du jardin,* critiquer, calomnier. / *Aller au jardin,* entreprendre une escroquerie (arg.).

jaser v.i. Médire. – Parler trop ; dénoncer.

jaspin ou **jaspinage** n.m. Bavardage.

jaspiner v.i. ou v.t. Bavarder, parler.

jaspineur n. Bavard. / Avocat.

jaune n.m. Briseur de grève. / Cocu.

jaunet n.m. et adj. Individu de race jaune, bridé.

java n.f. *Faire la java, être en java,* faire la fête. / *La java des baffes,* passage à tabac. – *Filer une java,* donner une sévère correction.

javanais n.m. Jargon obtenu par l'introduction dans un mot de la syllabe *av : gravosse* pour grosse. / Langage incompréhensible : *Il parle javanais ou quoi ?*

jazz-tango (être) loc. Avoir des goûts homosexuels et hétérosexuels ; être à voile et à vapeur.

jean-foutre n.m. Imbécile, gredin.

jean-le-gouin n.m. Matelot de la Marine nationale.

jean-nu-tête n.m. Membre viril.

je-m'en-fichisme ou **je-m'en-foutisme** n.m. Insouciance.

jèse n.m. Jésuite : *Faire ses études chez les jèses.*

jésuitière n.f. Collège de jésuites.

jésus n.m. Jeune homme efféminé. / Enfant mignon : *Mon jésus.*

jetard. V. CHTAR.

jeté adj. Démoralisé ; fou : *Il est complètement jeté.*

jetée n.f. Cent francs. / *Demi-jetée,* cinquante francs.

jeter v.t. Chasser, mettre à la porte : *Je me suis fais jeter.* / *En jeter un coup,* travailler avec ardeur, s'activer. / *N'en jetez plus, la cour est pleine !,* assez ! cela suffit, n'ajoutez rien. / *S'en jeter un,* boire un verre. / *En jeter* ou *jeter du jus,* avoir bonne allure, faire de l'effet. / *Jeter de la pommade,* flatter. / *Jeter de la grêle,* médire. / *Jeter son venin,* éjaculer.

jeton n.m. Coup : *Prendre un jeton.* / *Avoir les jetons,* avoir peur. / *Faux jeton,* hypocrite. / *Vieux jeton,* vieillard. / *Prendre un jeton,* ou *un jeton de mate,* assister, volontairement ou non, à une scène érotique, mater, se rincer l'œil.

jeu n.m. *Cacher son jeu,* dissimuler ses intentions. / *Faire le grand jeu,* étaler toutes ses aptitudes.

jeunabre n. et adj. Jeune, jeunot.

jeune adj. Insuffisant : *Une brique seulement ? C'est un peu jeune.*

jeunesse n.f. Jeune fille : *C'est encore une jeunesse.*

jeunot n.m. et adj. Jeune, adolescent : *C'est un jeunot ; il est un peu jeunot.*

jinjin n.m. Cerveau : *Il a rien dans le jinjin.* / Vin rouge, jaja.

job n.m. Emploi rémunéré : *Un bon job.* – Emploi temporaire : *Un petit job.* / Travail servant d'alibi.

jobard n.m. et adj. Crédule, dupe. / Fou, barjo.

joice ou **jouasse** adj. Content, joyeux : *Je suis tout joice.*

joint n.m. Cigarette de haschisch (drogue). / *Trouver le joint,* la manière de résoudre une difficulté.

jojo n.m. *Faire son jojo,* se montrer puritain. / *Un affreux jojo,* un enfant terrible.

jojo ou **joli** adj. Joli : *Il est pas jojo !* / En mauvaise situation. – *Eh ben ! te v'là jojo !,* te voilà frais !

jonc n.m. Or (métal) : *Casser le jonc.*

jongler v.i. Subir une abstinence, être privé, frustré, faire ballon.

jouasse. V. JOICE.

jouer v.t. *Jouer des flûtes, en jouer un air, jouer ripe,* s'enfuir, s'en aller. / *Jouer la châtaigne,* jouer brutalement (sport). / *Jouer au con,* être imprudent.

joufflu n.m. Fessier.

jouge (en moins de) loc. Aussitôt, en deux coups les gros.

jouir v.i. Éprouver l'orgasme. / Subir une grande douleur : *Le dentiste m'a fait jouir.*

jouissif adj. Qui fait jubiler ou donne des sensations fortes.

jour n.m. *Ça craint le jour,* c'est une marchandise d'origine louche, qui ne doit pas être montrée. / *Demain il fera jour.* Dicton : À chaque jour suffit sa peine. / Plat du jour : *Un jour à l'as !*

jourdé n.m. Jour, journée : *J'y suis resté trois jourdés.*

journaleux n.m. Journaliste.

journanche n.f. Journée : *Faire sa journanche.*

joyeuses n.f.pl. Testicules.

juif adj. Avare (péjor.).

jules n.m. Époux, concubin : *Je te présente mon jules.* / Proxénète. / Vase de nuit.

Jules n.pr. *Se faire appeler Jules,* se faire réprimander.

julie n.f. Femme, épouse, compagne. / *Faire sa julie,* prendre des manières pudibondes, se montrer puritaine.

julot n.m. Homme ; individu dont on ne connaît pas le nom. / *Petit julot casse-croûte,* petit voyou, jeune voleur qui ne cherche que sa subsistance quotidienne.

jumelles n.f.pl. Fesses. / Burettes de la messe (ecclés.).

jupé ou **juponné** adj. Ivre, enjuponné.

jus n.m. Courant électrique : *Il y a plus de jus.* (V. COURT-JUS.) / *Être au jus,* être au courant. / Eau, bain : *Tout le monde au jus.* / Café : *Une tasse de jus.* / *C'est le même jus,* c'est la même chose. / *Ça vaut le jus,* ça vaut la peine. / *Dans son jus,* dans son état d'origine (brocante). / *Jeter du jus* ou *en jeter,* avoir bonne allure, faire de l'effet.

juste (comme de) loc. Se dit pour « évidemment ».

jute n.m. Sperme.

juter v.i. Faire bon effet, jeter du jus. / Rapporter, être juteux. / Éjaculer.

juteux n.m. Adjudant (armée). ☐ adj. Qui fait de l'effet : *C'est juteux.* – Avantageux : *Une affaire juteuse.*

K

kaki n.m. Rabais accordé par une prostituée.

kangourou n.m. Client hésitant (prost.).

kébour n.m. Képi, kep's.

képi n.m. *Ramasser les képis,* monter en grade par décès des supérieurs. / *Képi à moustaches,* barrette ecclésiastique (ecclés.).

kep's n.m. Képi, kébour.

kès (c'est du) loc. C'est du kif, c'est pareil. (V. CAISSE.)

keuf n.m. Flic (verlan de flikeu).

keum n.m. Homme, individu, mec (verlan). / *Être keum,* être en manque de drogue (verlan).

khâgne n.f. Classe de préparation à l'École normale supérieure, section lettres.

khâgneux n.m. Élève de khâgne (étud.).

kif n.m. Chanvre indien mélangé au tabac (drogue).

kif (du) ou **kif-kif** loc. adv. ou adv. Autant, pareil : *Que ça te plaise ou pas, c'est du kif.*

kiki ou **quiqui** n.m. Cou. *Serrer le kiki,* étrangler. / *C'est parti, mon kiki !,* ça y est, ça marche !

kil, kilo ou **kilbus** n.m. Litre de vin.

kilo n.m. Mille francs. / Jour de consigne. / *Déposer un kilo,* déféquer.

kino n.m. Cinéma : *Aller au kino.*

kir n.m. Blanc cassis (apéritif).

kopeck n.m. *Pas un kopeck,* pas un sou.

L

là adv. *Être là, être un peu là,* avoir de la santé, de l'autorité, de la présence. / *Se poser là,* être à la hauteur. / *Ils sont pas là,* il n'y a pas d'argent.

là-bas adv. Lieu qu'on préfère ne pas nommer (prison, camp, asile d'aliénés, etc.) : *Je ne l'ai pas vu depuis qu'il est revenu de là-bas.*

labo n.m. Laboratoire.

lac n.m. Sexe de la femme.

lacet n.m. *Marchand de lacets,* gendarme.

lâchage n.m. Abandon, rupture.

lâcher v.t. Quitter, rompre, abandonner. / *Les lâcher,* payer. – *Les lâcher avec un élastique,* être avare. – *Lâchez-les, valse lente,* c'est le moment de payer. / *Lâcher les dés,* renoncer à une entreprise. / *Lâcher le paquet,* dévoiler complètement, avouer.

lâcheur n. Qui ne tient pas ses engagements.

lacsé n.m. Sac à main (largonji). / 10 000 F (un million de centimes).

lacson n.m. Paquet, pacson.

ladé adv. Ici, ou là. (V. ICIGO, LAGA.)

laféké ou **laféquès** n.m. Tasse de café (largonji).

laga adv. Là : *Qu'est-ce qu'il fout laga ?*

laguiole n.m. Couteau de poche.

laine n.f. Vêtement de laine : *N'oublie pas de prendre une petite laine.* / *Jambe de laine,* jambe fatiguée, lasse.

laisser v.t. *Laisser tomber, laisser choir, laisser glisser,* abandonner, ne plus s'intéresser à quelque chose. / *Laisser pisser,* laisser faire, ne pas intervenir. / *Se laisser glisser,* mourir.

laissez-passer n.m. Billet de 500 F.

lait de tigre n.m. Pastis.

laitue n.f. Prostituée débutante (prost.). / Sexe de la femme ; poils du pubis.

laïus n.m. Discours (étud.).

laïusser v.i. Prononcer un discours, une conférence, un cours magistral (étud.).

lamdé n.f. Dame, épouse (arg.). [V. LAMFÉ.]

lame n.f. Coutelas. / Individu courageux et régulier.

lamfé n.f. Femme, épouse (largonji). [V. LAMDÉ.]

lampe n.f. *S'en mettre plein la lampe,* boire et manger copieusement. / *Lampe à souder,* turboréacteur d'avion. – Mitraillette. – Grand nez.

lampion n.m. Gorge. – *S'en mettre un coup dans le lampion,* boire un verre.

lanarqué n.m. Client difficile, canard (largonji).

lance n.f. Eau. / Pluie.

lance-parfum n.m. Mitraillette.

lance-pierres n.m. *Manger avec un lance-pierres,* manger vite et mal.

lancequine n.f. Pluie.

lancequiner v.i. Pleuvoir. / Uriner.

lancer v.i. Élancer, avoir des élancements, des douleurs subites : *Ma jambe me lance.*

langouse, languetouse ou **languette** n.f. Langue.

langue n.f. *Faire une langue,* faire un baiser profond sur la bouche. / *Langue de bois,* discours usant de stéréotypes ne couvrant que des banalités.

languir (se) v.pr. Souffrir d'une attente, d'une absence : *Je me languis de toi.*

lanterne n.f. Fenêtre. / *Lanterne rouge,* dernier du peloton (sport) ; dernier.

lanvère n.m. Le lanvère n'est autre que le verlan... en verlan, c'est à dire à l'envers.

laotienne n.f. Héroïne fortement dosée, mais moins que le brown sugar (drogue).

lape n.m. Rien, la peau : *T'auras que lape.* / *Bon à lape,* bon à rien.

lapin n.m. Homme respectable, fort : *Un fameux lapin.* / *Chaud lapin,* coureur de filles. / Rendez-vous manqué : *Poser un lapin.* / *Coup du lapin,* coup sur la nuque, brisant les vertèbres. / *Ça sent le lapin,* ça sent mauvais (odeur *sui generis*). / *Ne pas valoir un pet de lapin,* ne rien valoir.

lapine n.f. Mère de famille nombreuse, femme qui accouche fréquemment.

lapiner v.i. Accoucher fréquemment.

laps n.m. Lapin : *Chasser le laps.*

larbin n.m. Domestique ; garçon de café ou de restaurant. / Individu servile : *C'est un larbin.*

lard n.m. Peau : *Se gratter le lard.* / *Faire du lard,* s'engraisser à ne rien faire. / *Mettre le lard au saloir,* se mettre au lit. / *Prendre tout sur son lard,* prendre la responsabilité entière. / *Tête de lard* (insulte), cabochard, entêté.

lardeusse ou **lardosse** n.m. Pardessus.

lardoire n.f. Arme blanche.

lardon n.m. Jeune enfant.

lardu n.m. Commissariat. – Commissaire de police. / Agent de police, flic. (On dit aussi « lard ».)

larf ou **larfeuil** n.m. Portefeuille.

larfou n.m. Foulard (verlan).

large (l'avoir) loc. Avoir de la chance, avoir du cul.

largeurs (dans les grandes) loc.adv. Largement, grandement : *Il se fout de moi dans les grandes largeurs.*

largonji n.m. Jargon qui substitue la lettre *l* à la première consonne et rejette celle-ci à la fin du mot avec un suffixe libre : *linvé pour vingt.*

larguer v.t. Abandonner, rompre. / *Être largué,* être dépassé par les événements. / *Larguer les amarres,* s'en aller.

Laribo n.pr. Hôpital Lariboisière, à Paris.

larjo ou **largeot** adj. Large : *Ton futal, il est pas larjo.*

larmichette n.f. Larme, très petite quantité de liquide : *J'en prendrai juste une larmichette.*

larzac n. et adj.inv. Écologiste, écolo. (Allusion aux manifestations écologiques sur le terrain militaire du plateau du Larzac.)

lascar n.m. Débrouillard.

lastique n.m. Se dit pour élastique : *Le lastique, les lastiques.*

Latin (le) n.pr. Le Quartier latin, à Paris.

latte n.f. Pied. / Chaussure : *Un coup de latte.* / Ski : *Une paire de lattes.* / ***Deuxième latte,*** soldat de deuxième classe, deuxième pompe. / ***Filer un coup de latte,*** emprunter, taper, latter.

latter v.t. Frapper, donner un coup de latte. / Emprunter, taper.

laubé. V. LEAUBÉ.

lavasse n.f. Potage trop liquide.

lavdu ou **lavedu** n.m. et adj. Imbécile, cave.

lavé adj. Se dit d'un lot dont les meilleures pièces ont été retirées (brocante).

lavement n.m. ***Partir comme un lavement,*** s'enfuir, s'éclipser sans explication. / ***Ça l'a pris comme un lavement,*** brusquement, sans motif.

laver v.t. Trier les meilleures pièces d'un lot (brocante). / Vendre, liquider, lessiver le produit d'un vol. / Blanchir des capitaux. / *Laver la tête,* réprimander.

lavette n.f. Individu lâche, sans énergie. / Langue.

lavure de vaisselle n.f. Potage insipide.

lazagne n.f. Portefeuille, larfeuil.

lazaro n.m. Cellule de sûreté des commissariats (arg.).

laziloffe n.m. et adj. Maladie vénérienne, ou atteint d'une maladie vénérienne.

leaubé adj. Beau, belle : *Il est pas leaubé, ton clebs.* Autre féminin : *leaubiche* (largonji).

lèche n.f. Flagornerie, basse flatterie : *Faire de la lèche.*

léché adj. Exécuté minutieusement : *Peinture léchée.*

lèche-bottes ou **lèche-cul** n.m. Flatteur, flagorneur.

lécher v.t. Exécuter avec soin, avec minutie : *Lécher un tableau.* / *Lécher les vitrines,* s'attarder aux étalages. / *Lécher les amygdales,* embrasser sur la bouche. / *Lécher,* pratiquer le cunnilingus. / *Lécher les pieds, les bottes* ou *le cul de quelqu'un,* s'abaisser par flagornerie.

lécheur ou **léchard** n.m. Flatteur, flagorneur.

lèche-vitrine (faire du) loc. Lécher les vitrines, s'attarder aux étalages.

lecture n.f. *Être en lecture,* être occupée avec un client (prost.).

léger n.m. *Faire du léger,* agir seulement sans risque.

légitime n.f. Épouse : *Je vous présente ma légitime.*

légobiffin n.m. Légionnaire.

légume n.f. S'emploie pour le masculin : *La légume est chère.* / *Une grosse légume,* un personnage important. / *Perdre ses légumes,* déféquer ou uriner involontairement, par peur ou par sénilité.

Léon *Vas-y, Léon !* Interj. d'encouragement. / *Gros-Léon,* président de la cour d'assises (arg.).

léotard n.m. Maillot de gymnaste. (La datation de ce mot, remis à la mode en 1986, remonte à 1903.)

lerche adj. Cher (employé surtout sous la forme négative) : *Ça vaut pas lerche* (largonji).
□ adv. Beaucoup : *Y en a pas lerche.*

lessive n.f. Amnistie.

lessivé adj. Épuisé de fatigue.

lessiver v.t. Supprimer, tuer : *Il s'est fait lessiver.* / Mettre à la porte, congédier. / Écouler, laver une marchandise volée.

lessiveuse n.f. Locomotive à vapeur. / Mitraillette.

lest n.m. *Lâcher du lest,* faire de petites concessions.

levage n.m. Racolage.

lever v.t. Séduire : *Lever une femme.* – Racoler. / Voler : *On m'a levé mon lardeusse.* / *Lever le torchon,* lever le rideau (spect.).

lévier n.m. Se dit pour évier : *Le lévier est encore bouché.*

lévo v.t. Voler (verlan).

lèvres n.f.pl. *Me fais pas rire, j'ai les lèvres gercées,* se dit lorsque la situation ne permet pas de rire ouvertement. / *Je ne le connais ni des lèvres ni des dents,* je ne le connais pas du tout (ni d'Ève ni d'Adam).

levrette (en) loc. adv. À la manière des chiens.

lézard n.m. Fainéant. – *Faire le lézard,* se chauffer paresseusement au soleil.

lézarder v.i. Fainéanter.

liban n.m. Haschisch libanais (drogue).

licher v.t. Boire : *Licher un verre.* / Lécher : *Ils se lichent la gueule.*

licheur n.m. Buveur.

lieute n.m. Lieutenant (armée).

lièvre n.m. Individu vif et déluré. / Cheval qui force les autres à prendre une allure trop rapide (turf).

ligne n.f. Cocaïne : *Sniffer une ligne* (avec une paille).

ligodu ou **ligoduji** adv. Oui, d'accord (arg. fantaisiste).

ligote n.f. Corde à lier, à ligoter.

ligoter v.t. Lire : *Ligoter un polar.*

lili-pioncette n.f. Morphine (drogue).

limace ou **limouse** n.f. Chemise. / Au pl. Lèvres.

limande n.f. Prostituée. / *En limande,* en position couchée (moto).

limé adj. Additionné de limonade : *Un blanc limé.*

limer v.i. Pratiquer un coït lent.

limite n.f. *À la limite,* à la rigueur. (Expression permettant de garder une certaine distance avec ce qu'on dit.) / *C'est limite,* c'est très juste : *Pour avoir mon avion, c'était limite.*

limonade n.f. *Être dans la limonade,* dans la misère, dans la panade. / Tenir un commerce de boissons.

limouse n.f. Chemise, limace. / Lime.

linge n.m. *Du beau linge,* du beau monde.

lingé adj. Bien habillé.

linger v.t. Vêtir.

lingue n.m. Lingot d'or. / Couteau (arme).

linvé adj. Vingt (largonji).

lion n.m. Homme énergique, courageux. *Avoir bouffé du lion,* être plein d'énergie. *Se défendre comme un lion,* bien réussir grâce à son énergie.

liquette n.f. Chemise.

liquider v.t. Se débarrasser : *Liquider quelqu'un.* / Tuer : *Il s'est fait liquider.*

lisbroquer v.i. Uriner.

Lisette *Pas de ça Lisette,* formule de refus, de dénégation.

lisses n.f.pl. Bas de femme : *Enfiler ses lisses.*

litanies n.f.pl. Check-list (aéron.).

litron n.m. Bouteille d'un litre (de vin).

livre n.f. Billet de 100 F.

locdu n.m. et adj. Bizarre, fou, timbré. / Bon à rien, besogneux ; minable, mal habillé ; laid.

loche n.f. Oreille. / Chauffeur de taxi ; taxi.

loilpé (à) loc. Nu, à poil (largonji).

loinqué n.m. Coin, endroit : *Je suis resté peinard dans le loinqué* (largonji). □ adv. Loin (par homonymie) : *C'est encore loinqué ?*

lolo n.m. Sein : *Une belle paire de lolos.*

longe n.f. Année (durée) : *J'ai tiré trois longes.* (Ne désigne jamais l'âge.)

longitude n.f. *Prendre une longitude,* fainéanter (mar.).

longue (de) loc.adv. Sans interruption.

longuette n.f. Petite antienne parabolique de télévision.

longueur d'onde loc. *Être sur la même longueur d'onde,* s'entendre parfaitement.

look n.m. Apparence, allure ; esthétique : *Avoir un look d'enfer.*

looké adj. Partisan d'une mode particulière : *Être looké plouc.*

lopaille, lope ou **lopette** n.f. Homosexuel. / Lâche, faible, dégonflé.

loquedu. V. LOCDU.

loquer v.t. Habiller.
☐ **se loquer** v.pr. S'habiller.

loques n.f.pl. Vêtements.

loser n.m. Perdant. (Antonyme de battant [de l'anglais *looser*].)

lot n.m. Femme désirable : *Un joli lot.* / *Gagner le gros lot,* bénéficier d'une chance énorme.

loterie n.f. Entreprise dans laquelle semble intervenir le hasard : *Le mariage, c'est une loterie.*

loti adj. *Être bien* ou *mal loti,* partagé, favorisé : *Avec une gonzesse comme ça, le voilà bien loti !*

loto n.m. *Avoir les yeux en boules de loto,* les yeux ronds.

loub ou **loubar** n.m. Jeune voyou, jeune marginal, loulou.

loubarde n.f. Ampoule électrique, loupiote.

loubé n.m. Bout, morceau : *File-m'en un loubé.*

loubiat n.m. Haricot.

loucedé (en) ou **en loucedoc** loc.adv. Discrètement, en douce (largonji).

louche n.f. Main, cuillère : *Se serrer la louche.*

louchébème ou **loucherbem** n.m. Boucher (largonji).

louf. V. LOUFOQUE.

loufer v.i. Péter.

loufiat n.m. Garçon de café ou de restaurant, larbin.

loufocoïdal adj. Bizarre (étud.).

loufoque ou **louf** n. et adj. Fou (largonji).

loufoquerie n.f. Bizarrerie.

louftingue n. et adj. Fou, folle, louf (largonji).

Louis XV n.pr. *Avoir des jambes Louis XV,* avoir des jambes torses.

louise n.f. *Lâcher une louise,* vesser.

loulou, louloute n. Jeune voyou, jeune marginal, loubar : *Les loulous de banlieue.* / *Mon loulou, ma louloute,* termes d'affection.

loup n.m. Malfaçon, chose loupée ; inconvénient ; lacune : *Y a un loup.*

loupage n.m. Action de louper. – Chose loupée.

loupe n.f. Fainéantise : *Quelle loupe il tient !*

louper v.t. Rater : *Louper une pièce, un travail. Louper un train.*

loupiot n.m. Petit garçon, garçonnet.

loupiote n.f. Petite fille. / Ampoule électrique ; lampe.

louquer v.t. Observer, regarder : *Louque un peu la gonzesse* (de l'anglais *to look*).

lourd n.m. Riche. / Paysan.

lourde n.f. Porte : *Boucler la lourde.* / Drogue forte (drogue).

lourder v.t. Fermer la porte. / Mettre à la porte.

lourdingue adj. Lourd : *Le pacson est lourdingue.* / Lourdaud, stupide : *Il est lourdingue, ton pote.*

loute n.f. La femme en général. / Sobriquet affectueux, louloute : *Tu viens, ma loute ?*

lové n.m. Vélo (verlan).

loyale (à la) loc.adv. Sans tricherie.

Lucal (le) ou **le Luco** n.pr. Jardin du Luxembourg, à Paris.

lucarne enchantée n.f. Anus.

luisard n.m. Soleil.

lune n.f. Cul : *Se faire taper dans la lune.* / *Comme la lune* ou *con comme la lune,* stupide (en parlant de personnes ou de choses).

lunette n.f. Ouverture ronde : *La lunette des chiottes.* / Ouverture de la guillotine.

luttanche n.f. Lutte.

luxurieux adj. Se dit, par erreur ou par plaisanterie, pour luxueux.

M

maboul adj. et n. Fou, inconscient.

maboulisme n.m., ou **maboulite** n.f. Folie.

mac n.m. Proxénète, maquereau.

macab n.m. Cadavre, macchabée.

macache ! adv. et interj. Jamais !

macadam n.m. Trottoir. / Faux accident du travail. – *Piquer un macadam,* déclarer un faux accident du travail.

macaron n.m. Rosette de décoration ou insigne porté à la boutonnière. / Insigne sur le pare-brise d'une voiture officielle. / Volant d'automobile.

macaroni n.m. Italien, rital. / Fil téléphonique : *Dérouler le macaroni* (postes). / *Allonger le macaroni,* se masturber.

macchabée n.m. Cadavre.

machin ou **machin-chose** n.m. Chose dont on ne connaît pas le nom : *Un machin.*
□ n.pr. Personne dont on a oublié le nom : *J'ai rencontré Machin,* ou *Machin-Chose.*

machine n.f. *Machine à coudre* ou *à secouer le paletot,* mitrailleuse. –*Machine à percer,* mitraillette. / *Machine à cintrer les guillemets,* farce de typographes (impr.). / Avion (aéron.).

machinette n.f. Voleur à la tire (arg.). – *Vol à la machinette,* par un employé de magasin qui a des complices à l'extérieur (arg.).

macho n.m. et adj. Mâle, phallocrate.

machoiron n.m. Passager (mar.).

Madagascar n.pr. Pelouse du champ de courses d'Auteuil.

madame n.f. Patronne de maison de prostitution (arg.). / *Jouer à la madame,* affecter des airs de grande dame.

mademoiselle n.f. Inverti. / Sous-maîtresse (prost., arg.).

magaze n.m. Magasin.

magner (se) ou **se manier** v.pr. Se presser : *Magne-toi le train, les fesses* ou *la rondelle.*

magnes n.f.pl. Manières affectées, chichis : *Faire des magnes.*

magnéto n.m. Magnétophone.

magouille n.f. Intrigue, lutte d'influence, combinaison douteuse entre des groupes ou des personnes à l'intérieur d'une entreprise ou d'un groupe, grenouillage : *Faire des magouilles, une magouille de première.*

magouiller v.t. Faire des magouilles.

magouilleur n. Intrigant, amateur de magouilles.

mailloche adj. Fort, robuste, malabar : *Un gars mailloche.*

main n.f. *Avoir à sa main,* à sa merci. / *Faire une main tombée,* dérober ; faire une caresse rapide sur la fesse. *Mettre la main au panier,* caresser les fesses ou le sexe. *Avoir la main baladeuse,* faire des caresses indiscrètes. / *Être en main,* être occupée avec un client (prost.). Se dit aussi d'une femme ou d'une jeune fille qui a un amant ou un ami : *Ne perds pas ton temps à la draguer, elle est en main.* / *De seconde main,* d'occasion. / *Passer la main,* renoncer, ne pas insister.

maison n.f. Désigne tout un groupe : *La maison poulaga,* la police ; *la maison tire-bouton,* les lesbiennes ; etc. / Maison de prostitution : *Travailler en maison.* / *Gros comme une maison,* de façon visible, évidente, indiscutable : *Il s'est payé ma gueule, gros comme une maison.*
□ adj. Indiscutable, authentique : *Un abruti maison.*

majo n.m. Étudiant syndicaliste de la fraction majoritaire (étud.).

major n.m. Premier d'une promotion (étud.). / Médecin militaire.

mal adv. *Se trouver mal sur quelque chose,* le dérober. / *Être mal vu,* ne pas être apprécié. / *Ça la fout mal,* ça fait mauvais effet. / *Ça fait mal,* ça fait très mauvais effet. (Employé parfois dans un sens positif : ça fait très bon effet.)
□ **pas mal** loc.adv. Beaucoup, en assez grande quantité : *Il en a pris pas mal.* / Assez bien : *C'est pas mal.*

malabar adj. et n.m. Grand, fort. / Billet de 500 F.

malade adj. Fou : *T'es pas un peu malade ?* / *En être malade,* avoir des soucis : *J'en suis malade.*

maladie n.f. Maladie grave de la faune ou de la flore : *Les arbres ont la maladie.* / *Maladie de neuf mois,* grossesse. / *En faire une maladie,* exagérer sa contrariété. / *Avoir la maladie de,* la manie : *La maladie de la propreté.*

Malak n.pr. Malakoff, dans la banlieue parisienne.

mal-au-ventre (à la) loc.adv. Se dit d'un pantalon à poches sur le devant.

mal blanchi n.m. Individu de race noire (péjor. et raciste).

maldonne n.f. *Il y a maldonne,* un malentendu.

malfrat n.m. Voyou, truand nuisible.

malheur n.m. Réussite, succès : *Faire un malheur* (spect.). / Éclat, scandale : *Retenez-moi, ou je fais un malheur !* / ***De malheur,*** maudit, funeste : *Ce flic de malheur !* / ***Tombé dans le malheur,*** condamné.

malhonnête adj. Se dit pour indécent.

malle n.f. Salle de police (milit.). / ***Se faire la malle,*** partir, s'évader. / ***Ferme ta malle,*** tais-toi.

mallette n.f. ***Faire malette et paquette,*** partir, faire la malle.

mallouser v.t. Quitter, abandonner ; faire la malle.

malva (aller chez) loc. Aller mal : *Il va chez malva* (verlan).

mama n.f. Mère de famille nombreuse.

-man' suff. argotique. *Accrochman',* accroché ; *arrang'man,* arrangé ; *poulman',* poulet.

manchard n.m. Mendiant.

manche n.m. Membre viril. – ***Avoir le manche,*** être en érection. / ***Manche, manche à couilles, dégourdi comme un manche,*** imbécile, maladroit. / ***Tomber sur un manche,*** sur un obstacle imprévu. / ***Être du côté du manche,*** bien placé du côté des puissants. □ n.f. ***Faire la manche,*** faire la quête, mendier : *Les clodos font la manche.* / ***Avoir quelqu'un dans sa manche,*** avoir du crédit auprès de lui. / ***C'est une autre paire de manches,*** c'est tout différent.

manchette (coup de) loc. Coup donné avec l'avant-bras.

manchot adj. *Ne pas être manchot,* être fort, adroit.

manchouillard adj. et n. Manchot.

mandagat n.m. Mandat : *T'aurais pu m'envoyer un mandagat.*

mandale ou **mandole** n.f. Gifle : *Filer une mandale.*

mandarine n.f. Petit sein.

mandibules n.f.pl. Mâchoires. – ***Claquer des mandibules,*** avoir faim.

mandoline n.f. Matraque faite d'un sac rempli de sable (arg.). / Mitraillette. / Bassin hygiénique (hôpitaux). / ***Jouer de la mandoline,*** se masturber (femme).

mandrin n.m. Membre viril. – ***Avoir le mandrin,*** être en érection.

manettes n.f.pl. Oreilles. / Pédales de bicyclette.

mangave n.f. Mendicité : *Faire la mangave.*

manger v.t. ***En manger,*** accepter de l'argent en échange d'un service. *En manger* s'emploie plutôt à l'endroit d'un policier accusé de corruption, *en croquer* à celui d'un indicateur de police. – ***En manger*** (sous entendu : du pain de fesse) c'est aussi vivre de la prostitution. / ***Manger le morceau,*** avouer, dénoncer, faire des révélations. / ***Manger un morceau,*** manger frugalement, casser une graine. / ***Se manger le nez,*** se quereller. / ***Manger la consigne,*** oublier une recommandation. / ***Il y a à boire et à manger,*** des avantages et des inconvénients. / ***Manger à tous les râteliers,*** tirer profit de toutes les situations, sans fidélité à qui que ce soit.

manier (se). V. MAGNER.

manière (bonne) n.f. Fellation.

manieur de fonte n.m. Haltérophile (forains).

manif n.f. Manifestation publique ; monôme d'étudiants.

manigance n.f. Petite manœuvre suspecte.

manigancer v.t. Combiner, tramer en secret.

manipes n.f.pl. Manipulation (étud.).

manitou n.m. Personnage puissant : *C'est le grand manitou.*

manivelles n.f.pl. Jambes (cyclisme). / Bras.

mannequins n.m.pl. Gendarmes, guignols, arlequins.

manœuvre n.f. *Et ça y va la manœuvre !* Se dit à propos d'une grande activité quelconque.

manouche n.m. Gitan.

manque n.m. Absence, insuffisance : *Être en manque* (drogue). / *À la manque,* mauvais, défectueux, ridicule, sans intérêt. / *Manque de pot,* pas de chance.

mansarde n.f. Crâne : *Rien dans la mansarde.*

maousse adj. Grand, fort, gros : *Un cigare maousse.*

maqua n.f. Entremetteuse, maquerelle (arg.).

maquer v.t. Exploiter quelqu'un, soit une fille (prost.), soit un travailleur indépendant : *Un écrivain maqué par son agent.*
☐ **se maquer** v.pr. Se mettre en ménage.

maquereau n.m. Proxénète.

maquereautage n.m. Proxénétisme.

maquereauter v.i. Vivre de proxénétisme.

maquereautin n.m. Petit maquereau (dans les deux sens : poisson et souteneur).

maquerelle n.f. Entremetteuse : *Une mère maquerelle.*

maquillage n.m. Blessure volontaire : *Pas de macadam sans bon maquillage.*

maquille n.f. Maquillage de voitures volées ou d'occasion.

maquiller v.t. Faire quelque chose de louche : *Qu'est-ce qu'il maquille encore, celui-là ?* / Truquer, falsifier : *Maquiller les brèmes,* truquer les cartes. – Dissimuler les défauts d'une voiture d'occasion, ou l'origine d'une voiture volée.
☐ **se maquiller** v.pr. Se blesser volontairement.

marabout n.m. Aumônier de la marine (mar.).

marasquin n.m. Sang (arg.).

maraude n.f. Recherche des clients par les taxis en dehors des stations.

marauder v.i. Pour un taxi, être en maraude.

maraudeur n.m. Chauffeur de taxi qui pratique la maraude.

marave v.t. Battre ou se battre : *Si elle m'emmerde, je vais la marave* (arg.). / Tuer.

marca n.m. Marché : *Aller au marca.*

marcel n.m. Maillot de corps à jours.

marchand n.m. *Marchand de sommeil,* hôtelier. / *Marchand de soupe,* restaurateur. – Industriel pour qui ne compte que le profit, au détriment de la qualité. / *Marchand de viande,* proxénète se livrant à la traite des blanches. / *Marchand de lacets,* gendarme.

marchandise n.f. Excrément : *Mettre les pieds dans la marchandise.* / Organes sexuels masculins. / *Faire valoir sa marchandise,* présenter les choses sous un jour favorable.

marcher v.i. *Marcher dedans,* mettre le pied dans un excrément. / Accepter : *Je lui ai proposé la botte, elle a marché.* / *Ne pas marcher,* ne pas vouloir, refuser une proposition. / Croire naïvement : *Tu peux lui sortir des vannes, il marche à tous les coups.* / *Marche à l'ombre,* ne te fais pas remarquer. / *Marcher sur les pieds de quelqu'un,* marcher sur ses brisées.

marcheuse n.f. Prostituée. / Figurante muette (spect.).

marcotin n.m. Durée d'un mois, d'un marqué : *Il a écopé d'un marcotin sec.*

margis ou **marchis** n.m. Maréchal des logis (armée).

margoulette n.f. Bouche, gueule.

margoulin n.m. Commerçant peu scrupuleux.

marguerite n.f. Cheveu blanc : *Avoir des marguerites dans le cresson.* / Préservatif.

marida n.m. Mariage : *Il est mûr pour le marida.*
□ adj.inv. Marié : *Elle est marida.*
□ **se marida** v.pr. Se marier : *Je me suis marida.*

marié adj. *Être marié à la mairie du vingt et unième arrondissement,* vivre en concubinage.

Marie-couche-toi-là n.f. Femme facile.

marie-jeanne n.f. Marijuana (drogue).

marie-louise n.f. Pet, louise.

Marie-pisse-trois-gouttes n.f. Très jeune fille.

marie-salope n.f. Drague (mar.). / Jus de tomate additionné de vodka.

marine n.f. *Travailler pour la marine,* être constipé.
□ n.m. Pantalon à pattes d'éléphant avec poches sur le devant.

marin fendu n.m. Femme marin (mar.).

mariner ou **maronner** v.i. Attendre longuement et à contrecœur.

mariole adj. et n. Adroit, rusé, malin. – *Fais pas le mariole,* ne te fais pas plus malin que tu n'es.

marjo ou **margeot** n.m. Jeune voyou, marginal.

marle adj. Adroit, rusé.

marlou ou **marloupin** n.m. Voyou.

marmelade (en) loc.adv. Abîmé, meurtri, cassé.

marmouset n.m. Fœtus.

marner v.i. Travailler durement.

maronner v.i. Attendre, poireauter. / Maugréer, rager, être en colère.

marqué ou **marcotin** n.m. Mois (durée).

marquer v.t. Faire une marque par tricherie : *Les cartes sont marquées.* / Faire une marque infamante sur le visage : *Elle est marquée* (arg.). [V. CROIX, *croix des vaches.*] / ***Marquer le coup,*** souligner volontairement ou non l'importance que l'on attache à quelque chose. / ***Marquer un point,*** avoir l'avantage. / ***Marquer midi,*** être en érection. / ***Marquer mal,*** être mal habillé ; faire mauvaise impression : *Ton petit copain, il marque mal.*

marquouse n.f. Marque faite à une carte à jouer.

marrade n.f. Action de se marrer, de rire, rigolade : *Une bonne marrade.*

marraine n.f. Femme témoin à charge (arg.).

marrant adj. Drôle, amusant. □ n.m. Anus.

marre adv. Trop, assez : *C'est marre.* – ***En avoir marre,*** en avoir assez, être excédé.

marrer (se) v.pr. S'amuser, se tordre de rire. – ***Tu me fais marrer,*** je ne te crois pas, laisse-moi rire.

marron n.m. Coup. – ***Secouer la poêle à marrons,*** donner une raclée. □ adj. Qui exerce une profession sans titre : *Médecin marron ;* ou de façon non conforme aux règles de la profession : *Avocat marron.* / ***Être marron, fait*** ou ***paumé marron,*** être pris sur le fait, être fait.

marronnier n.m. Article saisonnier, sur un événement qui se renouvelle chaque année (presse).

Marsiale (la) n.pr. Marseille.

marsouin n.m. Marin. / Soldat d'infanterie de marine (mar.).

marteau adj. Fou : *Complètement marteau.*

martigue n.pr. ou adj. Marseillais.

maso adj. et n. Pessimiste, masochiste.

massacre n.m. ***Faire un massacre,*** remporter un grand succès, faire un malheur, un tabac (spect.).

massacrer v.t. Mal exécuter, mutiler, défigurer un ouvrage : *Massacrer le boulot.*

massacreur n.m. Qui exécute mal.

masse n.f. *Coup de masse,* prix excessif. / ***Recevoir le coup de masse,*** un choc émotif, violent. / ***Être à la masse,*** être abruti, désaxé ou à la côte. / Salaire d'un prisonnier, qui lui est remis à sa libération. / Bourse commune, caisse d'un groupe à laquelle chacun contribue. / Grande quantité : *Une masse de choses. Il y en a pas des masses.*

masser v.i. Travailler.

massier n.m. Étudiant chargé de tenir la masse, bourse commune (étud. Beaux-Arts).

massue n.f. *Coup de massue,* choc

émotif, contrariété soudaine. (V. MASSE.)

mastard adj. Gros, énorme : *Un greffier mastard.*

mastègue n.f. Nourriture, repas : *Courir à la mastègue.*

mastéguer v.t. Mastiquer, manger.

mastic n.m. Désordre, confusion : *Tu parles d'un mastic.* / Interversion ou mélange de caractères dans une composition ou dans une casse (impr.). / ***S'endormir sur le mastic,*** abandonner un travail commencé. / ***Faire le mastic,*** pour un garçon de café, nettoyer la salle. / ***Bouder le mastic,*** manger peu.

mastoc adj. Lourd, épais : *Un bif mastoc.*

mastroquet n.m. Marchand de vin.

m'as-tu-vu n.m. Vaniteux, cabotin.

mat adj. Fatigué : *Je suis mat.* / Terminé, fini : *C'est mat.*

mat' n.m. Matin : *À six heures du mat'.*

mataf ou **matave** n.m. Marin (mar.).

mate (jeton de). V. JETON.

matelas (avoir le) loc. Avoir un portefeuille bien bourré.

mater v.t. Épier, guetter, regarder : *Mate un peu.*

matérielle n.f. *La matérielle,* le nécessaire (par opp. au superflu).

mateur n.m. Voyeur.

matheux n. Personne douée pour les maths ou qui les étudie.

maton ou **matuche** n.m. Gardien de prison.

matos n.m. Matériel (musique). Étendu à tout autre matériel professionnel, et même à l'épouse, la compagne qu'on « utilise » en permanence.

matou n.m. Mari, concubin, amant régulier : *Elle sort jamais sans son matou.*

matraque n.f. *Mettre la matraque,* employer les grands moyens. / ***Avoir la matraque,*** être en érection. — Avoir une combinaison maîtresse (poker).

matraquer v.t. Faire payer très cher. / Infliger une lourde peine. / Mettre la matraque, mettre tout en œuvre, y mettre le paquet.

matraqueur n.m. Sportif brutal.

matricule n.m. *Ça va barder pour ton matricule,* menace de correction.

matuche n.m. Dé truqué (arg.). / Gardien de prison, maton. / Policier.

Maub (la) n.pr. La place et le quartier Maubert, à Paris.

mauvaise (l'avoir) loc. Être indigné, vexé, déçu.

mauviette n.f. Personne chétive.

M.A.V. Graffiti ou tatouage pour « Mort aux vaches », insulte à l'intention de la police.

max ou **maxi** n.m. Maximum : *Ça coûte un max.* / ***J'ai écopé le maxi,*** j'ai été condamné au maximum de la peine.

maximum (au grand) loc.adv. Au maximum : *Ça va chercher dans les 5 000, au grand maximum.*

mazout n.m. Vin rouge. / Cocktail whisky-Coca.

mec n.m. Homme ; être humain du sexe masculin : *Il y a les femmes et les mecs, les meufs et les keums.*

mécaniques n.f.pl. Épaules : *Rouler les mécaniques.*

mécano n.m. Mécanicien.

mécarate n.f. Mécanique rationnelle (étud.).

méchamment adv. Très, beaucoup : *C'est méchamment chié.*

méchant n.m. Violent, emporté : *Faire le méchant.*
□ adj. Fameux : *Un méchant coup de pompe.*

mèche n.f. *Il n'y a pas mèche,* il n'y a pas moyen. / *Et mèche,* et un peu plus, et d'autres : *T'en auras pour trois sacs et mèche.* / *Être de mèche,* être complice, être au courant. / *Vendre la mèche,* trahir, dire un secret.

mecton n.m. Individu ; petit mec (péjor.).

médaille n.f. *Porter la médaille,* assurer seul une responsabilité collective. / *Médaille en chocolat,* récompense sans valeur.

médicale n.f. Libération d'un prisonnier pour raison de santé : *Sortir en médicale.*

méduche n.f. Médaille pieuse ; décoration.

meffe ou **meuf** n.f. Femme (verlan).

mégachiée n.f. Très grande quantité (étud.).

mégalo n. et adj.inv. Mégalomane, atteint de la folie des grandeurs.

méganote n.f. Note très élevée (étud.).

mégaphone n.m. Tuyau d'échappement (moto).

mégot n.m. Reste de cigarette ou de cigare. / Cigarette : *File-moi un mégot.* / *Étagère à mégot,* oreille.

mégotage n.m. Mesquinerie.

mégoter v.i. Lésiner.

mégoteur ou **mégotier** n. Qui mégote.

meilleur n.m. *Prendre le meilleur sur,* avoir l'avantage (sport).

mélanco adj. Mélancolique : *Qu'est-ce que t'as ? T'es tout mélanco.*

mélanger (se) v.pr. Faire l'amour.

mélasse n.f. Infortune, misère : *Être dans la mélasse.*

mêlé-cass n.m. Boisson : vermouth-cassis, ou eau-de-vie et cassis. / *Voix de mêlé-cass,* voix de rogomme, voix avinée.

mélo n.m. et adj. Mélodrame, mélodramatique : *C'est du mélo.*

melon n.m. Tête. – *Avoir le melon déplumé,* être chauve. / Arabe : *C'est un melon* (péjor. et raciste). / Élève de première année de l'École spéciale militaire de Saint-Cyr. / *Avoir les* *pieds en cosses de melon,* être paresseux, avoir la cosse.

même. V. PAREIL.

mémé n.f. Grand-mère. – Vieille femme.

mémère n.f. Vieille femme. / *Faut pas pousser mémère dans les orties,* il ne faut pas exagérer, abuser de ma patience.

mémoire d'éléphant n.f. Excellente mémoire.

ménage n.m. Couple d'homosexuels. / *Se mettre en ménage,* prendre possession d'une cure (ecclés.).

ménagère n.f. Prostituée vêtue avec modestie (prost.).

ménagerie n.f. Ensemble des évêques (ecclés.).

mendigot n.m. Mendiant.

mendigoter v.i. Mendier.

mener v.t. *Mener en barque* ou *en bateau,* abuser, tromper, mystifier. / *Mener le petit au cirque,* forniquer.

ménesse n.f. Femme, épouse (arg.) : *C'est la ménesse du môme Nénesse.*

Ménilmuche n.pr. Ménilmontant, à Paris.

méninges n.f.pl. Cerveau : *Tu t'es pas creusé les méninges !*

mentalité ou **mentale** n.f. *Avoir bonne* ou *mauvaise mentalité,* suivre ou non les règles et les opinions du milieu, d'une secte, d'un parti.

menteur n.m. Journal : *Je l'ai lu dans le menteur.*

menteuse n.f. Langue.

merdaillon n.m. Enfant ou individu méprisable, prétentieux et désagréable.

merde n.f. Excrément. / *Traîner dans la merde,* insulter, traiter bassement. / *Ne pas se prendre pour une merde,* se croire important. / Ennui grave : *Il m'est arrivé une merde.* / *Être dans la merde,* dans l'embarras, dans une situation difficile. / *C'est la merde,* se dit quand la situation est inextricable, sans solution. / *Semer* ou *foutre la merde,* mettre le désordre, au propre et au fig. / *C'est de la merde,* c'est de mauvaise qualité, ça ne vaut rien. / *Oui ou merde,* oui ou non. / *Merde !* Interj. Mépris, indignation, refus, négation ; admiration. / Jurons : *Bon Dieu de merde ! Bordel de merde !,* etc. / Encre (impr.). / Haschisch (drogue).

merder v.i. Rater, foirer : *La mécanique a merdé.*

merdeux n.m. Prétentieux : *Pour qui se prend-il, ce merdeux, ce petit merdeux ?*
□ adj. Sali de merde. / *Bâton merdeux,* individu méprisable auquel on ne peut faire confiance.

merdier n.m. Situation difficile, pétrin, embarras, désordre, pagaille : *On n'est pas encore sorti de ce merdier.*

merdique adj. Ennuyeux, difficile, confus : *Un dessin merdique.*

merdouille n.f. Petite saleté : *Ta photo est pleine de merdouilles.*

merdouiller ou **merdoyer** v.i. Hésiter, s'embrouiller, vasouiller : *T'as fini de merdoyer ?*

mère n.f. Femme d'un certain âge (ironique et un peu méprisant) : *La mère Machin.*

mérinos n.m. *Laisser pisser le mérinos,* laisser faire, attendre le résultat naturel.

merlan n.m. Coiffeur : *Aller chez le merlan.* / Proxénète, maquereau.

merlette n.f. Prostituée racolant pour une autre (prost.).

merluche n.f. Femme ; épouse (péjor.).

mesquine adj. Petit, chétif (pataouète) : *Le pauvre, il est mesquine.*

métallo n.m. Ouvrier métallurgiste.

météo n.f. Mauvais temps : *La rencontre n'a pu avoir lieu à cause de la météo.*

mettable adj. Se dit d'une femme jolie ou facile.

mettre v.t. *Y mettre les doigts,* voler. / *Mettre un coup* ou *en mettre un coup,* se donner avec énergie. *Mettre le paquet,* faire le maximum. / *Mettre en boîte* ou *en caisse,* tromper, se moquer, escroquer. / *Mettre en veilleuse,* se taire. / *Mettre les bouts* ou *les mettre,* s'en aller. / *Mettre en l'air,* tuer, cambrioler, mettre en désordre. / *Ôte-toi de là que je m'y mette,* va-t'en. / Pratiquer le coït : *Mettre le poisson dans le bocal, mettre sur le bout, mettre au sonore,* etc.
☐ **se mettre** v.pr. Faire l'amour. / *Se mettre la ceinture,* être privé. / *Se mettre bien,* ne rien se refuser, en prendre à son aise. / *Se mettre à table,* avouer.

meuf ou **meffe** n.f. Femme (verlan).

meule n.f. Moto : *Avoir sa meule, le rêve du narzo !* / Au pl. Les dents : *Je n'ai rien à me mettre sous les meules.* / Les fesses : *Un coup de latte dans les meules.*

mézig n. et pron. Moi.

miche n.f. Fesse. / Au pl. Cul. / Testicules. / *Avoir les miches à zéro,* ou *avoir les miches qui font bravo,* avoir peur. / Seins.

miché, michet ou **micheton** n.m. Client d'une prostituée ; d'un taxi, d'un café. – *Michet de carton,* client qui marchande.

michetonner v.i. Pour un micheton, avoir affaire aux services d'une prostituée, payer une femme : *Tu le prends pour un tombeur ? Penses-tu ! Il michetonne !* / Pour une michetonneuse, se prostituer.

michetonneuse n.f. Prostituée pratiquant épisodiquement son travail ; femme entretenue.

michette n.f. Prostituée pour clientèle féminine.

mickey n.m. Individu peu intéressant, ringard, blaireau. / Boisson frelatée. / *Petit Mickey,* personnage de bande dessinée, quel qu'en soit le genre. (L'expression n'est pas péjorative. Un auteur de B.D. dira : *Je fais des petits Mickeys,* pour dire : « Je fais des bandes dessinées ».)

micro n.m. Bouche, gueule : *Ferme ton micro.*

midi n.m. *C'est midi, c'est midi sonné,* il n'y a plus rien à faire. / *Marquer*

midi, être en érection.
☐ adj. À mi-mollet : *Une robe midi.*

mie de pain n.f. Individu sans énergie. / *À la mie de pain,* pas sérieux, sans valeur. / *Mie de pain mécanique,* pou. / *Mie de pain à ressort,* puce.

miéfu n.m. et adj. inv. Individu méprisable, fumier (verlan).

miel n.m. Merde (euphémisme). / *C'est du miel,* c'est facile.

miette n.f. Petite quantité, un peu. – *Ne pas en perdre une miette,* voir absolument tout. – *Et des miettes,* et le reste, et quelques : *Mille balles et des miettes.*

mieux adv. *Plus mieux que,* mieux que.

mignonnette n.f. Petite photographie pornographique ou supposée telle.

milieu n.m. Le monde de la pègre.

mille n.m. *Mettre dans le mille,* atteindre son but ; deviner juste. / *Gagner des mille et des cents,* gagner beaucoup d'argent.

mille-feuille n.m. Sexe de la femme. / Liasse de dix billets de 100 F. / *C'est du mille-feuille,* c'est facile, c'est du gâteau.

millimètre n.m. *Faire du millimètre,* être pingre, avare, vivre chichement.

mimi adj.inv. et n.m. Joli, mignon : *C'est mimi.* / *Faire mimi,* faire des caresses (enfant). / Cunnilingus.

mince interj. Étonnement, surprise : *Ah ! mince, alors, j'ai paumé ma valoche.* / Suivi d'un complément, admiration ou déception : *Mince de rigolade !*

mine n.f. *Avoir bonne mine,* avoir l'air ridicule après une déconvenue. / *Mine de rien,* sans en avoir l'air.

minet n.m., **minette** n.f. Petit chat. / Jeune homme et jeune fille à la mode. / Sexe de la femme. – *Faire minette,* pratiquer le cunnilingus.

ministre n.m. *Se faire des boyaux comme des manches de ministre,* manger agréablement et abondamment.

minium n.m. *Passer sa grille au minium,* avoir ses règles.

mino n.m. Étudiant syndicaliste de la fraction minoritaire (étud.).

minot n.m. Gamin.

minouse n.f. Culotte de femme.

minus n.m. Débutant, bizut. / Crétin.

minute n.f. (employé adj.). Rapide : *Entrecôte minute.*
☐ interj. Attendez, doucement : *Minute ! Minute, papillon !*

mirante n.f. Miroir.

mirettes n.f.pl. Yeux. – *En mettre plein les mirettes,* plein la vue.

miro adj.inv. Myope : *Être miro.*

mironton n.m. Individu naïf ou louche : *Un drôle de mironton.* / *Dévisser le mironton,* faire une fausse couche (prost.).

mise en l'air n.f. Action commise contre quelqu'un qui ne se plie pas au chantage (arg.). / Hold-up (arg.).

miser v.t. Forniquer, mettre. – *Va te faire miser,* insulte.

miso n.m. et adj. Misogyne : *Tout macho est miso.*

mistoufle n.f. Misère : *Être dans la mistoufle.* / Au pl. Taquineries, tracasseries. – *Faire des mistoufles,* des misères.

mitan n.m. Milieu de la pègre.

mitard ou **mite** n.m. Cachot.

mitardé adj. Puni de cachot.

mite n.f. Chassie : *Avoir la mite à l'œil.*

mité adj. *Avoir les éponges mitées,* être atteint de tuberculose.

miter v.i. Pleurnicher.

miteuse n.f. Fillette ; femme qui a la larme à l'œil pour un rien.

mitraille n.f. Petite monnaie.

mixte n.m. Sandwich mixte (jambon et gruyère).

mob n.f. Cyclomoteur, Mobylette.

mochard, moche ou **mochetingue** adj. Laid (au pr. et au fig.).

mochement adv. De façon laide (au fig.), indigne, malhonnête.

mocheté n.f. Femme laide, pochetée.

moco adj. et n. Toulonnais ou provençal.

Mocobo (la) n.pr. Quartier et place Maubert, la *Maub,* à Paris.

mœurs [mœrs] n.f.pl. Brigade de police judiciaire chargée de la répression du proxénétisme et du trafic des stupéfiants, dite aussi la mondaine.

mohammed n.m. Arabe.

moineau n.m. Individu douteux : *Un drôle de moineau.*

moins une ou **moins cinq (c'était)** loc. Presque : *Il a bien failli ramasser une pelle, c'était moins cinq.*

moisir v.i. Attendre indéfiniment.

moisson (faire la) loc. Célébrer plusieurs cérémonies d'enterrement à la suite (ecclés.).

moite adj. *Les avoir moites,* avoir très peur. (V. MICHE.) / *Être moite,* ne rien dire, rester muet.

moiter v.i. Avoir peur, les avoir moites.

mollard n.m. Crachat.

mollarder v.t. Cracher.

mollasse adj. et n. Mou (au pr. et au fig.) ; apathique.

molleton, moltegomme ou **moltogomme** n.m. Mollet.

mollo adv. Avec douceur, avec précaution. – *Vas-y mollo !,* vas-y doucement, vas-y mou.

mollusque n.m. Individu apathique, lent : *Avancer comme un mollusque.*

molosse n.m. Individu grand, fort ; colosse.

momaque n.f. Petite fille. (V. MÔME.)

môme n.f. Jeune fille, jeune femme.

môme, mominard ou **momignard** n.m. Enfant. (V. TIRE-MÔME.)

momi ou **mominette** n.f. Petit verre de pastis : *Prendre une mominette.*

mondaine n.f. Brigade de police chargée de la répression du proxénétisme : *La mondaine.* (V. MŒURS).

monde n.m. *Se foutre du monde,* se moquer. / *Il y a du monde au balcon,* elle a une poitrine plantureuse.

moniche n.f. Sexe de la femme.

monnaie n.f. *Rendre la monnaie,* vieillir.

montage n.m. Piège, traquenard (arg.).

monte n.f. Passe.

monté adj. *Être bien monté,* avoir une virilité exceptionnelle.

monter v.t. Entraîner un client dans une chambre d'hôtel. / Pour une serveuse ou une entraîneuse, faire des passes dans une chambre attenante à l'établissement : *Serveuse montante* (arg.). / *Monter un coup,* le préparer. / *Monter le coup, monter un bateau,* mystifier, tromper. / *Monter à Paris,* pour un provincial, venir s'y installer.

montgolfière n.f. Nymphomane. / Au pl. Testicules.

Montparno n.pr. Quartier Montparnasse, à Paris.

montre n.f. *Casser le verre de montre,* casser le cul (aux divers sens).

Montretout (aller à) loc. Passer la visite sanitaire (arg.).

morbac n.m. Pou de pubis, morpion. / Jeune enfant.

morceau n.m. *Un beau morceau,* une belle fille. / *Manger* ou *cracher le morceau,* avouer, dénoncer, se mettre à table. / *Casser le morceau à quelqu'un,* lui dire ses vérités. / *Casser un morceau,* faire un repas frugal. / *Emporter le morceau,* enlever une affaire.

morcif n.m. Morceau : *Coupe-m'en un morcif.*

mordante n.f. Lime.

mordicus adv. Avec obstination : *Soutenir mordicus une opinion.*

mordre v.t. Regarder attentivement : *Mords les flics avec leur bidule.* / *Mords-le !* Se dit à deux personnes qui se querellent. / *Mordre le guidon,* pédaler penché en avant (sport). / *Ça ne mord pas,* ce n'est pas dangereux (au contraire !). / *À la mords-moi le doigt, l'œil* ou *le nœud,* de façon peu sûre, risquée ou ridicule. / *C'est à se les mordre,* c'est très drôle.
□ v.i. Comprendre : *Tu mords ?*

mordu adj. Amoureux. / Passionné : *Un mordu de la moto.*

morfale ou **morfalou** adj. et n. Goinfre.

morfaler v.t., ou se **morfaler** v.pr. Bâfrer.

morfier ou **morfiler** v.t. Manger. / Pratiquer le cunnilingus.

morfler v.t. Condamner ; punir (arg.). / Recevoir, encaisser un coup. / Être condamné (arg.).

morgane n.f. Sel.

morganer v.t. Manger, mâcher, mordre. / Dénoncer (arg.).

moricaud n. Nègre, Noir (péjor. et raciste).

morlingue n.m. Porte-monnaie. – Portefeuille. / *Être constipé du morlingue,* être avare.

morniflard n.m. Porte-monnaie.

mornifle n.f. Gifle du revers de la main. / Menue monnaie : *Faire de la mornifle.*

mornifleur n.m. Faux-monnayeur (arg.).

morpion n.m. Pou de pubis. / Jeune enfant. / *Jeu de morpion,* jeu d'écoliers qui se joue à deux avec une feuille de papier quadrillé. (Les *morpions* sont les signes marqués.). / Petite tache provoquée à l'impression par la présence d'un grain de poussière sur le cliché (impr.).

mort adj. Usé, inutilisable : *Mes pompes sont mortes.* / *Être mort dans le dos,* transi de froid. / *Elle est morte,* c'est fini, il n'y a plus d'espoir ou plus d'argent : *On verra demain ; pour aujourd'hui, elle est morte.*
□ n.f. *À mort,* à fond, extrêmement. / *Mort aux vaches !* Interj. à l'intention de la police. (En graffiti : M.A.V.)

morue n.f. Prostituée (péjor.).

morveux n. Enfant agaçant, vaniteux.

mot n.m. *Mot d'écrit,* billet, courte lettre. / *Mot de cinq lettres,* ou *mot de Cambronne,* merde.

motal n.f. Motocyclette : *Ma motal.*

motard n.m. Motocycliste ; motocycliste de la police routière.

motorisé (être) loc. Avoir une voiture à disposition.

motte n.f. Sexe de la femme, pubis. / Moitié. *Faire la motte,* partager des frais.

mou adv. Doucement, mollo : *Vas-y mou.*
□ n.m. *Bourrer le mou,* bourrer le crâne. / *Rentrer dans le mou,* frapper quelqu'un.

mouchacho ou **moutchachou** n.m. Enfant, jeune garçon. Au f. *mouchacha,* fillette (pataouète).

mouchard n.m. Dénonciateur ; espion de police. / Judas pratiqué dans une porte. / Enregistreur de vitesse (trains, camions).

mouchardage n.m. Action de moucharder.

moucharde n.f. Lune.

moucharder v.t. Dénoncer.

mouche n.f. Mouchard. / *Mouche à merde,* mouche domestique. / *Tuer les mouches à quinze pas,* avoir mauvaise haleine. / *Enculer les mouches,* v. ENCULER.

moucher v.t. Réprimander. / Remettre à sa place, contredire : *Je l'ai mouché.* / Donner une correction : *Je lui ai mouché la gueule.* / *Ne pas se moucher du pied,* se croire de l'importance, avoir des prétentions ; demander un prix trop élevé.

mouchique adj. Laid. / De mauvaise réputation.

mouchodrome n.m. Crâne chauve.

mouchoir n.m. *Arriver dans un mouchoir,* arriver en peloton serré (sport, turf).

moudre v.t. *En moudre,* pédaler ferme (cyclisme). / Se livrer à la prostitution (prost.).

mouetter v.i. Avoir peur, fouetter, les avoir moites.

Mouffe (la) n.pr. Quartier de la rue Mouffetard, à Paris : *Les Amerlos habitent tous la Mouffe.*

mouflet, mouflette n. Enfant ; garçonnet, fillette.

moufter v.i. Parler, protester. – *Ne pas moufter,* se taire, faire comme si de rien n'était.

mouiller v.i. Sécréter le liquide vaginal. / Désirer : *Il mouille pour un boudin.* / *Ça mouille,* il pleut.
☐ v.t. *Mouiller quelqu'un,* le compromettre. / *Mouiller* ou *mouiller son froc,* avoir peur. / *Mouiller la meule,* prendre la première consommation de la journée.
☐ **se mouiller** v.pr. Se compromettre, prendre des risques, tremper dans une affaire.

mouilles n.f.pl. Fesses.

mouillette n.f. Langue. / Pain trempé dans les vespasiennes (V. SOUPEURS.)

mouise n.f. Misère, embêtements : *Battre la mouise.*

moujingue n. et adj. Enfant.

moukère n.f. Femme, maîtresse.

moule n.f. Sexe de la femme. / Individu mou, sans énergie : *C'est une moule.*
☐ n.m. *Moule à gaufre,* imbécile.

mouler v.t. Abandonner, quitter ; déposer. / *Mouler un bronze* ou *mouler,* déféquer.

moulin n.m. Moteur. / Entreprise qui rapporte. / *Moulin à café,* mitraillette. / *Moulin à paroles,* bavard.

mouliner v.i. Pédaler en souplesse (cyclisme).

mourir v.i. V. PLUS (...) QUE (...), TU MEURS.

mouron n.m. Souci, tracas : *Se faire du mouron.* / *C'est pas du mouron pour ton serin,* ce n'est pas pour toi.

mouronner v.i., ou **se mouronner** v.pr. Se faire du souci, du mouron.

mouscaille n.f. Excrément (au pr. et au fig.), mousse.

mousmée n.f. Femme, maîtresse.

mousse n.f. Excrément, merde, mouscaille. / *Se faire de la mousse,* se faire du souci, du mouron. / Bière : *Se prendre une mousse.*

mousser v.i. Être en colère. / *Faire mousser,* vanter, mettre en valeur.

moustache n.f. *Cigare à moustaches,* membre viril.

moustagache n.f. Moustache (javanais).

moutard n.m. Petit garçon.

moutardier n.m. cul.

mouton n.m. Indicateur de police. – Mouchard placé par la police au milieu d'autres détenus pour les faire parler. / Amas de poussière sous les meubles. / *Mouton à cinq pattes,* quelque chose de très rare, d'introuvable.

mouver v.t. Se dit pour mouvoir. Remuer, déplacer.
□ **se mouver** v.pr. Se mouvoir.

moyen n.m. *Tâcher moyen de,* essayer, tâcher de. / *Il n'y a pas moyen de moyenner,* il n'y a rien à faire.

muffée n.f. Saoulerie : *Prendre une bonne muffée.*

mule n.f. Petit passeur de drogue.

munitions n.f.pl. Provisions de bouche : *Emporter des munitions.*

mur n.m. Complice du pickpocket, qui masque le voleur (arg.). / *Faire le mur,* sortir sans permission (internat, caserne), sans intention d'évasion définitive.

mûr adj. Ivre : *Il est mûr.*

museau n.m. Visage : *Passe-toi un coup de torchon sur le museau.*

museler v.t. Faire taire, réduire au silence.

musette n.f. *Qui n'est pas dans une musette,* qui n'est pas rien : *Un petit pinard qui n'est pas dans une musette.*

musiciens n.m.pl. Haricots : *Un plat de musiciens.*

musico n.m. Musicien.

musique n.f. Chantage (arg.). / *Connaître la musique,* savoir s'y prendre, avoir de l'expérience. / *Faire de la musique,* faire un esclandre, protester.

musiquette n.f. Chantage.

Mutu (la) n.pr. Le palais de la Mutualité, à Paris : *Une manif à la Mutu.*

N

nada adv. Non : *Elle lui a répondu nada.*

nager v.i. Ne savoir comment faire, ne pas comprendre : *Je nage complètement.* / *Nager dans l'encre,* ne pas savoir se débrouiller. / *Savoir nager,* savoir manœuvrer, être débrouillard.

nana n.f. Femme ; compagne. / Au pl. Les femmes.

nanar n.m. Marchandise sans valeur ; objet invendable. / Navet (cinéma, spect.). / *C'est nanar,* c'est laid, inintéressant, sans valeur.

nap n.m. Pièce d'or. (Abréviation de Napoléon. Peu employé.)

N. A. P. ou **napy, napies** n. et adj. Abréviation de *Neuilly-Auteuil-Passy,* désignant les habitants B. C. B. G., bon chic bon genre, de ces quartiers parisiens.

naphtaline n.m. Cocaïne (drogue).

narine n.f. *Prends ça dans les narines,* c'est bien fait pour toi.

narzo n.m. Jeune voyou, loulou de banlieue ; zonard (verlan).

nase n.m. Nez.
☐ adj. En mauvais état, usé, pourri ; qui fonctionne mal : *Le moulin est complètement nase.* (V. NAZE, NAZI, NAZIQUER.)

naseau n.m. Nez, narine : *Recevoir un pain sur le naseau.*

natchaver (se) v.pr. S'en aller, partir (arg.).

nattes (faire des) loc. Embrouiller ; s'embrouiller.

nature adj.inv. Naturel, sans artifice : *Être nature ; un café nature.* / Naïf.
☐ adv. Naturellement, dans un sens d'approbation. (On dit aussi « natürlich », mot allemand, même sens.)

nave n.f. Imbécile, naïf : *Fleur de nave.*

navet ou **naveton** n.m. Œuvre artistique sans valeur, nanar (cinéma, spect.). / *Avoir du sang de navet,* être anémique ; poltron.

naveton n.m. Imbécile, naïf, nave.

naviguer v.i. Se déplacer fréquemment : *En vacances, on va naviguer entre Nice et Marseille.*

naze n.m. Syphilis. – *Cloquer le naze,* attraper ou transmetttre la syphilis. □ **naze** ou **nazebroque** adj. Syphilitique ; avarié ; fou ; pas en forme, un peu abruti. / Cassé, détraqué, qui ne fonctionne plus : *Une mécanique complètement naze.*

nazi adj. Atteint d'une maladie vénérienne.

nazillon n.m. Nostalgique du nazisme, nazi ; d'extrême-droite.

naziquer v.t. Contaminer.

nèfles (des) loc.adv. et interj. Rien ; pas du tout.

négifran n.f. Femme, épouse ; sœur, frangine (verlan).

nègre n.m. Personne qui accomplit anonymement l'œuvre ou le travail signés ou attribués à une autre. / *Travailler* ou *bosser comme un nègre,* durement et sans relâche. / *Parler petit nègre,* dans un français approximatif. / *Faire comme le nègre,* continuer. / *Un combat de nègres dans un tunnel,* quelque chose d'obscur (au pr. et au fig.). / *Noir comme dans le trou du cul d'un nègre,* complètement noir.

négresse n.f. Friteuse (restaurant).

négrier n.m. Chef d'entreprise qui emploie du personnel au noir.

neige n.f. Cocaïne.

néné n.m. Sein.

nénesse n.f. Femme, épouse.

nénette n.f. Jeune femme. / Chiffon ou balayette servant à l'entretien de la carrosserie d'une automobile. / *Se casser la nénette,* s'efforcer ; réfléchir profondément. / *En avoir par-dessus la nénette,* en avoir assez, ras le bol.

nettoyage n.m. Action de nettoyer, ruiner ou tuer.

nettoyer v.t. Ruiner, dépouiller : *Je suis nettoyé.* / Tuer : *Se faire nettoyer.*

neuille. V. NOILLE.

neveu n.m. *Un peu mon neveu !,* naturellement.

neyer (se) v.pr. Se noyer.

nez n.m. *Avoir du nez, avoir le nez fin, avoir le nez creux,* savoir deviner, être prévoyant, avoir du flair. / *Mettre son nez dans les affaires des autres,* se mêler indiscrètement de ce qui ne vous regarde pas. / *Mettre à quelqu'un le nez dans son caca,* le rabrouer, le remettre à sa place. / *Avoir quelqu'un dans le nez,* ne pas pouvoir le supporter, ne pas pouvoir le « sentir ». / *Se bouffer le nez,* se disputer âprement. / *Tirer les vers du nez,* faire dire la vérité, faire parler. / *Fermer la porte au nez,* refuser de recevoir. / *Se casser le nez,* trouver porte close. / *Mettre le nez dehors,* sortir de chez soi. / *Passer sous le nez,* échapper : *Ça m'est encore passé sous le nez.* / *Se piquer le nez,* s'enivrer. – *Avoir un verre dans le nez,* être légèrement ivre. – *Avoir le nez sale,* être ivre. / *Les doigts dans le nez,* sans effort, sans difficulté. / *À plein nez,* très fort (au pr. et au fig.). / *À vue de nez,* approximativement. (V. PIFOMÈTRE.)

niac, niak ou **niacoué** adj. et n.m. Vietnamien (péjor.).

nib adv. Rien. – *Nib de tifs,* chauve.

nibard n.m. Sein.

niche, nichon n.m. Sein.

nickel adj.inv. Propre : *Chez elle, c'est nickel.* / Intègre : *C'est un gars nickel.*

nickelé adj. *Avoir les pieds nickelés,* avoir de la chance. / Refuser de marcher, de faire quelque chose, par paresse ou par fatigue.

niçois n.m. Homme du personnel des polices privées d'entreprise.

nipper v.t. Fournir des vêtements.
□ **se nipper** v.pr. S'habiller de neuf, s'acheter des vêtements : *Je me nippe aux puces.*

nippes n.f.pl. Vêtements, frippes : *Un marchand de nippes.*

niquer v.t. Forniquer ; posséder une femme. / Au fig., duper : *Je me suis fait niquer.*

niveau de (au) loc.prép. Relativement à, en ce qui concerne, à propos de, quant à : *Au niveau du vécu.*

noce n.f. Partie de plaisir : *Faire la noce.* / Se livrer à la prostitution. / *Ne pas être à la noce,* être dans une situation pénible.

nœil, neunœil (au pl. *nœils, neunœils*) n.m. Œil. – Relatif à l'œil (un borgne sera surnommé *Neunœil*).

nœud n.m. Extrémité de la verge, gland. / Imbécile : *Tête de nœud.* / *Peau de nœud,* non, rien, peau de balle. / *Un paquet, un sac de nœuds,* une question, une situation embrouillée, volontairement ou non.

nœud-pap n.m. Cravate à nœud papillon.

noille, noye ou **neuille** n.f. Nuit.

noir n.m. *Au noir,* clandestinement, sans être légalement déclaré : *Travailler au noir.* – *Acheter au noir* ou *au noircif,* au marché noir, hors du circuit réglementé. / *Petit noir,* café pris dans un débit de boissons. / *Le noir,* l'opium (drogue).
□ adj. Ivre.

noircif n.m. Marché noir.

noircir (se) v.pr. S'enivrer.

noisettes n.f.pl. Testicules.

noité adj. Fessu : *Elle est bien noitée.*

noix n.f. Imbécile : *Quelle vieille noix !* / *À la noix* ou *à la noix de coco,* sans valeur, sans importance. / Fesse : *Une belle paire de noix.*

nom n.m. *Petit nom,* prénom. – *Un nom à charnière, à rallonge* ou *qui se dévisse,* un nom composé ou à particule. – *Un nom à coucher dehors,* un nom compliqué. / Jurons : *Nom de Dieu ! Nom de Dieu de bordel de merde !* etc.

nombril n.m. *Se prendre pour le nombril du monde,* se croire important. / *Être décolletée jusqu'au nombril,* avoir un décolleté profond.

noraf n.m. Arabe d'Afrique du Nord (abréviation péjor.).

nouba n.f. Noce bruyante : *Faire la nouba.*

nougat n.m. Pied. / *C'est du nougat,* c'est facile, c'est du gâteau, de la nougatine. / *Toucher son nougat,* toucher sa part.

nougatine n.f. *De la nougatine,* facile, sans risque, du nougat.

nouille n.f. Individu sans énergie ni intelligence.

nourrice (en) loc.adv. En dépôt chez un confrère (brocante).

nozigues n. et pr. Nous : *L'addition, c'est pour nozigues.*

nuire (se) v.pr. Se suicider : *Elle a voulu se nuire.*

nuitard n.m. Postier trieur de nuit (poste).

nuiteux n.m. Taxi de nuit.

nullos adj. Nul, mauvais, bon à rien.

numéro n.m. *Un numéro, un drôle de numéro,* un personnage original, douteux ou amusant. / *Avoir tiré le bon numéro,* avoir de la chance ; avoir un conjoint parfait. / *Filer le bon numéro,* donner un renseignement utile, un tuyau. / *Faire son numéro,* faire une prouesse devenue habituelle, conter toujours la même histoire, en se mettant en valeur.

O

-o suff. argotique, nuance péjor. Clochard, *clodo ;* avarie, *avaro ;* propriétaire, *proprio ;* etc.

objo n.m. Objecteur de conscience.

obligado adv. Obligatoirement.

obsédé adj. et n. Se dit pour obsédé sexuel.

occase n.f. Circonstance favorable : *Profiter de l'occase.* / *Une voiture d'occase,* qui a déjà servi, d'occasion. / *À l'occase,* à l'occasion, si cela se présente.

occuper (s') v.pr. Se débrouiller, vivre d'expédients. / *T'occupe !,* ne t'en mêle pas !

-oche suff. argotique, avec ou sans nuance péjor. Ciné, *cinoche ;* télé, *téloche ;* calédonien, *caldoche.*

œil n.m. *Avoir un œil qui dit merde à l'autre, avoir des yeux qui se croisent les bras,* loucher. / *Ne pas avoir les yeux en face des trous,* somnoler ; ne pas savoir observer. / *Avoir de la merde dans les yeux,* ne rien voir (au pr. et au fig.). / *Ne pas avoir les yeux dans sa poche,* savoir observer. / *Se mettre le doigt dans l'œil,* se tromper lourdement. / *Obéir au doigt et à l'œil,* au moindre geste, sans répliquer. / *Avoir quelqu'un à l'œil,* surveiller ses actes. / *Faire de l'œil,* faire une œillade, un appel en clignant de l'œil. / *Se rincer l'œil,* assister à un spectacle grivois ; mater. / *Taper dans l'œil,* plaire, séduire. / *S'en battre l'œil,* s'en moquer complètement. / *Avoir l'œil,* être observateur. / *Avoir l'œil américain,* juger d'un coup d'œil. / *Frais comme l'œil,* très frais. / *Tourner de l'œil,* s'évanouir. / *Œil au beurre noir,* œil tuméfié. / *Monter un œil,* tuméfier l'œil (pataouète). / *Avoir les yeux plus grands que le ventre,* se servir plus largement qu'on ne pourra absorber (au pr. et au fig.). / *À l'œil,* gratuitement. – *Une baise-à l'œil,* une femme honnête. / *Mon œil !* Interj. de refus : Non, rien. / *L'œil de bronze,* l'anus.

œillet n.m. Anus.

œuf n.m. Imbécile : *Quel œuf !* / *Aux œufs,* parfait, aux pommes. / *Plein comme un œuf,* tout à fait plein, repu ; complètement ivre. / *Œufs sur le plat,* poitrine plate. / *Casser son œuf,* faire une fausse couche. / *Tondre un œuf,* être avare. / *Va te faire cuire un œuf !,* va-t'en !

offense n.f. *Il n'y a pas d'offense,* il n'y a pas de mal (formule de politesse).

officemar n.m. Officier.

officiel n.m. et adj. *De l'officiel,* de l'authentique. / *Officiel !* ou *C'est officiel,* c'est indiscutable.

ogino n.m. Enfant non souhaité, dont les parents pratiquent la méthode contraceptive qui porte ce nom.

oie n.f. *À la graisse d'oie,* mauvais, de mauvaise qualité, faux.

oignard [ouagnar] n.m. Anus.

oignes [ouagne], **oignons** ou **oignards** n.m.pl. Pieds : *Marcher sur les oignes.*

oignon n.m. Anus, cul. – *Tu peux te le carrer à l'oignon,* tu ne l'auras pas. / *Avoir de l'oignon* ou *avoir l'oignon qui décalotte,* avoir de la chance. / *Aux oignons* ou *aux petits oignons,* parfaitement, au poil. / *En rang d'oignons,* sur une ligne. / *C'est pas tes oignons,* ça ne te regarde pas. / *Course à l'oignon,* course à l'échalote. / Mauvais cheval (turf).

oilp (à) ou **à oilpé** loc. Nu, à poil, à loilpé (verlan greffé sur largonji).

oiseau n.m. Individu louche : *Qu'est-ce que c'est que cet oiseau ?* / *Donner des noms d'oiseaux,* insulter.

olives n.f.pl. Testicules. / *Changer l'eau des olives,* uriner.

olkif adj. Chic.

olpette, olpif ou **olpiche** adj.inv. Beau, parfait, chic, olkif.

olrette adv. Très bien, d'accord, « all right » (turf).

ombre (à l') loc.adv. En prison.

ombrelle (avoir un bec d') loc. Avoir une tête antipathique.

omelette n.f. *Faire une omelette,* faire de la casse. / *Omelette soufflée,* femme enceinte.

omnibus n.m. Chéquier commun mis à la disposition des clients (banque).

on pr.ind. Nous : *On a bien rigolé.*

onze n.m. *Prendre le train onze,* s'en aller à pied.

op n.m. Opium (drogue).

opérer v.t. *Opérer les pneus,* les crever par vengeance : *Son plaisir, la nuit, c'est d'opérer les pneus.*

or n.m. *L'avoir en or,* avoir de la chance.

orange n.f. Petit sein. / Coup de poing : *Balancer une orange.*

ordure n.f. Individu méprisable.

oreilles de cocker n.f.pl. *Les avoir en oreilles de cocker,* être las après l'amour (homme).

orphelin n.m. Objet ou livre dépareillé (brocante). – Objet abandonné sans propriétaire. – Mégot : *T'as pas un orphelin ?*

orphelines n.f.pl. Testicules.

orteil n.m. *Avoir les orteils en éventail,* éprouver une grande satisfaction.

orties n.f.pl. V. MÉMÈRE.

os n.m. *Amène tes os,* viens ici, amène toi. – *Fais gaffe à tes os,* ou *à tes osselets,* gare à toi. / *Tomber sur un os,* rencontrer une difficulté. – *Il y a un os* ou *un os dans le frometon,* une difficulté, un obstacle imprévus. / *L'avoir dans l'os,* subir un échec et ses conséquences, l'avoir dans le dos. / *Ça vaut l'os,* ça vaut la peine.

-os suffixe argotique. *Nullos,* nul ; *gratos,* gratuit ; *matos,* matériel.

oseille n.f. Argent. – *Avoir de l'oseille,* être fortuné. / *La faire à l'oseille,* tromper, se moquer : *Il faut pas me la faire à l'oseille.*

osier n.m. Argent, oseille.

osselets n.m.pl. *Tu commences à me courir sur les osselets,* tu m'agaces, tu m'ennuies.

ostrogoth n.m. Individu grossier, vulgaire.

ouais adv. Se dit pour *« oui ».* (N'est plus pop. ni vulg., mais fam.)

ouallou ! interj. Non, rien à faire (pataouète).

oublier v.t. *Oublier de respirer,* mourir.
☐ **s'oublier** v.pr. Péter.

oubliettes (mettre aux) loc. Oublier, négliger ou refuser de s'occuper de quelque chose.

ouf n.m. et adj. Fou (verlan).

ouiouine n.f. Serviette hygiénique (prost.).

ouistiti n.m. Fausse clé. / Fils du patron, du singe.

ourdé adj. Ivre : *Il est rentré complètement ourdé.*

ours n.m. Œuvre personnelle, littéraire ou artistique : *Je vous apporte mon ours.* / Salle de police (milit.) : *À l'ours.* / Au pl. Les règles.

oursin n.m. *Avoir des oursins dans le morlingue,* être pingre, avare, radin.

-ouse suff. argotique. Fouille, *fouillouse ;* centrale, *centrouse ;* piqûre, *picouse.*

outil n.m. Couteau : *Sortir son outil.* / *Déballer ses outils,* vomir. / Membre viril.

outiller v.t. Donner un coup de couteau (arg.). / *Être bien outillé,* être sexuellement bien pourvu.

ouvrage n.m. *Boîte à ouvrage,* sexe de la femme.

ouvrier n.m. Individu habile et travailleur : *C'est un ouvrier.*

ouvrir v.t. *L'ouvrir,* parler ; avouer : *Ne l'ouvrez jamais.*

P

pacemac n.m. Entraîneur, pacemaker (cyclisme).

pacemaquer v.t. Entraîner (cyclisme).

pacsif, pacson n.m. Paquet ; liasse.

padoc ou **paddock** n.m. Lit.

padoquer (se) v.pr. Se coucher, se mettre au lit.

paf n.m. Membre viril. / *Beau comme un paf,* beau, élégant (iron.). / *Tomber sur un paf,* subir un échec, tomber sur un os.
☐ adj. Ivre : *Il est paf.*

pagailleux adj. Désordonné.

page ou **pageot** n.m. Lit.

page n.f. *Tourner la page,* retourner le partenaire amoureux ; pratiquer le coït anal.

pager v.i. Coucher, dormir : *Pager à l'hôtel.*
☐ **se pager** ou **se pajoter** v.pr. Se coucher.

pagnoter (se) v.pr. Se coucher, se mettre au lit.

paillasse n.f. *Crever la paillasse,* tuer avec une arme blanche.

paillasson n.m. Fille ou femme facile. / Individu sans amour-propre, qui essuie rebuffades et insultes sans protester. / Raquette de tennis usagée.

paille n.f. *Homme de paille,* prête-nom. / *Une paille,* presque rien, fort peu (iron.) : *Une tire de dix briques : une paille !* / *Passer la paille de fer,* jouer de la musique, de table en table, dans un restaurant ou une boîte de nuit.

paillon n.m. Acte d'infidélité : *Faire des paillons.*

pain n.m. Coup de poing : *Un pain sur la gueule.* / *Pain dur,* affaire sans intérêt. / *Petit pain,* fesse. / *Le pain de fesse,* l'argent gagné par la prostitution ou le commerce de la pornographie. / *Perdre le goût du pain,* mourir. – *Passer* ou *faire passer le goût du pain,* tuer. / *Avoir du pain sur la planche,* avoir beaucoup de travail à faire. / *Ça ne mange pas de pain,* ça n'engage à rien. / Fausse note (musique).

paire n.f. Départ, fuite – *Se faire la paire,* s'en aller, s'enfuir. – *Dîner à la paire,* partir sans payer après avoir dîné. / *Une paire chaude,* une paire de saucisses de Francfort chaudes.

paître v.i. *Envoyer paître,* congédier.

palanquée n.f. Grande quantité : *Une palanquée d'andouilles.*

pâle adj. Malade. – *Se faire porter pâle,* se faire porter malade (armée). – *Pâle des genoux,* fatigué.

paletot ou **panetot** n.m. Pardessus. / *Mettre la main sur le paletot,* appréhender, alpaguer. / *Tomber sur le paletot,* survenir à l'improviste, de façon inopportune : *À peine arrivé, il m'est tombé sur le paletot.* / *Paletot sans manches,* cercueil.

pallaque n.f. Prostituée.

pallas n.m. Boniment, discours ampoulé et ennuyeux.
☐ adj. Beau, joli.

pallot n.m. Baiser sur la bouche : *Il lui a filé un pallot baveux.*

palmées (les avoir) loc. Être paresseux.

palper v.t. Toucher, recevoir de l'argent : *C'est moi qui ai trinqué, c'est lui qui a palpé.*

palpitant n.m. Cœur.
☐ adj. Émouvant, qui tient en haleine : *Un roman palpitant.*

paluche n.f. Main : *Un coup de paluche.* – *S'emmêler les paluches,* faire de fausses notes au piano (musique).

palucher v.t. Caresser.
☐ **se palucher** v.pr. Se masturber.

pana, panard n.m. ou **panne** n.f. Objet invendable, nanar (brocante). / Figuration, petit rôle (spect.).

panade n.f. Misère : *Être dans la panade. Une panade noire.*

panais n.m. Membre viril.

panama n.m. Erreur grave qui nécessite la reprise du travail et entraîne des frais relativement importants (impr.). [De « *panne* », ratage, et non du scandale de Panama découvert en 1892.]

Paname n.pr. Paris.

panard n.m. Pied : *Traîner les panards.* / Part, fade : *Je n'ai pas vu le bout de mon panard.* / *Prendre son panard,* prendre son pied. / Objet invendable, pana.

panier n.m. Lot d'objets ou de livres dans une vente publique (brocante). / Lit : *Coucouche-panier,* au lit ! / Side-car (moto). / Prime : *Toucher son panier.* / *Mettre dans le même panier,* considérer que les uns ne valent pas mieux que les autres : *Je mets tous les flics dans le même panier.* / *Un panier de crabes,* un groupe d'individus qui cherchent à se nuire mutuellement. / *Panier à salade,* voiture cellulaire. / *Panier percé,* personne dépensière. / *Con comme un panier,* tout à fait idiot. / *Panier à crottes,* cul. – *Secouer le panier à crottes,* danser. – *Mettre la main au panier,* aux fesses.

panne n.f. Ratage. / Objet invendable, pana (brocante). / Trou de mémoire. / Figuration, petit rôle (spect.) [syn. PANA, PANOUILLE.]

panoplie n.f. Armes individuelles : *Sortir sa panoplie.*

panouillard n.m. Figurant (spect.).

panouille n.f. Imbécile. / Figuration, petit rôle, pana (spect.).

panse n.f. Ventre.

panthère n.f. Épouse : *Ma panthère.* / *Lait de panthère,* pastis.

pantouflard n. et adj. Casanier. / Qui pantoufle.

pantoufle n.f. Ensemble des élèves qui, à la sortie d'une grande école de l'État, renoncent au service public. – *La pantoufle,* le dédit que le pantouflard doit à l'État.

pantoufler v.i. Passer de la fonction publique au service d'une entreprise privée.

pantruchard n. et adj. Parisien.

Pantruche n.pr. Paris.

panuche n.f. Prostituée installée en appartement.

pap V. NŒUD-PAP.

papa n.m. Homme d'un certain âge : *Tu te grouilles, papa !* / *À la papa,* sans hâte, simplement : *Faire l'amour à la papa.* / *De papa,* qui appartient à un passé révolu : *Les chemins de fer de papa.*

papelard n.m. Papier.

papier n.m. Lot de livres ou de journaux : *Du papier* (brocante). / Billet de 100 F : *Tu l'auras pour cent papiers.* / *Papier-cul,* papier hygiénique. / *Faire un papier,* écrire un article de presse. / *Avoir le papier, un bon papier,* une bonne réputation. / *Être dans les petits papiers de quelqu'un,* dans ses bonnes grâces. / *Passer au papier de verre,* tondre les cheveux à ras.

papillon n.m. Contravention : *Un papillon sur le pare-brise.* / *Papillon d'amour,* pou de pubis, morpion. / *Minute, papillon !* Patience ! Du calme ! / *Papillon du Sénégal,* membre viril.

papouille n.f. Caresse et chatouille.

pap's n.m.pl. Papiers d'identité : *Montrer ses pap's.*

pâquerette n.f. Sexe de la femme. / *Cueillir les pâquerettes,* musarder (cyclisme). / *Aller aux pâquerettes,* sortir de la route par accident (auto). / *Au ras des paquerettes* ou *au ras les paquerettes,* prosaïquement, au niveau le plus bas, au premier degré.

paquet n.m. *Avoir son paquet,* avoir son compte. / *Recevoir son paquet,* recevoir une critique vive et sans réplique. / *Y mettre le paquet,* faire un gros effort, ne pas lésiner. / *Faire son paquet,* s'en aller. / *Lâcher le paquet,* avouer, révéler sans réserve. / *Un paquet de nœuds,* une question, une situation embrouillée, volontairement ou non. / *Le paquet,* le pack, le groupe serré des avants (rugby).

paquette. V. MALLETTE.

para, parano n. et adj. Paranoïaque, délirant.

parachuter v.t. Faire parvenir inopinément. / Placer quelqu'un à l'improviste à un poste clé.

parapluie n.m. Profession fictive, couverture. / *La maison parapluie,* la police. / *Porter le parapuie,* porter la responsabilité, porter le chapeau. / *Avoir avalé son parapluie,* être guindé, mal à l'aise, coincé.

paravent n.m. Personne qui tient un rôle fictif, dissimulant la véritable activité ou les mœurs véritables d'une autre : *Ce pédé loue une nénette comme paravent.*

pardeusse ou **pardingue** n.m. Pardessus.

pardon ! interj. Exclamation superlative.

paré n.m. Prêt ; à l'abri du besoin.

pare-brise n.m.inv. Lunettes.

pareil adj. *Pareil que* et *pareil comme* se disent pour « comme », « semblable à », « pareil à » : *J'ai fait pareil que vous : j'ai acheté une voiture pareille comme la vôtre.* / *C'est du pareil au même,* cela revient à la même chose.

pare-lance n.m. Parapluie.

parenthèses n.f.pl. *Avoir les jambes en parenthèses,* avoir les jambes arquées. / *Pisser entre parenthèses,* avoir une miction douloureuse.

parfum n.m. *Être au parfum, mettre au parfum,* être, mettre au courant, dans la confidence : *Tu peux y aller, il est au parfum.*

parfumer v.t. Mettre au courant : *Je l'ai parfumé.*

parigot n.pr. ou adj. Parisien.

Paris-beurre n.m. Sandwich au jambon de Paris.

parler v.i. Avouer, dévoiler. / *Tu parles !* ou *Tu parles, Charles !* Exprime l'assentiment ou le doute.

parlote n.f. Exercice oratoire (avocats).

paroisse n.f. *Changer de paroisse,* déménager, changer de lieu d'habitation ; changer de café.

parole n.f. *Parole d'homme !* Interj. : Je le jure, parole d'honneur. / *Porter la bonne parole,* faire une expédition punitive dans un établissement qui refuse le racket (arg.).

parpagne n.f. Campagne.

parpaing n.m. Coup de poing, pain.

parrain n.m. Plaignant ; témoin à charge (arg.). / Avocat (arg.).

part n.f. *C'est de quelle part ?* se dit pour « C'est de la part de qui ? ». / *Mettre à part,* réunir les divers éléments d'une commande (librairie).

partant adj. Disposé à, prêt à : *Je suis pas partant.*

parti adj. Éméché : *Il est un peu parti.*

partie n.f. Soirée ou après-midi dansante, boum, surboum. / *Partie fine,* partie de débauche, partouse. / *Partie de jambes en l'air,* séance amoureuse. – *Partie carrée,* partie de débauche à deux couples. / Au pl. *Les parties,* les organes sexuels : *Un coup de pied dans les parties.*

partir v.i. *Partir en couille,* se désagréger, s'abîmer ; veillir. / *Partir en courrier,* partir en vol (aéron.).

partouse ou **partouze** n.f. Séance collective de débauche sexuelle.

partouser v.i. Participer à une partouse.

partouzard n.m. Amateur de partouses.

pas n.m. *Faire un faux pas,* faire un écart de conduite ; commettre une escroquerie inutile et imprudente. / *Franchir* ou *sauter le pas,* se décider à franchir un obstacle moral. / *Ça ne se trouve pas sous le pas d'un cheval,* c'est très rare.

pascal n.m. Billet de 500 F (à l'effigie de Blaise Pascal).

passager adj. Où l'on passe : *Une rue passagère.*

passant n.m. Mendiant de passage.

passe n.m. Passe-partout. / Passeport.
☐ n.f. Acte rapide de prostitution : *Faire une passe.* – *Hôtel* ou *maison de passe,* lieu utilisé par les prostituées. – *Faire la passe,* pour un hôtelier, louer des chambres aux prostituées.

passé n.m. *Avoir un passé,* avoir commis un délit ou une indélicatesse dans une situation antérieure.

passe-lacet n.m. *Être raide comme un passe-lacet,* complètement démuni.

passer v.t. et v.i. *Passer* ou *passer l'arme à gauche,* mourir. / *Y passer,* mourir ; subir complètement une nécessité. / *Passer à l'as,* subtiliser sans laisser de trace ; ne pas profiter d'une aubaine. / *Passer à tabac,* frapper brutalement un adversaire sans défense, inférieur en nombre, tabasser. / *Passer à travers,* manquer une occasion. – Être privé au cours d'une distribution. – Ne pas trouver le client. / *Passer à la casserole,* violer ; être violée. / *Passer au travers,* échapper à un accident ; ne pas se faire prendre. / *Passer sous une voiture,* se faire renverser par une voiture. / *Passer sous le nez,* échapper, passer hors de portée (fig.). / *Passer sur le ventre de quelqu'un,* l'écarter sans scrupule de son chemin (fig.). / *Passer la main* ou *les dés,* renoncer, ne pas persévérer, couper court. / *La sentir passer,* subir quelque chose de pénible (une douleur, un paiement, etc.). / *Passer un savon* ou *un suif,* réprimander : *Qu'est-ce qu'il lui a passé !* / *Passer un coup de fil,* téléphoner. / *Passer de la pommade,* flatter.

passion n.f. Vice sexuel : *Un gars à passions.*

pastaga n.m. Pastis : *Rien ne vaut un petit pastaga sur le zinc.*

pastille n.f. Anus : *La brise de la pastille.* / Projectile d'arme à feu, valda. (V. PUCELLE.)

pastiquer v.t. et v.i. Passer en fraude.

pastiquette n.f. Acte de prostitution, passe. / Jeu de passe anglaise.

pastiqueur n.m. Fraudeur, passeur.

pastis n.m. Situation embrouillée, complication : *Je comprends rien à ce pastis.*

pasto n.m. Impasse, rue sans issue : *Il crèche au fond d'un pasto.*

pataouète n.m. Langue des pieds-noirs d'Algérie.

patate n.f. Pomme de terre. / Accroc occasionné par l'usure au talon d'une chaussette (fam.). / Tête. – *En avoir gros sur la patate,* avoir des regrets ;

avoir des remords ; avoir de la peine, être affligé. / Nez épaté. / Individu corpulent. / Imbécile : *Va donc, eh patate !* / Coup de poing. / Balle de tennis qui ne rebondit pas.

patatrot n.m. *Faire un patatrot,* s'enfuir, décamper.

pâte n.f. ***Une bonne pâte,*** individu bon avec simplicité. / ***Mettre en pâte,*** faire tomber une composition typographique. – Au fig. ***Tomber en pâte,*** faire une chute, s'évanouir (impr.).

pâtée n.f. Correction : *Il a reçu la pâtée.*

patelin n.m. Village, localité : *C'est loin, ce patelin ?*

paternel n.m. Père : *Mon paternel.*

patin n.m. Chaussure. – ***Traîne-patin,*** miséreux. / ***Prendre les patins de quelqu'un,*** prendre son parti. / ***Chercher des patins à quelqu'un,*** lui chercher querelle. / ***Faire le patin,*** vol à l'étalage. / ***Rouler un patin,*** embrasser profondément sur la bouche, rouler une saucisse, un pallot.

patiner v.t. Caresser.
□ **se patiner** v.pr. S'enfuir.

pâtissemar n.m. Pâtissier : *Il aime bien les petits pâtissemars.*

patoche adj. ***Pas patoche,*** pas bon, pas réussi.

patouillard n.m. Gros vaisseau de guerre (mar.).

patraque n.f. Montre : *Quelle heure est-il à ta patraque ?* / Machine qui fonctionne mal.
□ adj. Légèrement malade : *Se sentir patraque.*

patriotard adj. et n. Patriote.

patron n.m. Patron de bistrot : *La tournée du patron.* / Chef de clinique (méd.) : *Le patron porte un nœud-pap.* / Commissaire-priseur (brocante). / Commandant de bord (aéron.). / *Le patron, la patronne,* mon mari, ma femme : *Je demande à la patronne.*

patrouille n.f. Procession (ecclés.).

patte n.f. Main : *Bas les pattes !* / ***Faire aux pattes,*** chaparder : *Mon briquet, je l'ai fait aux pattes.* – Faire prisonnier : *Il a été fait aux pattes.* / ***Graisser la patte,*** soudoyer, corrompre. / ***Avoir le coup de patte, de la patte,*** avoir de l'habileté manuelle. / ***Faire patte d'araignée,*** caresser la verge. / ***Donner un coup de patte,*** lancer un trait critique malveillant. / Pied : *Aller à patte.* – ***Traîner la patte,*** boiter. – ***Être court sur pattes,*** petit de jambes. / ***Une deux-pattes,*** une deux-chevaux (auto). / ***Marcher sur trois pattes,*** avoir un moteur qui fonctionne mal (trois cylindres sur quatre). / ***Retomber sur ses pattes,*** se tirer sans dommage d'une situation difficile. / ***Tirer dans les pattes,*** créer sournoisement des difficultés à quelqu'un. / ***Se fourrer dans les pattes de quelqu'un,*** le déranger de façon importune (au pr. et au fig.). / ***Patte d'éph',*** pantalon à patte d'éléphant.

patuche n.f. Patente : *Payer la patuche.*

paturon n.m. Pied : *Écraser les paturons.*

paumé adj. et n. Inadapté ; médiocre : *Qu'est-ce qu'il y a comme paumés !*

paumer v.t. Perdre, égarer un objet : *Paumer ses douilles.* / Perdre au jeu :

Paumer une brique. / Prendre : *Se faire paumer.*

☐ **se paumer** v.pr. Se perdre, s'égarer, ne plus retrouver son chemin : *Je me suis paumé.*

pauvre adj. Pitoyable (dans les insultes : *pauvre andouille, pauvre crétin, pauvre con,* etc.).

pavé n.m. 10 000 F ou un million d'anciens francs. / *C'est clair comme un pavé dans la gueule d'un flic,* c'est évident.

paveton n.m. Pavé : *Balancer les pavetons.*

pavoiser v.i. Manifester sa joie. / Faire des dettes. / Avoir un œil poché. – Saigner (boxe).

pavute n.f. Prostituée, pute (javanais).

pax n.m. Passager (aéron.).

payant adj. Se dit pour profitable : *C'est payant.*

paye n.f. Longue durée : *Ça fait une paye que je l'ai pas vu.*

payer v.t. Expier : *J'ai payé deux ans, on est quittes.* / *Ça paye,* c'est drôle, c'est impayable. / Rapporter, procurer un profit : *Un commerce qui paie.*

☐ **se payer** v.pr. S'offrir : *Se payer du bon temps, se payer la tête de quelqu'un.* / *S'en payer une tranche,* bien s'amuser.

pays, payse n.m. et n.f. Compatriote, né dans la même ville, le même village ou la même région.

p.-d. n.m. Porte-documents (étud.).

peau n.f. *La peau* ou *peau de balle, peau de zob,* rien, balpeau. – *Pour la peau,* pour rien, inutilement. / *Peau de...* Injure : *Peau de vache* (aux policiers, aux supérieurs hiérarchiques, à toute personne sévère) ; *peau d'hareng* (à une personne autoritaire, dure en affaires, etc.) ; *peau de fesse* (méprisant). / *Peau d'âne,* diplôme. / *Une vieille peau,* prostituée âgée. / *Faire la peau de quelqu'un, avoir sa peau,* le tuer. / *Faire peau neuve,* changer complètement de conduite, de manière de vivre. / *Risquer sa peau,* s'exposer à un danger. / *Avoir la peau trop courte,* être paresseux. / *Avoir quelqu'un dans la peau,* aimer avec passion. / *Une peau de banane,* une embûche tendue volontairement sur le chemin d'un concurrent (fig.). / *Un révolutionnaire en peau de lapin,* un intellectuel qui fait la révolution en paroles et non en actes.

peaufiner v.t. Mettre au point dans les moindres détails, soigner, parfaire.

☐ **se peaufiner** v.pr. Se maquiller, se parer.

peausser v.i. Coucher, dormir (arg.).

pébroque n.m. Parapluie, parelance. / Alibi.

pêche n.f. Coup : *Recevoir une pêche.* / Accentuation d'un accord (musique). / Chance : *Avoir la pêche.* / *Poser une pêche,* aller à la selle.

pêche n.f. *Aller à la pêche,* chercher au hasard, sans méthode ; être sans travail.

pêcher v.t. Puiser, prendre, chercher : *Où a-t-il été pêcher ça ?*

pécho par les keufs (être) loc. Être arrêté par les keufs, les flics.

pécole n.f. Blennorragie.

pécore n.m. Paysan.

pécu n.m. Papier hygiénique. / Rapport écrit.

pécufier v.t. Écrire (un rapport, un devoir). / Discourir, parler en style écrit.

pécunier adj. Se dit pour « pécuniaire » : *C'est un boulot intéressant du point de vue pécunier.*

pédale n.f. Homosexuel : *C'est une pédale.* – Pédérastie : ***Être de la pédale, en être,*** être homosexuel. / ***Perdre les pédales,*** perdre la tête. / ***Lâcher les pédales,*** renoncer, abandonner.

pédaler v.i. Courir. / ***Pédaler dans la semoule, dans le yaourt*** ou ***dans la choucroute,*** avancer avec difficulté (au pr. et au fig.). / ***Pédaler dans l'huile*** ou ***dans le beurre,*** marcher avec facilité (au pr. et au fig.).

pédé n.m. Homosexuel, pédale.

pédigrée n.m. Casier judiciaire (arg.).

pédoque n.m. Homosexuel, pédale.

pedzouille n.m. Paysan, rustre.

pégal n.m. Mont-de-piété. (V. EMPÉGALER.)

pègre n.m. Truand, voleur, criminel, qui fait partie de la pègre.

pégriot n.m. Petit truand, jeune pègre.

peigne n.m. Pince-monseigneur. / ***Peigne-cul*** ou ***peigne-derche,*** individu méprisable.

peignée n.f. Raclée : *Se foutre une peignée, recevoir une peignée.*

peigner v.t. ***Peigner la girafe,*** faire un travail inutile : *Faire ça, ou peigner la girafe !*

peinard adj. Tranquille, sans peine : *Pédaler en père peinard.* – ***Se tenir peinard,*** agir avec prudence, rester tranquille.

peinardement adv. Tranquillement, sans souci.

peine-à-jouir n.m. Automobiliste qui démarre avec difficulté.

pékin n.m. et adj. Civil ; qui n'appartient pas aux milieux militaires.

pelé n.m. ***Trois pelés et un tondu,*** peu de monde et de peu d'intérêt.

peler v.i. Faire froid : *Ça pèle aujourd'hui.* – Avoir froid : *On pèle ici.* □ v.t. ***Peler le jonc,*** importuner : *Tu me pèles le jonc, avec tes salades.*

pèlerin n.m. Voyageur, surtout sur grande distance (aéron., ch. de fer). / Agent cyclomotoriste. / Parapluie.

pelle n.f. ***Ramasser une pelle,*** faire une chute. / Guitare : *Gratter la pelle.* / ***Rouler une pelle,*** embrasser sur la bouche. / ***À la pelle,*** en grande quantité : *Des cons, ici y-en a à la pelle.*

pelloche n.f. Pellicule photographique ou cinématographique. (V. CELL', CELLO.)

pélot n.m. ***Sans un pélot,*** sans un sou.

pelotage n.m. Caresses : *Pas de pelotage avant le mariage* (dicton). / ***Travailler en pelotage,*** dresser les fauves en douceur (forains).

pelote n.f. Fortune : *Faire sa pelote.* / Au pl. Testicules. / ***Envoyer aux pelotes,*** éconduire, envoyer promener.

peloter v.t. Caresser longuement, palper : *Se faire peloter dans le métro.* / Flatter bassement : *Il fait que peloter le singe.*

pelousard n.m. Habitué de la pelouse (turf).

pelure n.f. Vêtement, pardessus. / Individu de peu d'envergure.

pendouiller v.i. Pendre mollement.

pendre v.i. *Ça lui pend au nez,* ou *ça lui pend au cul (comme un sifflet de deux ronds),* c'est un désagrément qui le menace.

pendule n.f. Compteur de taxi. / *Tu vas pas nous en chier une pendule ?,* tu ne vas pas en faire une histoire ?

pénible adj. Difficile à supporter : *C'est le père pénible.*

péniche n.f. Chaussure : *Où sont mes péniches ?*

penser v.i. *Penser bien,* avoir les mêmes opinions politiques que celui qui s'exprime. / *Ce que je pense,* ce qu'on n'ose dire : *Marcher dans ce que je pense,* dans la merde. – *Un coup de pied où je pense,* au cul.

pente n.f. *Avoir la dalle en pente,* avoir toujours soif.

pépé n.m. Grand-père. – Vieillard, pépère.

pépée n.f. Femme ; compagne. / Femme ou fille quelconque qui se donne des airs de poupée.

pépère n.m. Grand-père (terme d'affection). – Vieillard : *Vise le pépère sur son vélo.*
☐ adj. Tranquille, peinard : *Une vie pépère.* / Gros, copieux, maousse : *Un sandwich pépère.*

pépette n.f. Femme ou fille quelconque, pépée ou poupée (péjor.). / Au pl. *Les pépettes,* l'argent, les sous.

pépin n.m. Accident, panne ; désagrément : *Risquer le pépin.* / Parapluie. – Parachute (aéron.) / *Avoir un pépin dans la timbale,* être un peu fou. / *Avaler le pépin,* prendre le risque d'être enceinte. / *Avoir le pépin pour quelqu'un,* un caprice sentimental ; être amoureux.

péquenot n.m. Paysan, rustre, pécore.

percale n.m. Tabac, perlot.

percée n.f. Franchissement clandestin d'une frontière.

perche n.f. *Tendre la perche,* proposer de venir en aide.

percher v.i. Habiter, loger, crécher : *Où tu perches ?*

perco n.m. Percolateur.

perdreau n.m. Policier en civil, ou en uniforme, poulet.

père n.m. *Petit père,* terme d'amitié. / *Père peinard,* qui ne se presse pas. / *Père Système,* élève classé dernier au concours d'entrée. (V. SYSTÈME.) / *Père Cent,* fête du centième jour avant la libération (milit.). / *Coup du père François,* attaque par-derrière avec étranglement. / *Croire au père Noël,* avoir des illusions, s'illusionner. / *Père Fouettard,* les fesses. / *Père presseur,* percepteur.

périf ou **périph** n.m. Boulevard périphérique.

périscope n.m. *Coup de périscope,* coup d'œil prudent : *Avant d'entrer, file un coup de périscope.*

perle n.f. Le meilleur dans sa catégorie : *La perle des honnêtes gens.* / Prostituée spécialisée acceptant les rapports contre nature. / Erreur ridicule : *Relever des perles dans un devoir.* / ***Enfiler des perles,*** perdre son temps ; s'ennuyer. / ***Lâcher une perle,*** péter.

perle ou **perlot** n.m. Tabac.

perlouse n.f. Perle (sens propre). / Pet, perle.

perme n.f. Permission (milit.).

pernaga, perniflard ou **pernifle** n.m. Pernod (apéritif).

perpète (à) loc.adv. À perpétuité, à vie : *Condamné à perpète.* / *Ado-perpète,* adoration perpétuelle (ecclés.). / À perte de vue, très loin : *Il habite à perpète.*

perquise n.f. Perquisition (arg.).

perroquet n.m. Absinthe pure ou apéritif composé de pastis et de sirop de menthe : *Étrangler* ou *étouffer un perroquet.*

perruque n.f. ***Faire de la perruque,*** exécuter pendant les heures de travail, avec le matériel de l'entreprise, un travail personnel non déclaré. / ***Avoir une perruque en peau de fesse,*** être chauve.

persil n.m. ***Aller au persil,*** aller au travail. / ***Faire son persil,*** aller et venir, s'activer. – Faire le trottoir (prost.).

pervenche n.f. Contractuelle, auxiliaire féminine de police chargée de la surveillance du stationnement (de la couleur de l'uniforme ; autrefois « aubergine »).

pescale n.m. Poisson. / Proxénète, maquereau.

pessigner v.t. Forcer : *Pessigner une lourde* (arg.).

pet n.m. ***Comme un pet sur une toile cirée,*** rapidement et discrètement. – ***Ça ne vaut pas un pet*** ou ***un pet de lapin,*** ça ne vaut rien. / ***Il y a du pet,*** du danger. – ***Pet !*** Interj. : Danger ! / ***Faire le pet,*** faire le guet. / ***Porter le pet,*** porter plainte.

péta le style loc. Se surpasser (*péta* est le verlan de *taper*). Conjugaison très... irrégulière : *Tu péta le style,* tu te surpasses.

pétanqueur n.m. Homosexuel.

Pétaouchnock n.pr. Ville imaginaire, inconnue, située très loin.

pétard n.m. Cul : *Un gros pétard.* / Revolver : *Sortir son pétard.* / Joint (marijuana en feuilles roulées) ou, plus simplement, cigarette de tabac, tarpé. / Bruit, scandale : *Faire du pétard.* / ***Être en pétard,*** en colère ; être brouillés : *Ils sont en pétard.*

pétardier n. et adj. Colérique, irascible.

pétasse n.f. Femme (péjor.). / Prostituée débutante ou occasionnelle (prost.).

pèt' ou **pète** n.m. (ou parfois n.f.). Petite marque de choc (sur la carrosserie d'une automobile, par ex.).

pété adj. Ivre : *Il est pété à mort.*

pétée n.f. Ivresse : *Prendre une pétée.* / Éjaculation : *Filer une pétée.*

péter v.t. Faire éclater, briser : *Péter une porte.* / *Il faut que ça pète ou que ça dise pourquoi,* il faut que ça se fasse (dicton). / *La péter,* avoir très faim, la sauter. – *S'en faire péter la sous-ventrière,* manger trop, sans retenue. / *Faire péter les boutons de braguette,* pour une femme, être désirable. / *Péter le feu,* être plein d'énergie.
☐ v.i. *Péter dans la soie,* vivre dans le luxe. – *Péter plus haut que son cul,* avoir des prétentions exagérées.
☐ **se péter** v.pr. *Se péter la gueule,* se blesser, se casser la gueule. / S'enivrer.

péteux n. et adj. Prétentieux : *Tu parles d'une péteuse !* / Poltron, lâche.

petiot n. et adj. Petit.

petit adj. Indique la modestie : *Un petit blanc ;* ou l'amitié : *Salut, petite tête !*
☐ n.m. Anus. / *Mener le petit au cirque,* faire l'amour. / *Faire des petits,* se reproduire, s'agrandir (au fig.).
☐ n.f. Demi-verre d'anisette, mominette. / *Prendre une petite,* une prise d'héroïne (drogue).
☐ adv. Doucement : *La deux-pattes, ça roule petit.*

petit frère n.m. Membre viril.

pétochard n. et adj. Peureux, craintif, qui a la pétoche : *C'est un pétochard.*

pétoche n.f. Peur : *Avoir la pétoche.*

pétoire n.f. Moto. / Arme à feu de poing.

pétouille n.f. Peur : *Avoir la pétouille.* / Petite tache sur une impression offset, provoquée par un grain de poussière sur le cliché.

pétoulet n.m. Cul, pétard, pétrousquin.

pétrolette n.f. Motocyclette de petite cylindrée.

pétrousquin n.m. Cul. / Civil, pékin. / Paysan.

pétrus n.m. Cul.

peu (un) adv. Se dit pour beaucoup : *C'est un peu bath.* / *Un peu, mon neveu !* Évidemment.

peuplier n.m. *En cuir de peuplier,* en bois. – *Chaussures à semelle en cuir de peuplier,* sabots.

peupons n.f.pl. Chaussures, pompes (verlan).

pèze n.m. Argent, fric. – *Être au pèze,* être riche.

pezette n.f. Sou, monnaie : *Amène tes pezettes.*

pharmaco n.m. Pharmacien.

phosphorer v.i. Réfléchir.

piaf n.m. Moineau ; oiseau quelconque. – *Crâne de piaf,* cervelle d'oiseau (fig.).

piano n.m. *Piano du pauvre* ou *piano à bretelle,* accordéon. / Denture : *Il a plus de ratiches dans son piano.* / Comptoir de café : *Un coup de cachemire sur le piano.* / Comptoir sur lequel on relève les empreintes digitales.

piaule n.f. Chambre, pièce, domicile : *Renquiller à la piaule.*

pibouic n.m. Clarinette.

picaillon n.m. Argent, monnaie.

pichtegorne n.m. Vin ordinaire.

picoler v.i. Boire plus que de raison.

picoleur adj. et n. Qui picole.

picolo n.m. Vin ordinaire.

picote n.f. Cicatrices de variole.

picouse n.f. Piqûre. – Injection (drogue).

picouser v.t. Faire une piqûre.

picrate n.m. Vin de mauvaise qualité.

picter v.i. Boire, pitancher.

picton n.m. Vin.

pièce n.f. *Pièce de dix sous* ou *de dix ronds,* anus. / *Service trois pièces,* le sexe de l'homme. / *On est pas aux pièces,* on n'est pas pressé, on a tout le temps.

pied n.m. *C'est le pied ! C'est pied !,* c'est agréable, parfaitement réussi. – *Prendre son pied,* jouir de l'orgasme. – *Avoir son pied,* avoir son content ; avoir sa part. / *En avoir pied,* en avoir assez. / *Ça te fait les pieds,* ou *c'est bien fait pour tes pieds,* c'est bien fait pour toi. – *C'est pour mes pieds,* c'est moi qui en subis les désagréments. / *Avoir les pieds retournés,* être paresseux. / *Avoir les pieds dans le dos,* être recherché par la police. / *Mettre le pied quelque part,* donner des coups de pied au cul. / *Mettre les pieds quelque part,* entrer, aller dans ce lieu : *Je n'y remettrai plus les pieds.* / *Lever le pied,* partir subrepticement : *Le caissier a levé le pied.* – Dans un véhicule, ralentir l'allure. / *Mettre les pieds dans le plat,* faire une gaffe ; révéler volontairement ce que d'autres voulaient tenir secret. / *Mettre les pieds en bouquet de violettes,* être au comble de l'orgasme. / *Retomber sur ses pieds,* se tirer adroitement d'affaire, sans subir de dommage. / *Faire le pied de grue,* attendre longuement. / *Sécher sur pied,* se morfondre. / *Trouver chaussure à son pied,* trouver la femme qui vous convient. / *S'en aller les pieds devant,* mourir, être porté en terre.

pied-noir n. et adj. Français originaire d'Algérie.

piège n.m. *Piège, piège à poux, piège à macaronis,* barbe. / *Piège à cons,* traquenard, piège : *Élections, piège à cons.* / *Piège à bagnard,* travail.

piéger v.t. Prendre par ruse ; tendre un traquenard, un piège : *Se faire piéger.*

piéton n.m. Trimardeur, mendiant nomade. / Agent de police affecté à la circulation.

pieu n.m. Lit : *Se mettre au pieu.* / Litre de vin : *S'acheter un pieu.* / Poteau d'arrivée (turf).

pieuter v.i. Coucher.
□ **se pieuter** v.pr. Se mettre au lit.

pif n.m. Nez. – *Faire quelque chose au pif,* à vue de nez. (V. PIFOMÈTRE.) / Vin, pive.

piffer v.t. *Ne pas piffer,* ne pas pouvoir sentir, détester.

pifomètre (au) loc.adv. À vue de nez, approximativement, intuitivement : *Calculer au pifomètre.*

pige n.f. An, année : *Un jeunot de vingt piges.*

pigeon n.m. Dupe : *Je suis toujours le pigeon.*

pigeonner v.t. Duper, tromper, escroquer : *Je me suis fait pigeonner.*

piger v.t. Regarder, admirer : *Pige-moi cette drôle de tronche !* / Attraper : *Piger la grippe.* / Comprendre : *Je pige que dalle.*

pignole n.f. Masturbation : *Se taper une pignole.*

pignouf n.m. Imbécile mal élevé.

pile ou **pilule** n.f. Défaite au combat : *Prendre la pile* ou *la pilule.*
☐ adv. Net, juste : *S'arrêter pile.* – Au bon moment : *Tomber pile.*

piler v.i. S'arrêter net, juste : *Il a pilé à un mètre du bec de gaz.*

pills n.m. ou n.f. Pilule de L. S. D. (drogue).

pilon n.m. Pied. / Jambe de bois. / Mendiant, individu qui emprunte constamment de l'argent ; parasite. / Mendicité : *Faire le pilon.*

pilonner v.i. Mendier.

pinaillage n.m. Action de pinailler, ou son résultat ; enculage de mouches.

pinailler v.i. Ergoter, s'arrêter à des vétilles, être tatillon, être minutieux avec excès, enculer les mouches.

pinailleur adj. et n. Tatillon, qui pinaille.

pinard n.m. Vin.

pinardier n.m. Bateau-citerne transportant du vin (mar.).

pince n.f. Main : *Serrer la pince.* / Pied : *Rentrer à pince.* / ***Chaud de la pince,*** coureur de filles. / Motocycliste lent : *Ton pote, c'est une vraie pince.*

pinceau n.m. Pied : *Se laver les pinceaux.*

pincée n.f. Forte somme : *Il a touché la pincée.*

pince-fesses ou **pince-cul** n.m. Bal ; soirée dansante : *Avoir un plan pince-fesses.*

pincer v.t. Prendre, surprendre, arrêter : *Se faire pincer.* / Comprendre, piger : *Tu pinces ?* / ***En pincer pour quelqu'un,*** être amoureux.

piné adj. Réussi.

pine n.f. Membre viril. – ***Revenir avec la pine sous le bras,*** échouer dans une tentative amoureuse.

piner v.t. Posséder une femme.

pinglot n.m. Pied.

pingouin n.m. Pied. / Avocat (en robe).

pinocumettable adj.f. Désirable.

pinter v.t. et v.i. Boire beaucoup.

piocre n.m. Pou : *Le gamin a des piocres.*

pioger v.i. Habiter : *Où tu pioges ?*

pion, pionne n. Surveillant(e) (scol.).
☐ adj. Ivre : *Il est pion.*

pioncer v.i. Dormir : *Pioncer jusqu'à midi.*

pionnard n.m. Ivrogne ; pion.

pionner (se) v.pr. Se saouler.

pipe n.f. Cigarette : *File-moi une pipe.* / Fellation : *Faire* ou *tailler une pipe.* / Note de musique : *Faire des pipes* (musique). / *Casser sa pipe,* mourir. / *Se fendre la pipe,* bien rire. / *Tête de pipe,* tête : *Ça fait 100 balles par tête de pipe.* V. PORTE-PIPE.

pipelet ou **pibloque** n. Concierge, gardien.

piper v.t. Supporter (sous la forme négative) : *Je peux pas le piper.*
□ v.i. Parler (forme négative) : *Ne pas piper.*

pipi n.m. *Dame pipi,* préposée aux toilettes dans un lieu public.

pipi-room n.m.inv. Toilettes, cabinets d'aisances.

piquage n.m. Arrestation : *Effectuer un piquage.*

pique (dame de) n.f. Jeu de cartes : *Taquiner, chatouiller* ou *faire valser la dame de pique,* jouer aux cartes.

piqué n. et adj. Fou. / *C'est pas piqué des vers,* ou *pas piqué des hannetons,* ce n'est pas ordinaire.

pique-fesse n.f. Infirmière.

piquer v.t. Percer : *Piquer les pneus.* / Donner un coup de couteau : *Je l'ai piqué.* / Tatouer : *Se faire piquer un cœur sur le bras.* / Voler, chaparder : *Piquer les troncs* (dans les églises). / Ramasser : *Piquer les clopes.* / Prendre, arrêter, appréhender : *Il s'est fait piquer.* / *Piquer un fard,* rougir. / *Piquer le coup de bambou,* avoir une insolation. / *Piquer un roupillon, piquer un chien,* dormir. / *Piquer un cent mètres,* partir rapidement en courant. / *Piquer une crise* ou *piquer sa crise,* se mettre en colère. / *Piquer une tête,* plonger.
□ **se piquer** v.pr. Se droguer. / *Se piquer le nez,* se saouler.

piquette n.f. *Ramasser une piquette,* se faire battre complètement au jeu, à un sport.

piqueur n.m. Chapardeur, voleur : *Piqueur de troncs dans les églises.*

pire (plus) loc.adj. Se dit pour « *pire* » (au m. ou f.) ou « pis » (neutre) : *C'est plus pire qu'il avait dit.*

Piscine n.f. Direction des services du contre-espionnage.

pissat n.m. Boisson qui resssemble à de l'urine : *Ton petit blanc, c'est du pissat.*

pisse n.f. Urine. / *Pisse d'âne,* mauvais vin.

pisse-copie n.m. Journaliste ou écrivain qui écrit abondamment et sans soin.

pisse-froid n.m. Individu froid, morose, qui ne sourit jamais.

pissenlit n.m. *Bouffer les pissenlits par la racine,* être mort et enterré.

pisser v.t. et v.i. Uriner – *Pisser des lames de rasoir,* avoir une miction douloureuse. / Couler. – *Pisser du nez,* saigner du nez. – *Pisser de l'œil,* pleurer. / *Pisser sa côtelette,* accoucher. / *Pisser sa copie,* écrire un article (presse). / *En pisser dans son froc,* rire sans retenue. / *Pisser le sang,* être obligé de supporter des contraintes de travail, ou de graves désagréments : *Je lui ferai pisser le sang, à ce con.* / *C'est comme si je pissais dans* *un violon,* personne n'écoute ce que je dis. / *Laisser pisser,* ou *laisser pisser le mérinos,* laisser faire, laisser aller. / *Il pleut comme vache qui pisse,* à verse.

pissette n.f. Lance à incendie (pompiers). / Lave-glace (auto).

pisseuse ou **pissouse** n.f. Fillette.

pisse-vinaigre n. Avare ; pisse-froid.

pissoir n.m. Urinoir, pissotière.

pistache n.f. *Avoir une pistache,* être ivre.

pistacher (se) v.pr. S'enivrer.

pistard n.m. Cycliste sur piste (sport).

piste n.f. *Entrer en piste,* se rendre à l'autel (ecclés.).

pister v.t. Suivre ; filer quelqu'un. / Rechercher des clients pour une boîte de nuit.

pisteur n.m. Rabatteur de clients pour une boîte de nuit.

pistole n.f. Cellule individuelle (prison).

pistolet n.m. Urinal (hôpitaux). / Individu bizarre ou douteux : *Un drôle de pistolet.*

Piston n.pr. École centrale des arts et manufactures (étud.).

piston n.m. Recommandation, protection. / Élève de l'École centrale des arts et manufactures (étud.). / Capitaine (armée), v. PITAINE.

pistonner v.t. Recommander, protéger : *Se faire pistonner.*

pitaine ou **piston** n.m. Capitaine (armée).

pitancher v.t. Boire.

pitancheur n.m. Ivrogne.

pitchpin ou **pichpin** n.m. Travail facile : *C'est du pichpin.*

piton n.m. Nez.

pive ou **pivois** n.m. Vin de mauvaise qualité. (V. PIF.)

placard n.m. Prison : *Il a tiré trois ans de placard.* / *Être au placard, mis au placard,* être écarté de son poste et réduit à l'inactivité, sans être licencié. / Droit versé au bidochard pour l'achat d'une prostituée (prost.).

placarde n.f. Cachette, abri, planque : *Avoir une placarde où se planquer.* / Place, emplacement (sur un marché). / Place, situation.

placarder v.t. Placer une prostituée (prost. ; sens étendu aux autres placements).

placardier n.m. Placier (marché).

plafond, plafonnard n.m. Crâne. – *Avoir une araignée dans le plafond,* être fou. – *Être bas de plafond,* être idiot. – *Se faire sauter le plafond,* se suicider, se faire sauter la cervelle.

plan n.m. Projet. – *Avoir un plan,* avoir une idée. – *Se faire un plan toile,* décider d'aller au cinéma. – *C'est le plan galère, on se fait ièche,* c'est une mauvaise idée, on s'embête.

planant adj. Agréable, euphorisant : *Le rock, c'est planant.*

planche n.f. Interrogation (étud.). / *Planche à repasser,* chasuble (ecclés.). / *Mettre le pied sur la planche,* accélérer (auto).

plancher n.m. *Aller au plancher,* toucher le sol (boxe). / *Débarrasser le plancher,* être forcé de quitter un lieu. / *Rouler au plancher,* appuyer à fond sur la pédale d'accélérateur.

plancher v.i. Subir une interrogation, travailler une planche (étud.).

planer v.i. Être sous l'effet de la drogue ; être inconscient de ses actes, rêvasser. / *Planer à trois mille mètres,* ne pas avoir le sens des réalités.

planque ou **planquouse** n.f. Cachette : *Je connais une bonne planque.* / Surveillance d'un lieu suspect : *Les poulets font la planque devant le bal à Jo.* / Emploi de tout repos : *Gardien de square, c'est la planque.*

planqué adj. et n.m. Embusqué ; qui se cache, se planque.

planquer v.t. Cacher : *Planque tes pipes, c'est un pilon.*
□ **se planquer** v.pr. Se cacher ; trouver un emploi qui évite le danger ou les corvées.

plante n.f. Erreur. – *Faire une plante,* se tromper, se planter.

planter v.t. *Planter un drapeau,* partir sans payer.
□ **se planter** v.pr. Se tromper, échouer. / Avoir un trou de mémoire (spect.). / Sortir de la route par accident (auto).

plaque n.f. 10 000 F (un million de centimes).

plaquer v.t. Abandonner : *Plaquer sa femme.* / Arrêter un adversaire en le saisissant aux jambes.

plaquouse n.f. Plaque, rougeur de la peau.

plat n.m. *En faire un plat,* donner beaucoup d'importance à quelque chose. / *Faire du plat,* faire la cour. / *Être à plat,* sans énergie. / *Mettre à plat,* économiser. – Déprimer : *Ça l'a mis à plat.* / *Il en fait un plat,* il fait très chaud.

plat-à-barbe n.m. Réflecteur de lumière (spect.).

plat-cul n.m. Plongeon raté, sur le dos. (V. PLAT-VENTRE.)

plate-bande n.f. *Marcher sur les plates-bandes,* empiéter sur les attributions, le domaine de quelqu'un.

plat-ventre n.m. Plongeon raté, sur le ventre. (V. PLAT-CUL.)

plein adj. Ivre : *Il est encore plein.* / *Plein aux as,* riche. / *En avoir plein les bottes,* être fatigué. – *En avoir plein le dos* ou *le cul,* être excédé, en avoir assez, ras le bol.
□ adv. Beaucoup : *Avoir plein de fric.* – *À plein tube,* avec le maximum de puissance sonore : *La radio gueule à plein tube.*

pleur n.m. *Bureau des pleurs,* service des réclamations.

pleurer v.i. *Pleurer pour avoir quelque chose,* réclamer, récriminer.

pli n.m. *Ça fait pas un pli,* c'est clair, c'est net ; ça ne souffre aucune difficulté ; c'est fatal.

plomb n.m. Ristourne faite par un hôtelier (prost.).

plombard n.m. Plombier.

plombe n.f. Durée d'une heure : *J'ai attendu trois plombes.* / Heure sonnée : *Il est trois plombes.*

plombé adj. Atteint d'une maladie vénérienne. / *Être plombé,* ne pas réussir à se débarrasser de titres en Bourse, être collé.

plomber v.t. Transmettre une maladie vénérienne. / Peser lourd : *Un paquet qui plombe un peu.*

plombier n.m. Poseur de micros d'écoute clandestine : *Tous les services secrets ont leurs plombiers.*

plôme n.m. Diplôme.

plonge n.f. Lavage de la vaisselle : *Faire la plonge.*

plongeon (faire le) loc. Faire faillite, subir une grosse perte d'argent : *Il a fait le plongeon.*

plonger v.i. Être incarcéré : *Il a plongé.* / Subir une perte d'argent, faire un plongeon. / Laver la vaisselle, faire la plonge.

plongeur n. Laveur de vaisselle dans un restaurant.

plouc, plouqesse n. Paysan, ploum, pécore, péquenot. – Lourdaud.
□ adj.inv. *La mode plouc,* volontairement sans grâce.

ploum n.m. Paysan, rustre.

pluches n.f.pl. Épluchage : *La corvée de pluches.* – Épluchures de légumes.

plumard ou **plume** n.m. Lit : *C'est l'heure d'aller au plume.*

plume n.f. Aile d'avion (aéron.). / Cheveu. / Pince-monseigneur. / *Voler dans les plumes,* attaquer, se battre. / *Laisser des plumes,* perdre de l'argent. / *Tailler une plume,* pratiquer la fellation.

plumeau n.m. *Avoir son plumeau* ou *son plumet,* être ivre. / Cocktail (mandarin et champagne). / *Envoyer chez Plumeau* ou *chez Plumepatte,* éconduire.

plumer v.t. Escroquer, dépouiller : *Plumer un pigeon.* / *Plumer une rue,* mettre systématiquement des contraventions (police).
□ **se plumer** v.pr. Se battre, se voler dans les plumes.

plumier n.m. Violon (musique).

plus (...) que (...), tu meurs ! loc. Expression de vanité naïve qui traduit une impossibilité : *Plus beau que moi, tu meurs !* (pataouète).

P. L. V. abr. de *Pour la vie* (tatouage, graffiti).

pneu n.m. Bourrelet de graisse à la taille, poignée d'amour.

pochard n.m. Ivrogne.

poche n.m. Livre de poche : *Tous les bons bouquins sont en poche.*

pochetée n.f. Personne laide. / Imbécile : *Va donc, eh, pochetée !*

pocheton ou **pochetron** n.m. Ivrogne.

pochette-surprise n.f. *Avoir eu son permis de conduire dans une pochette-surprise,* être mauvais conducteur.

pocket. V. POQUETTE.

poêle n.f. *Tenir la queue de la poêle,* avoir la direction, tenir la caisse.

pogne n.f. Main : *Serrer la pogne.* / Masturbation : *Se faire une pogne.*

pogner (se) v.pr. Se masturber.

pognon n.m. Argent. – *Avoir du pognon,* être riche.

poh ! poh ! poh ! exclam. d'admiration et d'étonnement (pataouète).

poids n.m. Âge. – *Faire le poids,* avoir atteint l'âge de la majorité légale. – *Faux poids,* fille mineure (prost.). / *Avoir du poids,* avoir de l'expérience, de l'influence. – *Faire le poids,* avoir l'expérience nécessaire. / *Un poids mort,* un individu inutile et encombrant.

poigne n.f. Énergie : *Avoir de la poigne.*

poignée n.f. *Poignée d'amour,* bourrelet de graisse à la taille, pneu. / *Aller la poignée dans le coin,* rouler très vite (moto).

Poignet n.pr. *La veuve Poignet,* la masturbation.

poil n.m. *À poil,* complètement nu. / *Avoir un poil dans la main,* être paresseux. / *Avoir du poil au cul,* être courageux. / *Reprendre du poil de la bête,* des forces, de l'énergie. / *Tomber sur le poil de quelqu'un,* l'aborder ou l'attaquer à l'improviste. / *Être de mauvais poil,* être de mauvaise humeur. / *Au poil,* parfaitement, exactement : *Au petit poil, au quart de poil, au quart de millipoil.* / *Au poil du cul près,* ou *à un poil de grenouille près,* aussi exactement que possible. / *Il s'en est fallu d'un poil,* de peu. / *Ça colle poil-poil,* cela va juste, exactement.

poilant adj. Risible, comique.

poiler (se) v.pr. Se tordre de rire.

poilu adj. Viril, courageux. / *C'est poilu,* c'est parfait, au poil ou poilant.

point n.m. *Point noir,* anus. / *Avoir un point de côté,* être recherché par la police. / *Point de chute,* lieu où l'on peut habituellement être assuré de rencontrer quelqu'un : *Quel est ton point de chute ?* / *Commencer à rendre des points,* vieillir.

pointe n.f. *Être de la pointe,* aimer les femmes. / *Être porté sur la pointe bic,* aimer les Arabes. / *Pousser sa pointe,* forniquer.

pointer (se) v.pr. Arriver, se rendre sur un lieu : *Je me pointerai à six plombes.*

poire n.f. Visage, face. / *Une poire,* un naïf, une dupe. – *Être poire,* être trop indulgent. – *Être la poire,* être la victime.

poireau n.m. Décoration du Mérite agricole. / Clarinette. / *Faire le poireau,* attendre impatiemment. / *Souffler dans le poireau,* pratiquer la fellation.

poireauter v.i. Attendre, faire le poireau.

poirer v.t. Prendre, cueillir : *Se faire poirer.*

poiscaille n.m. Poisson. / Proxénète, maquereau.

poisse n.f. Malchance : *Avoir la poisse.*
□ n.m. Voyou : *C'est un poisse.*

poisser v.t. Arrêter, surprendre en flagrant délit : *Se faire poisser.*

poisson n.m. Proxénète, maquereau. / *Faire une queue de poisson,* en doublant la voiture qui vous précède, se rabattre brusquement devant elle en l'obligeant à freiner. / *Changer le poisson d'eau,* uriner. / *Engueuler comme du poisson pourri,* violemment.

poitrine de vélo n.f. Poitrine étroite et creuse.

poivre adj. Ivre : *Il est poivre.*

poivré adj. D'un prix exagéré : *C'est poivré.*

poivrer (se) v.pr. Se saouler.

poivrier n.m. *Vol au poivrier,* vol au détriment des ivrognes, des poivrots, des individus poivres.

poivrot n.m. Ivrogne, poivre.

poivroter (se) v.pr. Se griser.

Polaque n.pr. Polonais.

polar n.m. Roman policier, rom' pol'.

polard n.m. Membre viril.

polichinelle n.m. *Avoir un polichinelle dans le tiroir,* être enceinte. – *Claquer le polichinelle,* faire une fausse couche (prost.). / Maquette d'épaisseur (impr.).

polir v.t. *Se polir le chinois,* se masturber (homme).

politesse n.f. Fellation : *Faire une politesse.*

politicard n. et adj. Politicien.

polka n.f. Femme légitime, concubine (est passé de l'arg. au pop.).

pologner v.i. Partager la paye entre musiciens (jazz).

polope ! interj. Rien !, balpeau !

poltron n.m. Pet.

poly n.m. Cours polycopié (étud.).

polychiée n.f. Très grande quantité (étud.).

pommade n.f. *Passer la pommade,* flatter.

pommader v.t. Flatter, passer de la pommade.

pommadin n.m. Coiffeur.

pomme n.f. Tête, visage. / *Se sucer la pomme,* s'embrasser. / *Ma pomme,* moi. / *Aux pommes,* parfait. / *L'autre pomme,* cet imbécile-là. – *Une vraie pomme !,* un naïf. –*Moi, bonne pomme,* indulgent, gentil, naïf. / *Tomber dans les pommes,* s'évanouir. / *Pomme de terre,* trou à la chaussette, patate.

pommé adj. Considérable ; complet : *Ce coup-là, c'est pommé.*

pompe n.f. Chaussure. / *Deuxième pompe,* soldat de deuxième classe. / *À toute pompe,* à toute vitesse. / Aide-mémoire clandestin, antisèche. – *Pompe à bretelles,* antisèche retenue sous la table par des élastiques. (V. POMPER.) / *Avoir la pompe* ou *un coup de pompe,* ressentir une fatigue subite. / *La Pompe,* sobriquet d'un paresseux. / *Faire la pompe,* accompagner au piano en marquant les temps faibles de la main droite et les temps forts de la main gauche (jazz). / *Marcher à côté de ses pompes,* être inattentif, rêveur ; ne pas être dans son état normal.

pompé adj. Fatigué.

pomper v.t. Boire beaucoup. / Fellation : *Pomper le dard, pomper le nœud,* etc. / Copier (étud.). / *Pomper l'air,* importuner.

pompeuses n.f.pl. Lèvres.

Pompidolium n.pr. Centre Pompidou, à Paris, surnommé aussi la Raffinerie, l'Usine à gaz.

pompier n.m. Fellation.
□ adj. D'un style prétentieux, conventionnel.

pomplard n.m. Pompier. / Fellation, pompier.

pompon n.m. *Avoir son pompon,* être légèrement ivre.

pondeuse (bonne) n.f. Mère de famille nombreuse. (V. LAPINE.)

pondre v.t. et v.i. Accoucher.

pont n.m. *Pont arrière,* cul.

ponte n.m. Personnage important. / Joueur (arg.).

Popaul n.pr. Membre viril.

Popinque (la) n.pr. Le quartier Popincourt, à Paris.

Popof n.pr. Russe : *C'est des durs, les Popofs.*

popote n.f. Cuisine : *Faire la popote.* – *Faire popote avec quelqu'un,* partager les frais de repas commun. / Cercle d'officiers : *Faire la tournée des popotes.*
□ adj. Terre à terre, casanier : *Une femme popote.*

popotin n.m. Cul. – *Se manier* ou *se magner le popotin,* se presser.

popu adj. Populaire : *Le Front popu.*
□ n.m.pl. Les individus qui constituent la foule occupant les places dites populaires, dans un stade.

populo n.m. Les gens, la foule : *Il y a du populo, ce soir.*

poquer v.i. Puer, taper.

poquette n.f. Poche. – *In the pocket,* c'est dans la poche, c'est facile, c'est fait.

porcif n.f. Portion, part. – *Demi-porcif,* demi-portion.

porno adj.inv. et n. Pornographique : *Lire des pornos* (des livres ou revues pornographiques). / Le cinéma porno : *Il s'est fait la main dans le porno.*

porte n.f. *C'est la porte à côté,* c'est tout près d'ici.

porte-coton n.m. Adjoint, sous-fifre.

porte-cravate n.m. Cou.

porte-flingue n.m. Garde du corps.

porte-manteau n.m. Épaule. / *Avoir un porte-manteau dans le pantalon,* être en érection.

porte-pipe n.m. Bouche : *Se filer un verre dans le porte-pipe.*

porter v.t. *Porter des cornes,* être cocu. / *Porter la culotte,* pour une femme, diriger le ménage. / *Porter le deuil,* porter plainte. / *Porter le pet,* alerter. / *Porter sur les nerfs,* agacer. / *Porter à gauche,* être viril.

porte-viande n.m. Brancard (hôpitaux).

Portigue n.pr. Portugais, Porto.

portillon n.m. *Ça se bouscule au portillon,* se dit à propos de quelqu'un qui parle trop vite, qui bafouille.

portion (demi-) n.f. Individu petit. – Homme sans aucune envergure.

Porto ou **Portos'** n.pr. Portugais, Portigue.

porto de déménageur n.m. Vin rouge.

portrait n.m. Visage, figure : *Abîmer le portrait.*

portugaises n.f.pl. Oreilles. – *Avoir les portugaises ensablées,* être dur d'oreille.

poser v.i. et v.t. Tenir les cartes au bonneteau.

poseur n.m. Bonneteur.

posséder v.t. Tromper, duper : *Je me suis fait posséder.*

poste n.m. Appareil récepteur de radio : *Causer dans le poste.*

postère n.m. Cul.

postiche n.f. Boniment de foire, de camelot. – *Faire la postiche,* provoquer un attroupement.

posticheur n. Bonimenteur.

postillon n.m. Goutte de salive projetée en parlant. / *Postillon d'eau chaude,* le chauffeur d'une locomotive à vapeur (ch. de fer). / *Faire postillon,* introduire un doigt dans l'anus.

postillonner v.i. Lancer des postillons en parlant.

pot n.m. Cul ; anus. – *Se faire casser le pot,* se faire sodomiser. / – *Se manier le pot,* se presser. / *En avoir plein le pot,* être excédé, en avoir ras le bol. / *Avoir le pot, du pot, un coup de pot,* de la chance. – *Manque de pot,* pas de chance. / *Boire* ou *prendre un pot,* une consommation. / *Un pot à tabac,* un homme petit et gros. – *Un pot de yaourt,* une toute petite auto. / *Sourd comme un pot,* complètement sourd. / *En deux coups de cuillère à pot,* en un tournemain. / *Tourner autour du pot,* ne pas aller droit au but. / *Payer les pots cassés,* faire les frais d'une situation qui tourne mal. / *Pot-auf,* pot-au-feu.

potage n.m. *Être dans le potage,* être abruti, être dans le vague, être dans le cirage.

potard n.m. Pharmacien, élève pharmacien.

potasser v.t. Étudier avec application.

pote n.m. Camarade, ami.

poteau n.m. Camarade, ami, pote. / Grosse jambe, cuisse.

potiron n.m. Juré de cour d'assises.

pou n.m. *Fier comme un pou,* très fier, fier comme un paon. / *Bicher comme un pou* ou *comme un pou dans la crème fraîche,* jubiler, bicher. / *Chercher des poux à quelqu'un,* le chicaner à propos de riens. / *Moche comme un pou,* très laid. / *Sale comme un pou,* très sale.

poubelle n.f. Automobile usagée. / Moto : *Tu la tires, ta poubelle, ou tu la pousses ?*

pouce n.m. *Donner un coup de pouce,* favoriser la réussite. / *Manger sur le* *pouce,* hâtivement. / *Mettre les pouces,* renoncer. / *Se tourner les pouces,* ne rien faire. / *Et le pouce,* et quelque chose en plus. / *Pouce !* Interj. pour arrêter un jeu (enfant).

poudre n.f. Héroïne (drogue).

pouèt-pouèt ! interj. Comme ci comme ça. / *C'est pouèt-pouèt,* pas bon, pas sûr.

pouf n.m. Dérobade à l'échéance d'une dette : *Faire pouf.*

poufiasse n.f. Femme facile. / Prostituée de dernier rang.

pouic (que) adv. Rien, que dalle : *Je n'y pige que pouic.*

pouilladin n.m. Individu pauvre et sans avenir : *Il te prêtera rien, c'est un pouilladin.*

pouilleux adj. Sale, misérable.

poulaga ou **poulardin** n.m. Policier en civil, poulet.

poule n.f. Compagne ; femme entretenue ; prostituée. / Police. – *Aller à la poule,* porter plainte. – *La fausse poule,* faux policiers (arg.).

poulet n.m. Policier en civil. / *Mon cul, c'est du poulet !* Refus ou réponse à l'interj. de refus *Mon cul !*

poulmann (maison) n.f. La police.

poupée n.f. Femmelette, souvent trop soignée.

pour n.m. Mensonge : *C'est pas du pour.*
☐ prép. *Être pour,* être partisan : *L'éducation sexuelle à l'école, je suis pour.* / *Être pour hommes* ou *pour femmes,* homosexuel. / *C'est étudié pour,* c'est fait dans cette intention, pour que ça fonctionne.

pourliche n.m. Pourboire.

pourri n.m. Individu corrompu : *Tous des pourris.*
☐ adj. En mauvais état, usé, nase : *La batteuse est pourrie.*

pousse-au-crime n.m. Alcool fort ou mauvais vin.

pousse-au-vice n.m. Aphrodisiaque.

pousse-bière n.m. Verre d'alcool bu après une chope de bière.

pousse-cailloux n.m. Fantassin.

pousser v.i. Exagérer ; abuser : *Faut pas pousser ! Pousser le bouchon trop loin, pousser mémère dans les orties.* / *En pousser une,* chanter une chanson.

poussette n.f. Seringue (drogue). / Aide apportée à un coureur en le poussant (cyclisme). / Coup de pouce donné à une balance par un commerçant malhonnête.

poussière n.f. Monnaie en surplus et qu'on néglige de préciser davantage : *Et des poussières...* / *Faire des poussières,* faire des fausses notes (musique).

poussin n.m. Élève officier de première année de l'École de l'air.

P.P.H. n.m. Abr. de *Passera pas l'hiver,* vieillard.

P.Q. n.m. Papier hygiénique. / Rapport ou exposé écrit. (V. PÉCU, PÉCUFIER.)

P.4 n.f. Cigarette « Parisienne ».

praline n.f. Balle d'arme à feu. / Clitoris : *Avoir la praline en délire.*

précaution n.f. *Prendre ses précautions,* pratiquer le coït interrompu.

précieuses n.f.pl. Testicules.

Préfectance n.pr. Préfecture de police.

première (de) loc. De première qualité : *De première bourre.*

prendre v.t. En Bourse, *je prends* signifie : j'achète, ce qui entraîne la hausse des cours. (V. AVOIR.)

presse n.f. *Être sous presse,* être occupée (prost.).

presse-bouton adj.inv. Automatique.

presser (se) v.pr. *Se presser le citron,* réfléchir.

presto adv. Vite. – *Illico presto,* tout de suite.

preu ou **preum** n.m. et adj.inv. Le premier (arg. écolier).

prévence ou **prévette** n.f. Détention préventive.

prise n.f. Pincée de cocaïne que l'on aspire par le nez (drogue). / Mauvaise odeur : *Dans ses chiottes, quelle prise ! / Être en prise directe sur* ou *avec,* avoir un contact étroit.

prix n.m. *Prix de Diane,* femme séduisante et très belle. *Prix à réclamer,* fille laide.

pro adj. et n.m. Professionnel, spécialiste : *C'est un pro.* Au f., on dit parfois proette (!). / Joueur professionnel (sport).

probloque n. Propriétaire, proprio.

procu n.m. Procureur.

proette n.f. et adj. Féminin fantaisiste de PRO.

prof n. Professeur.

profonde n.f. Poche : *Les mains dans les profondes.*

projo n.m. Projecteur (spect.).

prolo n.m. Prolétaire.

promo n.f. Promotion (étud.).

prono n.m. Pronostic sportif.

propé n.f. Propédeutique (étud.).

proprio, ote n. Propriétaire, probloque.

prose, prosinard n.m. Cul.

prospectus n.m. *Lancer le prospectus,* attirer l'attention (prost.).

protal ou **proto** n. Proviseur.

protescul n.m. Protestant.

proto n.m. Praticable (spect.). / Proviseur, protal.

prout n.m. Pet. – *Lâcher un prout,* péter (enfant). / *Prout !* ou *Prout ! Ma chère !* Apostrophe lancée aux individus efféminés.

prouteur n. et adj. Peureux.

provisoire n.f. *Être en provisoire,* être en liberté provisoire (arg.).

provoc n.f. Provocation : *C'est une provoc.*

proxo n.m. Proxénète.

prune n.f. Coup. / *Avoir la prune,* avoir du punch, ou de la chance : *Un vendeur qui a la prune.* / *Pour des prunes,* pour rien. / Contravention : *Mettre une prune.*

pruneau n.m. Balle, projectile.

psy n.m. Pensionnaire d'un hôpital psychiatrique. / Cette abréviation recouvre tous les mots commençant par ces trois lettres : psychologie, psychiatrie, psychanalyse, etc.

puant n.m. Fromage.
□ adj. Vaniteux, fat.

pub n.f. Publicité : *Faire de la pub.*

puce n.f. *Saut de puce,* vol de courte durée (aéron.). / *Faire les puces* ou *faire la puce travailleuse,* simuler un rapport lesbien à l'intention d'un voyeur. / *Secouer les puces,* réprimander. / *Marché aux puces,* marché des objets d'occasion.

pucelage n.m. *Avoir le pucelage de quelque chose,* être le premier à s'en servir.

pucelle n.f. Balle non tirée d'arme à feu (arg.).

pucier n.m. Lit. / Marchand de marché aux puces.

pue-la-sueur n.m. Ouvrier, travailleur manuel.

punkette n.f. Femelle du punk.

pur n.m. Homme loyal, courageux, propre.

purée n.f. Misère : *Être dans la purée.* / *Purée de nous aut' !* Interj. : Pauvres de nous ! (pataouète). / *Jeter sa purée,* éjaculer. / *Balancer la purée,* tirer avec une arme à feu. / *Une purée,* un verre d'absinthe pure.

purge n.f. Correction : *Qu'est-ce que j'ai pris comme purge !*

purotin n.m. Qui vit dans la misère, dans la purée.

putain, putasse ou **pute** n.f. Prostituée.
□ adj. Qui cherche à plaire : *Ce qu'il est putain !* / *Putain !* Exclam. marquant l'étonnement, la malédiction : *Putain de temps !*

putasserie n.f. Saloperie (fig.).

putassier n.m. Débauché.

Q

quand-est-ce n.m. Tournée de bienvenue offerte par un nouveau à ses collègues.

quarante n.m. *Quarante-et-un sur les panards,* ordre donné par le bonneteur ou le camelot à un complice de marcher sur les pieds des badauds pour les écarter. / À l'inverse, signal d'alerte à l'arrivée de la police.

quart n.m. Commissariat de police. – *Quart d'œil,* commissaire de police. / *Partir au quart de tour,* facilement, sans effort. / *Les trois quarts du temps,* la plupart du temps. / *Quart de brie,* grand nez. / *Au quart de poil,* parfaitement, exactement.

Quartier (le) n.pr. Le Quartier latin, à Paris.

quat' adj.num. Quatre. – *Un de ces quat',* un de ces quatre matins, un de ces jours. / Suivi d'un nom commençant par une voyelle, se prononce *quat'z- : T'as vu ces quat'z-andouilles ?*

quebri n.f. 10 000 F (un million de centimes ; brique (verlan).

quelque part loc.adv. Endroit qu'on n'ose pas dire. – *Aller quelque part,* aux cabinets. – *Un coup de pied quelque part,* au derrière. / Dans l'inconscient : *Ça m'interpelle quelque part.*

quelqu'un pr.indéf. *Se prendre pour quelqu'un,* se donner de l'importance. – *C'est quelqu'un !,* quelque chose d'important, d'extraordinaire, d'anormal.

quenotte n.f. Dent (enfant).

quenottier n.m. Dentiste.

quéquette n.f. Membre viril, quiquette (enfant).

quès (en) loc. En question : *Le gars en quès.* / *C'est du quès,* c'est pareil.

question n.f. *Question de,* pour ce qui est de : *Question de rigoler, on n'a pas fait mieux.* – Quant à, pour ce qui est de : *Question pinard, c'est le meilleur.*

quetesse interj. Se dit pour *que tu es,* lancé en écho à un terme injurieux prononcé dans l'atelier (impr.).

queue n.f. Membre viril. / *Laisser une queue,* ne pas régler entièrement ce qui est dû. / *Finir en queue de poisson,* piteusement. – *Faire une queue de poisson,* se rabattre brusquement après avoir doublé un véhicule. / *Queue de cervelas,* promenades des prisonniers à la queue leu leu (prison). / *Faire des queues,* des infidélités conjugales. / *Queue de pie,* habit de cérémonie. / *Queue de cheval,* coiffure féminine aux cheveux serrés en arrière et flottant sur les épaules. – *Queue de canard,* coiffure masculine formée d'une mèche tombant sur la nuque et par-dessus le col.

queune ou **quène** adj. Fatigué, crevé.

queuner v.i. Faire l'amour (et non queuter v.t.).

queutard n.m. Obsédé sexuel.

queuter v.t. Forniquer.

quille n.f. Fille (enfant). / Jambe. / Libération du service militaire, départ : *Vive la quille !*

quiller v.i. Partir. / Tricher.

quimper v.i. Tomber (au pr. et au fig.). – Laisser tomber : *Laisse quimper, c'est un lardu.*

quincaille ou **quincaillerie** n.f. Brochette de décorations. / Bijoux. / Matériel de traitement de l'informatique.

Quincampe (la) n.pr. La rue Quincampoix, à Paris.

quine adv. Assez : *En avoir quine.*

quinquet n.m. Œil. – *Faux quinquets,* lunettes.

quinte n.f. *Avoir quinte, quatorze et le point,* être atteint de plusieurs maladies vénériennes.

quique ou **quiquette** n.f. Membre viril.

quiqui ou **kiki** n.m. Cou : *Serrer le quiqui.*

quitter v.i. Quitter le lieu de travail : *Je quitte à six heures.*

R

rab V. RABIOT.

rabat n.m. Rabatteur de clients pour une boîte de nuit.

rabat de cope ou **rabat de col** n.m. Remise, ristourne : *Faire un rabat de cope.*

rabibocher v.t. Raccommoder ; réconcilier : *Ils se sont rabibochés.*

rabiot ou **rab** n.m. Supplément. – *Il y a du rab,* après distribution, un supplément à partager. – *Faire du rab,* effectuer un temps supplémentaire.

rabioter v.t. Rogner. – Déduire indûment pour soi sur la part de quelqu'un : *Il m'a encore rabioté deux francs sur mon compte.*

rabioteur n. Qui rabiote.

râble n.m. Les épaules. – Le dos. / *Sauter sur le râble,* surprendre à l'improviste de façon importune.

rabord (au deuxième) loc.adv. À seconde vue (suit l'expression : *au premier abord*).

rabouin n. Gitan.
☐ n.pr. *Le Rabouin,* le Diable.

raca ! interj. marquant la colère.

raccourcir v.t. Décapiter.

raccroc n.m. Racolage : *Faire le raccroc* (arg.).

raccrocher v.i. Racoler. / Renoncer à une compétition (cyclisme).

racho n. et adj. Rachitique.

raclée n.f. Volée de coups : *Prendre la raclée.*

raclette n.f. Ronde de police. – Rafle de police : *Coup de raclette.* / Essuie-glace (auto).

raclure n.f. Individu méprisable ou méprisé : *Raclure de pelle à merde.*

raconter v.t. *J'te raconte pas,* tic de langage pour : *Écoute ce que je te raconte.*

radada (aller au) loc. Faire l'amour.

rade n.m. Comptoir d'un café ou d'un bar, zinc ; café ou bar. / Rue, trottoir. / *Laisser en rade,* abandonner, laisser sur place. – *Être en rade,* être en retard, à la traîne. – *Tomber en rade,* être en panne.

radeuse n.f. Prostituée qui fait le trottoir, le rade.

radin adj. Avare.
□ n.m. Tiroir-caisse.

radiner v.i. ou **se radiner** v.pr. Venir rapidement.

radinerie n.f. Avarice mesquine.

radio n.f. *Avoir un physique de radio,* manquer de présence ; ne pas être photogénique (spect.).

radioteur n. Speaker de radio.

radis n.m. *Sans un radis,* sans un sou (ne s'emploie que négativement). / Doigt de pied. / *Radis noir,* prêtre.

Raffinerie n.pr. Le centre Pompidou, à Paris, le Pompidolium, l'Usine à gaz.

raffut n.m. Tapage, bruit. – *Faire du raffut,* protester vivement.

rafiot n.m. Mauvais bateau.

ragaga (faire du) loc. S'activer inutilement.

ragnagnas n.m.pl. *Avoir ses ragnagnas,* avoir ses règles.

ragougnasse n.f. Nourriture peu ragoûtante.

ragoût n.m. *Boîte à ragoût,* estomac, ventre : *Il a reçu un coup de boule dans la boîte à ragoût.*

raide adj. Étonnant, difficile à croire, à accepter : *C'est un peu raide !* – Licencieux : *C'est d'un raide !*/ *Être raide,* démuni d'argent : *Je suis raide comme un passe-lacet.* / Drogué, défoncé. – *Raide déf,* même sens, plus fort. / *Être raide,* en érection.
□ adv. Tout d'un coup : *Tomber raide mort.* – *Raide comme balle,* vivement, rapidement.
□ n.m. *Un raide,* un billet de 100 F. / *Du raide,* de l'alcool sec.

raidir v.i. Mourir. / *Se faire raidir,* perdre de l'argent au jeu.

raie n.f. *Gueule de raie,* visage laid, antipathique (injure). / *La raie,* la raie des fesses. / *Pisser à la raie,* mépriser (insulte).

raiguisé adj. Qui a perdu au jeu, décavé.

rail n.m. Poudre de cocaïne en ligne.

raisiné ou **raisin** n.m. Sang.

râlant adj. *C'est râlant,* c'est fâcheux.

râler v.i. Se mettre en colère, protester, récriminer.

râleur n. et adj. De mauvaise humeur.

râleux adj. Avare ; radin.

ralléger v.i. Venir ; radiner.

rallonge n.f. Augmentation de salaire, de prix de vente, de durée de peine, etc. / Arme blanche.

ramarrer v.i. Retrouver, rejoindre.

ramasse (être à la) loc. Être à la traîne (sport).

ramasser v.t. *Ramasser une pelle, un gadin,* etc., tomber.
□ **se ramasser** v.pr. Tomber (au pr. et au fig.). – Subir un échec en scène ; faire un bide.

ramastique n.f. Escroquerie consistant à faire semblant de trouver un objet prétendument précieux et de le revendre à bas prix à un naïf (arg.).

ramastiquer v.t. Ramasser quelque chose. / *Se faire ramastiquer,* arrêter.

rambiner v.i. Se réconcilier : *Ils ont rambiné.*

ramdam n.m. Vacarme, chahut. – *Faire du ramdam,* rouspéter.

rame n.f. Paresse, fatigue : *Avoir la rame.* – *Ne pas en foutre une rame,* ne rien faire.

ramener v.t. *Ramener sa fraise* ou *la ramener,* protester, rouspéter ; se mêler de ce qui ne vous regarde pas. □ **se ramener** v.pr. Venir : *La voilà qui se ramène.*

ramer v.i. Travailler. – Faire des efforts en vue d'un résultat.

ramier adj. et n. Paresseux.

ramollot n.m. Masturbation : *Se taper un ramollot.*
□ adj. Ramolli, gâteux.

Ramona (chanter) loc. Réprimander : *Grouille-toi, elle va nous chanter Ramona.*

ramoner v.t. Posséder une femme. / Réprimander ; chanter Ramona.

rampant n.m. Membre du personnel non navigant (aéron.). / Taxi : *Griffer un rampant.*

rampe n.f. *Lâcher la rampe,* mourir. / *Tiens bon la rampe !,* attention, tu vas tomber !, attention à ta santé !

ramper v.i. Rouler lentement. / Se soumettre bassement : *Ramper devant le singe.*

ramping n.m. Action de ramper (milit.).

ramponneau n.m. Coup.

rancard, rancarder V. RENCARD, RENCARDER.

rancart n.m. *Mettre au rancart,* au rebut : *Des politiciens au rancart.*

rangé adj. *Rangé des voitures,* retiré de la vie active.

rantanplan (au) loc.adv. Au bluff : *Il la lui a fait au rantanplan.*

raoul n.m. Hors du coup ; ringard ; blaireau.
□ n.pr. *Cool, Raoul !* Sois calme, détends-toi.

raousse ! interj. Dehors !

rapapilloter v.t. Raccommoder ; rabibocher.

rape n.f. Guitare (péjor.). [V. GRATTE.]

râpé (c'est) loc. C'est raté, c'est fini.

rapide adj. Malin, qui comprend vite, à l'affût des aubaines : *Léon, c'est un rapide.*

rapide vite fait loc.adv. Rapidement, vite.

rapido ou **rapidos** adv. Rapidement.

rapière n.f. Arme blanche.

rappliquer v.i. ou **se rappliquer** v.pr. Venir, revenir.

rapport à loc.prép. À cause de.

raquedal n.m. Avare, pingre.

raquer v.t. Payer.

raquette n.f. Pied. / *Coup de raquette,* salut militaire.

rare adj. Inattendu, surprenant : *Ça serait rare qu'il accepte.*

rarranger v.t. Arranger.

ras adv. *En avoir ras le bol, ras le cul, ras la casquette, ras la coiffe, ras le bonbon,* être excédé. – *Ras le...,* assez de... : *Ras le viol !*

ras-le-bol n.m. Exaspération, lassitude : *Le ras-le-bol des contribuables.*

rasdep n.m. Homosexuel, pédéraste (verlan).

raser (se) v.pr. S'ennuyer : *Se raser à cent sous de l'heure.*

raseur n.m. Importun.

rasibus adv. Ras, au ras.

rasif n.m. Rasoir : *Un coup de rasif.*

rasoir adj. Ennuyeux.

rassis n.m. Masturbation : *Se taper un rassis.*

rasta n.m. et adj. Jamaïcain : *Musique rasta.* – *Coiffure rasta,* coiffure masculine faite de petites tresses. / Étranger d'origine mal définie, habillé avec mauvais goût.

rat n.m. et adj. Avare ; prétentieux ; blaireau. / *Face de rat,* visage déplaisant (insulte).

rata n.m. Ragoût de pommes de terre ou de haricots. – Repas.

ratatiner v.t. Tuer ; écraser, anéantir : *Il s'est fait ratatiner.*

ratatouille n.f. Ragoût grossier.

ratatouiller v.i. Avoir des ratés, bafouiller (en parlant d'un moteur).

rate n.f. *Ne pas se fouler la rate,* travailler sans ardeur.

raté n. Individu qui n'a pas réussi.

râteau n.m. Peigne : *Se donner un coup de râteau.*

râtelier n.m. *Manger à tous les rateliers,* servir toutes les causes à son seul profit.

ratiboiser v.t. Rafler, prendre. / Ruiner : *Il est complètement ratiboisé.*

ratiche n.f. Dent.

ratiche ou **ratichon** n.m. Prêtre.

ratier n.m. Prisonnier.

ratière n.f. Prison ; cellule.

ration n.f. *Avoir sa ration,* avoir son compte : *Arrête de cogner dessus, il a sa ration.* / Pour une femme, être comblée sexuellement.

ratisser v.t. Rafler, escroquer, ruiner : *Se faire ratisser au jeu.* / *Ratisser large,* recueillir le maximum d'éléments ou d'adhérents (en politique, le maximum de voix, même en dehors de ses partisans habituels).

raton n.m. Arabe (péjor. et raciste).

ratonnade n.f. Brutalités racistes envers des Arabes. – Brutalités opérées par un groupe, policier ou non, envers une minorité.

ravagé adj. Fou.

ravageuse adj. *Souris ravageuse,* femme vive, séduisante et peu farouche.

ravalement n.m. Maquillage ; opération de chirurgie esthétique.

ravaler v.t. Reprendre une marchandise qui n'a pas trouvé acquéreur dans une vente publique (brocante). / *Ravaler sa façade,* se maquiller ; subir une opération de chirurgie esthétique.

Ravalo n.pr. *Objet attribué au comte Ravalo,* objet ou meuble ravalé (brocante).

ravelin n.m. Automobile usagée.

raymond n.m. Hors du coup ; raoul ; ringard ; blaireau : *Être raymond.*

rayon n.m. *En connaître un rayon,* en savoir long, bien connaître la question. – *C'est mon rayon,* ça me regarde. / *En mettre un rayon,* y mettre toute son ardeur.

réac n.m. et adj. Réactionnaire.

réanim n.f. Service de réanimation (hôpitaux).

rébecca n.m. Protestation, scandale : *Faire du rébecca.*

rebectage n.m. Action de refaire sa santé ou sa situation. / Réconciliation. / Recours en cassation (arg.).

rebectant adj. Encourageant, appétissant.

rebecter ou **rebéqueter** v.t. Refaire, rétablir sa santé, sa situation : *Va te rebecter à la cambrousse.*
☐ **se rebecter** v.pr. Se réconcilier.

rebeu n.m. Arabe ; beur (verlan de verlan !).

rebiffe n.f. Vengeance (arg.).

récal adj. Récalcitrant.

recaler v.t. Refuser ; refuser à un examen.

recevoir v.t. *Se faire recevoir,* être accueilli par des réprimandes.

recharger v.i. Remplir les verres pour une nouvelle tournée de consommations.

réchauffé n.m. Déjà connu : *C'est du réchauffé.*

récluse n.f. Réclusion (arg.).

recoller v.t. Réconcilier.

récré n.f. Récréation (écolier).

recta adv. Ponctuellement : *Payer recta.* / Juste. – *C'est recta,* c'est juste, la bonne mesure.

rectifier v.t. Casser. / Tuer : *Se faire rectifier.*

rédimer v.t. Écraser ; ratatiner.

redresse (à la) loc.adj. Énergique, débrouillard : *Un mec à la redresse.*

redresser v.t. Reconnaître : *Je l'ai tout de suite redressé.*

refaire v.t. Tromper, duper ; rouler : *J'ai encore été refait !*
☐ **se refaire** v.pr. *Se refaire la cerise,* reprendre des forces, se soigner. – *Se refaire au jeu,* compenser ses pertes.

refil n.m. Marchandise rendue dans un magasin. / Vomissure. – *Aller au refil,* vomir ; payer une dette.

refiler v.t. Écouler, glisser : *Refiler une pièce fausse.* / *Refiler la comète* ou *la refiler,* coucher à la belle étoile. / *Refiler de la jaquette* ou *en refiler,* être homosexuel.

réformette n.f. Petite réforme sans importance.

refouler v.i. Sentir mauvais de la bouche ; repousser.

refroidi n.m. Cadavre.

refroidir v.t. Tuer.

régime jockey n.m. Alimentation réduite.

régler v.t. *Régler son compte à quelqu'un,* l'abattre, le tuer.

réglette n.f. Chef correcteur (impr.)

réglo adv. Normal, suivant les règles : *La paye suit réglo.*
☐ adj. Franc, loyal ; régulier : *Un gars réglo. Fifti-fifti, c'est réglo.*

régulier ou **régule** adj. Correct, honorable, qui ne trompe pas.
☐ *À la régulière* loc.adv. Loyalement, sans tricherie.

régulière n.f. Épouse ou maîtresse en titre : *Ma régulière.*

reine n.f. Homosexuel qui se prostitue. / Superlatif péjor. : *La reine des tantes, la reine des vaches.* (V. ROI.)

reins n.m.pl. *Tour de reins,* lumbago. – *Avoir les reins solides,* être suffisamment riche et puissant pour faire face à une épreuve. – *Casser les reins de quelqu'un,* briser sa carrière. – *Mettre l'épée dans les reins,* harceler, contraindre d'agir. – *Avoir quelque chose sur les reins,* en endosser malgré soi la responsabilité. – *Les avoir dans les reins,* être recherché par la police (arg.).

relaxe n.f. Repos.
☐ adj. Détendu (on prononce parfois *rilaxe*).

relègue n.f. Relégation (arg.).

relever v.t. *Relever le compteur* ou *relever la comptée,* pour un proxénète, prélever sa part sur le gain d'une prostituée (arg.). / Relever un factionnaire, une sentinelle, boire un verre.

reloquer (se) v.pr. Se rhabiller. (V. LOQUER.)

relou adj. Lourd (verlan), ennuyeux, chiant : *Un mec relou.*

reluire v.i. Jouir de l'orgasme. / *Manier la brosse à reluire,* flatter quelqu'un.

reluquer v.t. Regarder avec intérêt ou convoitise.

rèm ou **reum** n.f. Mère (verlan).

remballer ses outils loc. Se reculotter.

rembarrer v.t. Remettre à sa place, rabrouer, éconduire : *On s'est fait rembarrer.*

rembiner v.i. Arriver, venir, radiner.
☐ **se rembiner** v.pr. Se rétablir ; se rebecter.

rembour n.m. Rendez-vous, rencard : *Filer un rembour.* / *Aller au rembour,* rembourser.

remettre v.t. *Remettre ça,* recommencer ; prendre une nouvelle consommation : *Garçon, remettez-nous ça.* / *En remettre,* exagérer, ajouter des détails mensongers.

remiser v.t. Remettre à sa place, rabrouer ; rembarrer.

remonte n.f. Renouvellement des figurantes et figurants (spect.) ou des entraîneuses d'un établissement de plaisir (prost.).

remonter v.t. *Remonter le courant,* rétablir la situation. – *En faire remonter,* rétablir sa situation financière. / Dépasser successivement les concurrents qui vous précèdent (cyclisme).

remoucher v.t. Rabrouer, remettre à sa place ; rembarrer ; remiser. / Reconnaître ; redresser.

rempiler v.i. Recommencer. / Rengager (armée).

remplumer (se) v.pr. Rétablir sa santé, ses affaires : *Il a été se remplumer en province.*

renard n.m. Vomissement : *Aller au renard.* / *Tirer au renard,* tirer au cul ; tirer au flanc ; travailler le moins possible. / Ouvrier qui ne fait pas grève ; jaune.

renaud n.m. Mauvaise humeur, protestation, colère : *Se mettre en renaud.*

renauder v.i. Protester, se plaindre, se mettre en colère.

rencard ou **rancard** n.m. Rendez-vous : *Filer un rencard.* / Renseignement confidentiel.

rencarder ou **rancarder** v.t. Renseigner ; donner des tuyaux. / Donner rendez-vous ; donner un rencard.

rendève n.m. Rendez-vous.

rendez-moi ou **rendez** n.m. Escroquerie qui consiste à se faire rendre la monnaie sur un billet qu'on reprend : *Marcher au rendez* (arg.).

rengracier v.i. Reconnaître ses torts, renoncer.

renifle n.f. Police.

renifler v.t. Supporter ; blairer : *Je peux pas le renifler.*
□ v.i. Sentir mauvais : *Qu'est-ce que ça renifle !*

reniflette n.f. Prise de cocaïne (drogue).

renquiller v.i. Revenir, rentrer : *Renquiller à la piaule.* / Rengager (dans l'armée).

renseignement n.m. *Aller aux renseignements,* palper discrètement les fesses pour connaître les réactions.

rentre dedans n.m. Flirt pressant : *Faire du rentre dedans.*

rentrer v.i. *Rentrer dedans, dans le chou, dans le lard,* frapper, attaquer.

renverser la vapeur loc. Se reprendre, changer complètement d'opinion ou de tactique.

renvoi n.m. Éructation.

rèp ou **reup** n.m. Père (verlan).

repasser v.t. Escroquer ; voler au jeu : *Je me suis fait repasser.*

repatiner v.t. Remanier un texte (impr.).

repêcher v.t. *Repêcher un candidat,* le recevoir en majorant ses notes.

repiquer v.i., ou **repiquer au truc** loc. Recommencer, revenir à quelque chose : *Repiquer à un plat.*

répondant (avoir du) loc. Pour une femme, être grasse. / Avoir des économies.

repousser v.i., ou **repousser du goulot** loc. Sentir mauvais de la bouche.

repoussoir n.m. Personne très laide.

repro n.f. Tous procédés de reproduction ; reprographie.

requin n.m. Individu cupide, insensible à la pitié et à la reconnaissance, intraitable en affaires : *Les requins de la finance.*

rescapé de bidet n.m. Handicapé physique.

réservoir n.m. Réserviste (milit.).

respirer v.i. *Dur à respirer,* incroyable.

resquille n.f. Action de resquiller, débrouillardise.

resquiller v.i. Entrer sans payer ; passer sans aucun droit devant les autres.

resquilleur n.m. Individu qui resquille : *À la queue, les resquilleurs !*

restau, resto ou **restif** n.m. Restaurant. – *Restau U,* restaurant universitaire.

rester v.i. Habiter : *Je reste rue de Clichy.* / Tomber en panne : *Rester en carafe.*

rétamé adj. Ivre mort. / Ruiné.

rétamer v.t. Vider complètement, nettoyer : *Se faire rétamer au jeu.* / Abîmer, démolir : *J'ai rétamé ma guinde.*
□ **se rétamer** v.pr. Se saouler complètement. / Faire une chute.

retape n.f. *Faire la retape* ou *de la retape,* racoler. – Chercher des clients, des volontaires, etc.

retaper v.t. Arranger sommairement : *Retaper un lit.* / Refuser à un examen.
□ **se retaper** v.pr. Recouvrer la santé ; se rhabiller à neuf ; se remettre d'un échec financier.

retapissage n.f. Confrontation : *Passer au retapissage* (arg.).

retapisser v.t. Reconnaître.

retirer (se) v.pr. Pratiquer le coït interrompu.

retourne n.f. Suite d'un article commencé dans une page précédente (presse). / *À la retourne,* retourné, à l'envers, signe de paresse : *Avoir les bras à la retourne.*

retourner v.t. Faire changer d'opinion ou de sentiment : *Je l'ai retourné comme une crêpe.*
□ **s'en retourner** v.pr. Porter intérêt : *Il ne s'en retourne même pas.* / Vieillir.

rétro n.m. Rétroviseur : *Conduire au rétro.*
□ adj. Rétrospectif, passé : *La mode rétro.* (Prend aussi la nuance de rétrograde.)

retrousse n.f. Mode de vie de l'affranchi qui en retrousse, qui gagne de l'argent.

retrousser (en) loc. Gagner de l'argent : *Il en retrousse.*

Reviens (il s'appelle) loc. Se dit d'un objet que l'on prête et dont on désire le retour.

réviso n.m. Communiste révisionniste.

revoyure (à la) loc. Au revoir.

revue (être de la) loc. Ne pas profiter, être privé ; avoir manqué son coup.

rez-de-chaussée n.m. Bas de page de journal (presse).

rhabiller (aller se) v.pr. Être congédié, manquer une affaire : *Je peux aller me rhabiller.*

rhume n.m. *En prendre pour son rhume,* subir de vifs reproches, être victime d'un événement fâcheux.

ribouis n.m. Soulier.

ribouldinguer v.i. Faire la noce. / *Envoyer ribouldinguer,* éconduire, envoyer dinguer.

riboule ou **ribouldingue** n.f. Fête, noce : *Être en ribouldingue.*

ribouler v.i. *Ribouler des calots,* faire des yeux ronds, étonnés.

riboustin n.m. Revolver (ironique).

ricain adj. et n.pr. Américain (péjor.).

ric-à-rac ou **ric-rac** adv. Avec exactitude, sans discussion : *Payer ric-à-rac.* / De justesse, avec parcimonie : *C'était ric-rac.*

richelieus n.m.pl. Grosses chaussures ; godillots.

rideau n.m. *Faire rideau* ou *passer au rideau,* être privé d'un bénéfice, d'un avantage prévu ; se mettre la tringle. / *Tomber en rideau,* tomber en panne. / *Rideau !* Interj. : Assez !

ridère n.m. et adj. Élégant, distingué : *Un costard ridère.*

ridicule n.m. Sac à main (Déformation plaisante de réticule.)

rien adv. Se dit pour tout à fait, beaucoup : *C'est rien con.*

rif, riffe ou **rifle** n.m. Feu : *T'as du rif ?* / *Aller* ou *monter au rif,* aller au combat, au feu. / *Chercher le rif,* chercher la bagarre, le rififi. / *De rif,* d'autorité.

riffaudage du cuir n.m. Brûlure de la peau.

riffauder v.i. et v.t. Chauffer, cuire : *Riffauder des patates.*

rififi n.m. Scandale ; bagarre.

riflard n.m. Parapluie : *Paumer son riflard.*

rifler v.t. Brûler.

riflette n.f. La guerre, la zone des combats. (V. RIF.)

rigodon n.m. Saut périlleux en arrière.

rigolade n.f. Action de rire : *Une partie de rigolade.* / Chose peu sérieuse : *C'est une rigolade.* – *À la rigolade,* sans y attacher d'importance : *Il prend tout à la rigolade.* – *Avoir le boyau de la rigolade,* être toujours prêt à rire. / Chose facile qui ne demande pas d'effort : *Pour lui, c'est une rigolade.*

rigoler v.i. S'amuser, rire.

rigollot n.m. Sinapisme.

rigolo, ote ou **rigolard** adj. Amusant. – Qui aime à s'amuser ; qui rigole.

rigolo n.m. Revolver. / Pince à effraction (arg.).

rigouillard adj. Très amusant ; rigolo.

rima n.m. Mari (verlan).

rince-cochon n.m. Boisson (blanc gommé additionné d'eau de Seltz).

rincée n.f. Averse : *Prendre une rincée.*

rincer v.t. Offrir à boire : *C'est moi qui rince.* – ***Se rincer la dalle,*** boire. / ***Se rincer l'œil,*** observer une scène érotique ; mater un jeton.

rincette n.f. Petite quantité d'alcool bue après le café dans la tasse.

ringard, ringue ou **ringardos** n. et adj. Bon à rien. – Comédien médiocre. / Démodé. / Cure-pipe d'opium (drogue).

ringardise n.f. Caractère démodé (d'un spectacle, par ex.).

ripatons n.m.pl. Pieds : *Se faire écraser les ripatons.*

ripe n.f. ***Jouer ripe,*** s'évader, s'en aller.

riper v.i. S'en aller, partir : *Allez, ripez !*

ripou n.m. et adj. Corrompu, pourri (verlan).

riquiqui adj.inv. Tout petit, étriqué. ☐ n.m. Le petit doigt (enfant).

ristournando adv. Avec une ristourne.

rital n. et adj. Italien (péjor.).

riz-pain-sel n.m. Soldat du service de l'Intendance (milit.).

robert n.m. Sein : *Une belle paire de roberts.*

robinet n.m. Bavard : *Un robinet d'eau tiède.* – ***Fermer le robinet,*** se taire. / ***Robinet d'amour,*** membre viril.

rodéo n.m. Équipée nocturne dans une voiture volée.

rofou n.m. Pantalon, fourreau (verlan).

rogne n.f. Mauvaise humeur, colère : *Se foutre en rogne.*

rognon n.m. Rein. / Testicule.

roi n.m. Le meilleur dans son genre : *Le roi du tapis, le roi de la bécane, le roi des cons.* (V. REINE.)

romaine n.f. Boisson (rhum, sirop d'orgeat et eau glacée). / ***Être bon comme la romaine,*** être la dupe, être astreint à une corvée.

romano n. Gitan, romanichel (péjor.).

rombier, ère n. Individu quelconque : *Qu'est-ce que c'est que ce rombier ?* / ***Vieille rombière,*** femme âgée.

roméo n.m. Boisson (rhum et eau).

romper v.t. Se dit pour rompre : *Vous pouvez romper* (sous-entendu : *les rangs*) [milit.].

rom'pol' n.m. Roman policier ; polar.

ronchonnot adj. Grognon.

rond n.m. Sou : *N'avoir plus un rond.* / ***La pièce de dix ronds,*** l'anus :

Refiler du rond. / *Faire des ronds dans l'eau,* ne rien faire d'utile. / *Rond-de-cuir,* bureaucrate.
☐ adj. Ivre : *Il est toujours rond.*
☐ adv. *Tourner rond,* fonctionner, marcher parfaitement. – *Ne pas tourner rond,* montrer des signes de fatigue, déraisonner.

rondelle n.f. Anus. – *Casser la rondelle,* sodomiser. / Tranche de citron : *Un Perrier rondelle.*

rondibé ou **rondibé du radada** n.m. Anus.

rondin n.m. Sein. / Étron.

ronflaguer v.i. Ronfler ; dormir.

ronfle n.f. Sommeil : *Aller à la ronfle.*

ronfler v.i. Dormir. / *Ça ronfle,* ça marche bien.

ronflette n.f. Sommeil : *Piquer une petite ronflette.*

ronfleur n.m. Téléphone : *Un coup de ronfleur.*

rongeur n.m. Compteur de taxi. / Taxi ; rampant ; bahut.

ronibus n.m. Autobus.

roploplots n.m.pl. Seins.

roquet n.m. Secrétaire particulier d'un évêque (ecclés.).

rosbif adj. et n. Anglais (péjor.).

rose n.f. *Envoyer sur les roses,* éconduire. / *Bouton de rose,* clitoris.

roseau n.m. Cheveu : *Se faire couper les roseaux.*

rosette n.f. Anus.

rossard adj. Fainéant ; méchant.

rossée n.f. Volée de coups.

rosser v.t. Battre, corriger brutalement.

rosserie n.f. Petite méchanceté, perfidie.

rossignol n.m. Passe-partout. / Bruit, grincement : *Il y a un rossignol dans le moteur.* / Objet d'occasion sans valeur : *Aux puces, rien que des rossignols.*

rotations (avoir des) loc. Éructer ; roter.

rotatoire adj. Qui fait roter.

roter v.i. Éructer. / *En roter,* subir, souffrir : *J'en ai roté !*

roteuse n.f. Bouteille de champagne.

rôti n.m. *S'endormir sur le rôti,* manquer d'ardeur au travail, ou en amour.

rotin n.m. Sou : *Plus un rotin.*

rotoplos n.m.pl. Seins.

rotule n.f. *Être sur les rotules,* être très fatigué.

roubignolles n.f.pl. Testicules.

roucouler v.i. Examiner longuement un objet dans une vente publique (brocante).

roue n.f. *Mettre des bâtons dans les roues,* susciter des obstacles. – *Pousser à la roue,* aider à la réussite d'une affaire ; pousser quelqu'un à agir dans le sens souhaité. / *En roue libre,* sans souci, en se laissant aller.

/ *Virage sur les chapeaux de roue,* à toute allure.

rouflaquette n.f. Mèche de cheveux collée sur la tempe.

rouge n.m. Vin rouge : *Un coup de rouge. / Le rouge est mis,* les jeux sont faits (turf). – Signal indiquant qu'un enregistrement audiovisuel est en cours.
☐ adj. *Rouge comme un vit de noce,* rouge (de timidité).

rougeole n.f. Légion d'honneur : *Avoir le poireau et la rougeole.*

rougnotter v.i. Sentir mauvais.

rouille n.f. Bouteille : *Une rouille de champ'.*

rouleau n.m. *Être au bout du rouleau,* à bout de forces. / Au pl. Testicules.

roulée (bien) adj. Bien faite : *Ta frangine, elle est bien roulée.*

rouler v.t. Tromper, duper : *Rouler un client. / Rouler sur l'or,* être riche. / *Se les rouler,* fainéanter, ne rien faire. / *Rouler les mécaniques,* balancer les épaules. / *Rouler en danseuse,* pédaler en dansant sur la selle. – *Rouler la caisse,* entraîner le peloton à vive allure (cyclisme). / *En rouler une,* rouler une cigarette. / *Rouler un patin* ou *une saucisse,* baiser sur la bouche. / *Rouler sur la jante,* faire fiasco.
☐ **rouler, rouloter** v.i. Aller, convenir ; bien se porter : *Ça roule.* / Bavarder, parler inconsidérément : *C'est pas le mauvais cheval, mais il roulote.*

roulettes (vache à) n.f. Agent cyclomotoriste.

rouleur n.m. Prétentieux, vaniteux. – Bavard.

roulotte (vol à la) loc. Vol dans les voitures à l'arrêt.

roulottier n.m. Voleur à la roulotte (arg.).

roulure n.f. Femme de mauvaise vie ; prostituée.

roupane n.f. Robe. – Blouse. / Uniforme des gardiens de la paix (arg.).

roupe ou **roupette** n.f. Testicule. / Roue (auto).

roupillade n.f. Sommeil.

roupiller v.i. Dormir.

roupilleur adj. Somnolent.

roupillon n.m. Sommeil de courte durée : *Piquer un roupillon.*

rouquemoutte n.f. Femme rousse.
☐ n.m. Vin rouge : *Un coup de rouquemoutte, de rouquin.*

rouquin n.m. Vin rouge : *Un coup de rouquin.*

rouquinos adj. Roux : *Le petit bada rouquinos.*

rouscaille n.f. Action de rouscailler, rouspétance.

rouscailler v.i. Protester, rouspéter.

rouscailleur adj. et n. Qui proteste, qui rouspète ; qui rouscaille.

rousse n.f. Police : *Vingt-deux, la rousse !*

roussi n.m. *Ça sent le roussi,* les choses vont mal tourner.

roussin n.m. Policier ; agent de police (de la rousse).

rouste ou **roustée** n.f. Volée de coups, correction : *Il a pris une bonne rouste.*

rousti adj. Raté ; pris, volé.

roustir v.t. Voler, dérober : *On m'a rousti mon larfeuil.*

roustissure n.f. Marchandise sans qualité ; came.

roustons n.m.pl. Testicules.

routard n.m. Voyageur à pied, se débrouillant par ses propres moyens.

ruban n.m. Route ; rue ; trottoir : *Faire le ruban.*

ruche n.f. Nez. / *Se taper la ruche,* bien manger.

rupin adj.inv. et n. Riche : *Il est rupin.* – Luxueux : *Ça fait rupin.*

rupiner v.t. Bien réussir (étud.).

Ruskof ou **Ruski** n.pr. Russe ; Popof.

S

sable n.m. *Être sur le sable,* être sans travail. / *Aller dans le sable,* dérailler (ch. de fer).

sabord n.m. *Coup de sabord,* coup d'œil, coup de saveur.

sabot n.m. Mauvais bateau. – Machine, instrument qui ne vaut rien. / Boîte pour la distribution des cartes (jeu). / Cage à fauves à roulettes (forain).

sabouler (se) v.pr. S'habiller avec coquetterie. – Se farder : *Se sabouler la gaufre.*

sabre n.m. Membre viril.

sabrer v.t. Biffer, faire des coupures dans un texte. / Travailler vite et mal. / Réprimander violemment. / Forniquer.

sac n.m. Dix francs ou mille francs. – *Avoir le sac,* être riche. – *Avoir la tête dans le sac,* être sans le sou. / *Sac à viande,* chemise ; sac de couchage. / *Sac à vin,* ivrogne. / *Sac à carbi* ou *à charbon,* prêtre en soutane. / *Sac d'os,* individu très maigre ; squelette. / *Un sac d'embrouilles,* ou *un sac de nœuds,* une affaire embrouillée. / *L'affaire est dans le sac,* en bonne voie. / *Prendre quelqu'un la main dans le sac,* sur le fait. / *Vider son sac,* dire ce qu'on a sur le cœur. / *Mettre dans le même sac,* au fig., considérer comme de même valeur (péjor.).

sacagne n.m. Couteau, arme blanche (arg.).

sacagner v.t. Donner un coup de couteau (arg.).

sachem n.m. Chef.

sachet n.m. Chaussette.

sacouse n.m. Sac à main : *Tirer les sacouses.*

sacré adj. Renforce le mépris : *Sacré menteur ! Sacré farceur !* La contrariété : *Une sacrée invention.* L'admiration : *Un sacré pot.* / Jurons : *Sacré nom de Dieu ! Sacré bordel de merde !*

sagouin n.m. Individu malhonnête ; qui travaille malproprement.

sagœur n.f. Femme ; sœur (javanais).

saignant adj. Dur, énergique.

saignée n.f. Sacrifice d'argent.

saigner v.t. Rançonner.
□ **se saigner** v.pr. S'imposer des sacrifices d'argent.

Sainte-Ginette n.pr. Bibliothèque Sainte-Geneviève, à Paris.

Sainte-Touche n.pr. Jour de paie.

saint-frusquin n.m.inv. Les effets personnels : *Il en tient de la place avec tout son saint-frusquin !* / *Et tout le saint-frusquin,* et tout le reste.

Saint-Galmier n.pr. *Avoir les épaules en bouteille de Saint-Galmier,* avoir les épaules étroites.

Saint-Ger n.pr. Quartier Saint-Germain-des-Prés, à Paris.

Saint-Glinglin (à la) loc. Jamais, à une date indéterminée.

Saint-Jean (être en) loc. Être nu.

Saint-Martin (la même) loc. La même chose : *Hier et aujourd'hui, c'est toujours la même Saint-Martin.*

Saint-Trou-du-cul (jusqu'à la) loc. Jamais, jusqu'à une date indéterminée.

salade n.f. Mélange, confusion, complications : *Faire des salades.* / *En salade,* en vrac, sans faire de choix. / *Vendre quelque chose avec beaucoup de salade,* avec beaucoup de boniment. / *Vendre sa salade,* soumettre un projet en cherchant à convaincre. – Interpréter une chanson en public (spect.). – Faire son cours (étud.). / *Panier à salade,* voiture cellulaire.

saladier n.m. Bouche : *Taper du saladier.* / Individu qui fait des salades.

salaud n.m. et adj. Malhonnête. – Sale : *Salaud d'enfant !*

sale adj. Employé négativement : *C'est pas sale,* ce n'est pas mauvais, c'est bon.

salé adj. Très cher (au pr. et au fig.). / Grivois.

salé ou **petit salé** n.m. Enfant, bébé. / Apprenti, aide. / *Faire petit salé,* lécher les doigts de pied.

salement adv. Très : *C'est salement vache.*

saligaud n.m. Individu malpropre, malhonnête.

salingue adj. et n. Sale : *Ce qu'il est salingue, ton pote.*

salle à manger n.f. Bouche.

saloir n.m. *Mettre la viande au saloir,* se coucher, se mettre au lit.

salopard n.m. Individu malpropre, malhonnête ; dangereux. – Ennemi méprisable.

salope n.f. Femme de mauvaise vie, malhonnête (insulte).

saloper v.t. Faire mal un travail.

saloperie n.f. Chose malpropre ; de mauvaise qualité. / Mauvaise action : *Faire des saloperies à quelqu'un.*

salopiot n.m. Individu ou enfant sale, qui fait des saletés.

salsifis n.m.pl. Doigts de pied.

saltimbanque n.m. Comédien, professionnel du spectacle (péjor.).

salutas ! interj. Salut ! Au revoir !

sang n.m. *Un coup de sang,* une attaque d'apoplexie. / *Avoir du sang de navet,* être sans énergie.

sanglier n.m. Prêtre.

sans un loc.adj. Complètement démuni d'argent : *Être sans un.*

Santaga ou **Santoche (la)** n.pr. La prison de la Santé, à Paris.

santé (avoir de la) loc. Avoir du culot.

santiag n.f. Botte mexicaine pointue à talon biseauté.

santonner, satonner ou **sataner** v.t. Frapper longuement, tabasser à coups de bâton ou à coups de pied. (V. SATON.)

sape n.f. Habillement. – Industrie et commerce de l'habillement : *Il travaille dans la sape.*
□ n.f.pl. Les vêtements.

sapé adj. Habillé : *Sapé comme un milord.*

sapement n.m. Condamnation.

saper v.t. Condamner, punir.
□ **se saper** v.pr. S'habiller, se vêtir.

sapin n.m. Taxi. / *Pardessus en sapin,* cercueil. – *Sentir le sapin,* n'avoir plus longtemps à vivre.

saquer v.t. Chasser, renvoyer. / *Saquer la route,* en sortir par accident (auto).

sardine n.f. Galon de sous-officier. / *Égoutter la sardine,* uriner.

sataner. V. SANTONNER.

saton (coup de) loc. Coup de bâton, ou de pied.

satonner. V. SANTONNER.

satyre n.m. Exhibitionniste : *Les satyres du métro.*

sauce n.f. Pluie, averse, saucée. / *Mettre quelqu'un à toutes les sauces,* l'employer à des tâches très différentes. / *Balancer la sauce,* tirer une rafale de mitraillette. – Éjaculer. / Improvisation : *Faire de la sauce* (musique). / Jeu dans la direction : *Il y a de la sauce* (auto). / *Rajouter de la sauce,* accélérer (auto).

saucée n.f. Pluie, averse ; sauce.

saucer v.t. Mouiller (pluie) : *Être saucé.*

sauciflard n.m. Saucisson ; ciflard.

saucisse n.f. Imbécile ; andouille. / *Rouler une saucisse,* baiser sur la bouche ; rouler un pallot, un patin, une pelle.

saucisson n.m. Chanson sans qualité (spect.). – « Standard », morceau de musique de base, souvent joué (mus.). / *Serré comme un saucisson,* sanglé dans ses vêtements ; saucissonné.

saucissonné adj. Mal habillé, serré dans ses vêtements.

saucissonner v.i. et v.t. Prendre un repas froid sur le pouce. / Serrer comme un saucisson. / Couper un spectacle télévisé par des annonces publicitaires, comme des tranches de saucisson.

sauret n.m. Proxénète ; hareng (arg.).

saute-au-crac n.m. Érotomane.

saute-au-paf n.f. Nymphomane.

saute-dessus n.m. Réclamation : *Faire au saute-dessus.*

sauter v.t. Forniquer. – *Sauter du train en marche,* pratiquer le coït interrompu. / *La sauter,* avoir faim, ne pas manger.

sauteur n.m. Individu sur lequel on ne peut pas compter.

sauvage n.m. *Se mettre en sauvage,* se mettre nu.
☐ adj. Spontané : *Une grève sauvage.*

sauvette (à la) loc. Clandestinement, à la hâte, pour ne pas être surpris : *Vente à la sauvette.*

savate n.f. *Traîner la savate,* ne rien faire, être sans travail, sans argent.

saveur (coup de) loc. Coup d'œil ; coup de sabord.

savonner v.t. Réprimander, passer un savon.

savonnette n.f. Pneu lisse.

scaphandre de poche n.m. Préservatif masculin.

scalp n.m. Arrestation.

scato adj. Scatologique.

sch- De nombreux mots commençant par *ch* (chbeb, chlâsse, chlinguer, chlipoter, chpile, chtar) sont parfois orthographiés *sch* sans raison apparente ; on les trouvera à leur place à la lettre C. L'origine de certains mots (schlaffe, schlof, schnock, schnouf, schproum, schtuc) autoriserait par contre leur présence ici. Nous avons toutefois préféré simplifier leur orthographe en *ch.*

schnaps n.m. Eau-de-vie.

schnick n.m. Eau-de-vie.

scier v.t. Congédier, éliminer : *Il est scié.* – Ruiner une entreprise : *Scier à la base.* / Tourmenter : *Tu me scies le dos.* / *Scier du bois,* jouer du violoncelle.

scion (coup de) loc. Coup de couteau.

sclums n.m.pl. Muscles (à peu près de verlan).

scoubidou n.m. Stérilet.

scoumoune n.f. Malchance.

scratcher (se) ou **se cracher** v.pr. Quitter la route par accident.

scribouillard n.m. Qui écrit beaucoup. – Bureaucrate.

scribouiller v.t. Écrire.

Sébasto (le) n.pr. Boulevard de Sébastopol, à Paris ; le Topol.

sec adj. *Rester sec,* rester court à une interrogation (étud.). / *À sec,* sans argent : *Être à sec.* / *Un cri sec,* une escroquerie.
☐ adv. Net : *C'est mille balles sec.* Tout à fait, complètement : *J'assure sec en maths.* – Sans sursis : *Écoper cinq ans sec.* / Beaucoup, rapidement : *Boire sec.* / *En cinq sec,* rapidement. – *Aussi sec,* immédiatement.

sécateur n.m. *Baptisé au sécateur,* israélite (péjor. et raciste).

séchage n.m. Échec (étud.).

sèche n.f. Cigarette.

sécher v.t. Manquer volontairement un cours (étud.). / Ne savoir que répondre, rester sec, à un examen (étud.).

Secor n.pr. Corse (verlan).

sécot adj. Grand et maigre, sec.

secoué adj. Fou : *T'es pas un peu secoué ?*

secouée n.f. Grande quantité.

secouer v.t. Voler : *Secouer une tire.* / Réprimander : *Se faire secouer le paletot.* – Ne pas ménager. / *Je n'en ai rien à secouer,* je m'en moque, je n'en ai rien à cirer.

secouette n.f. Masturbation.

secousse n.f. Vol : *Donner une secousse.* / *Ne pas en foutre une secousse,* ne rien faire.

Sécu (la) n.pr. La Sécurité sociale.

semer v.t. Se débarrasser d'un importun, d'un suiveur ; distancer. / *Semer la merde,* mettre le désordre, jeter la confusion.

semi n.m. Camion semi-remorque : *Tu m'aurais vu quand je conduisais mon semi !*

semoule. V. PÉDALER.

sens ou **sensass** adj. Sensationnel, formidable ; formide.

sens unique n.m. Verre de vin rouge.

sentinelle n.f. Étron (dans un espace ouvert). / *Relever une sentinelle,* boire un verre au comptoir. (V. RELEVER.)

sentu part. passé du v. sentir. Se dit plaisamment pour sentir : *Je l'ai pas vu, mais je l'ai sentu.*

sept pouces moins la tête (avoir) loc. Être doué d'une forte virilité.

ser ou **sère** n.m. Signe convenu entre tricheurs : *Faire le ser.*

séraille ou **série (passage en)** loc. Viol collectif ; barlu.

serbillon n.m. Guet ; ser, alerte : *Envoyer le serbillon.*

série (passage en). V. SÉRAILLE.

sérieux n.m. Chope de bière d'un litre. / *S'habiller en sérieux,* porter le frac (cirque).

seringue n.f. Arme à feu. / *Chanter comme une seringue,* chanter faux.

seringuer v.t. Tirer, atteindre avec une arme à feu.

serpillière n.f. Robe ; roupane.

serrer v.t. *Serrer la vis à quelqu'un,* le traiter avec sévérité. / *Serrer la pince,* serrer la main. / *Serrer les fesses,* craindre, se tenir sur ses gardes. / *Se serrer la ceinture,* être privé, ne pas manger.

service n.m. *Faire son service,* effectuer son temps, son service militaire. / *Service service,* pointilleux. / *Service trois pièces,* organes virils. / *Entrée de service,* anus.

serviette (coup de) loc. Rafle.

serviotter v.t. Proposer un marché de dupe.

seulâbre adj. Seul : *Je suis tout seulâbre.*

sézig n.pr. et n.m. Lui ; cézig.

shampooing n.m. *Shampooing maison* ou *shampooing à Charles le Chauve,* fellation. / *Passer un shampooing,* réprimander.

shira n.m. Mélange de haschisch et d'opium.

shit n.m. Haschisch (drogue).

shoot n.m. Piqûre (drogue).

shooter (se) v.pr. Se piquer, se droguer (drogue).

shooteuse n.f. Seringue pour piqûre (drogue).

show-bise ou **show-biz** n.m. Show-business, industrie du spectacle.

sidateux adj. Malade du SIDA (péjor.).

siffler v.t. Avaler d'un trait : *Siffler un verre.*

sifflet n.m. *Couper le sifflet,* mettre hors d'état de répondre, faire taire. / Trancher la gorge.

sifflotte n.f. Syphilis ; syphilo.

sincère adj. N'ayant subi aucune réparation (brocante).

singe n.m. Patron. / Viande de bœuf en conserve. / Occupant du panier d'un side-car.

sinoque ou **sinoqué** adj. Fou.

sinoquet n.m. Crâne, cerveau.

siphonné adj. Abruti. – Fou.

sirop n.m. Étendue d'eau ; mer : *Aller au sirop.* / Sang humain (coulant d'une blessure). / Solution de haschisch (drogue). / *Sirop* ou *sirop de pébroque,* pluie. / *Sirop de bois tordu,* vin. – *Avoir un coup de sirop,* être ivre. / *Sirop de corps d'homme,* sperme. / *Être dans le sirop,* avoir des ennuis.

situasse n.f. Situation sociale : *Chomedu, c'est pas une situasse.*

skating à mouches loc. Crâne chauve.

slalom n.m. *Faire du slalom,* doubler en zigzaguant entre les voitures (auto).

slibar n.m. Slip.

smalah n.f. Famille nombreuse : *Il va encore rappliquer avec sa smalah.*

smok n.m. Smoking.

snif n.f. Onomatopée imitant les larmes, le reniflement : *Snif, snif !* / Cocaïne (drogue).

sniffer v.i. Pleurer. / Renifler de la drogue.

soce n.f. Société : *Salut, la soce !*

socialo n. Socialiste.

sœur n.f. Amie, maîtresse. / Jeune homme efféminé. / *Et ta sœur ?,* mêle-toi de ce qui te regarde ! (Attire la réponse : *Elle bat le beurre.*)

soie n.f. Symbole d'opulence. – *Coucher dans les draps de soie, péter dans la soie,* vivre dans l'opulence. / *Sur la soie,* aux trousses : *Mon singe a les polyvalents sur la soie.*

soiffard n.m. Qui boit trop, qui a toujours soif.

soi-soi ou **soin-soin** adj. et adv. Très bien, parfait, soigné : *Un petit restau tout ce qu'il y a de plus soi-soi.*

soixante-dix-huit tours n.m. Vieillard.

soixante-neuf n.m. Position érotique tête-bêche.

soleil n.m. Un million de francs. / Rondelle de citron dans un grog. / *Piquer un soleil,* rougir. / *Ça craint le soleil,* c'est une marchandise à ne pas montrer, dont il ne faut pas révéler l'origine, souvent frauduleuse.

solo adj. et adv. Seul : *Jouer de la mandoline solo.*

sommeil n.m. *Marchand de sommeil,* logeur qui exploite les ouvriers migrants.

sonder v.t. Tâter, fouiller : *Sonder les fouilles.*

sondeur n.m. Inspecteur de police sans mission précise.

son et lumière n.m. Vieillard, vieux.

sonner v.t. *Sonner quelqu'un,* l'assommer, le frapper durement à la tête.

sonneur n.m. Assommeur.

sono n.f. Appareillage de sonorisation.

sonore (au) loc. À l'anus.

Sophie (faire sa) loc. Faire des manières, des difficultés, se montrer difficile.

sorbonnard adj. et n.m. Étudiant ou professeur en Sorbonne.

sorbonne n.f. Tête.

sorgue n.f. Soir.

sorlot n.m. Chaussure : *Acheter une paire de sorlots.*

sort (faire un) à quelque chose loc. La faire valoir. / Se l'approprier.

sortie n.f. *Être de sortie,* manquer : *Mes économies ? Elles sont de sortie.*

sortir v.i. *En sortir* ou *sortir du trou,* sortir de prison, être libéré. / *Sortir de,* venir de : *Je sors de manger.* / *Je sors d'en prendre,* je viens de subir le même sort.

sossot, sossotte adj. Niais, sot.

sostène n.m. Soutien-gorge.

soucoupe n.f. Plateau de pédalier (cyclisme).

soudure n.f. *Faire la soudure,* disposer juste d'assez d'argent ou de marchandise pour subsister entre deux rentrées ou entre deux livraisons. / *Envoyer la soudure,* payer.

soufflant n.m. Pistolet.

souffle n.m. Audace, culot : *Il manque pas de souffle !*

souffler v.t. Etonner : *Il m'a soufflé, avec ses vannes.* / Prendre quelque chose au détriment de quelqu'un : *Il me l'a soufflé sous le nez.*

soufflerie n.f. Poumons : *Cracher sa soufflerie.*

soufflet n.m. Poumon. / *Soufflet à punaises,* accordéon.

soufrante n.f. Allumette.

souillarde n.f. Soie.

soulager v.t. Voler, délester.

soulard, soulaud ou **soulot** adj. et n. Ivrogne.

soulever v.t. Voler. / Séduire : *Soulever une nénette.*

soulier n.m. *Avoir des souliers à bascule,* être ivre.

soupape n.f. Poumon ; soufflet.

soupçon n.m. Très petite quantité.

soupe n.f. Repas : *À la soupe !* / Neige trop molle pour le ski. / Manie du soupeur. / *Par ici la bonne soupe !* Exclam. lancée par ou à propos d'une personne qui ramasse un gain. / *La soupe sera bonne,* se dit par plaisanterie à quelqu'un qui se gratte la raie des fesses. / *Servir la soupe,* avoir un rôle secondaire (spect.). / *Comme un cheveu sur la soupe,* mal à propos. / *La soupe à la grimace,* accueil désagréable (en rentrant chez soi). / *Un marchand de soupe,* dirigeant d'une entreprise qui ne cherche que le profit (se dit en particulier d'un directeur d'école privée). / *Faire de la soupe,* pour un musicien de jazz, jouer dans un orchestre de variétés.

soupeur n.m. Maniaque buveur d'urine.

sourdingue adj. Sourd.

souricière n.f. Piège tendu par la police. / Dépôt de la préfecture de police.

souris n.f. Femme.

sous-bite n.m. Lieutenant : *Le plus chiant, c'est le sous-bite.*

sous-cul n.m. Petit tapis que l'on dispose sur un banc, sur une chaise.

sous-fifre n.m. Employé subalterne.

sous-lieute n.m. Sous-lieutenant (armée).

sous-marin n.m. Escroc ; requin de haute volée.

sous-minable adj. Au-dessous du médiocre.

sous-off n.m. Sous-officier.

sous-tasse n.f. Naïf qui paye les consommations d'une entraîneuse de bar.

soutif n.m. Soutien-gorge.

sous-verge n.m. Adjoint ; subalterne ; sous-fifre.

spaghetti adj. Italien, à la manière italienne : *Télé spaghetti, western spaghetti.*

spé ou **spécial** n.m. Vice contre nature : *Faire le spécial* (prost.).
☐ adj. *Il est spécial,* bizarre, original. / Contre nature : *Avoir des goûts spéciaux,* des goûts pervers.

spontex adj. Spontanéiste (étudiants) : *Les Mao-spontex ont occupé les bureaux.*

square n.m. Non-initié.

squat n.m. Logement vacant occupé sans droit ni titre.

staff n.m. Groupe formé par les cadres d'une entreprise, d'une organisation. / Équipe.

stal n. et adj. Stalinien, ou tout simplement communiste.

step n.m. Nez. – *Step à trier les lentilles* ou *à repiquer les choux,* grand nez.

stick n.m. Cigarette de haschisch (drogue).

stocker en kilos loc. Engraisser.

stone (être) loc. Planer à l'héroïne ou au haschisch. / Être en grande forme (drogue).

stop n.m. Auto-stop : *Faire du stop.*

stoppeur n. Qui pratique l'auto-stop.

strasse n.f. Chambre (prost.). / *Être en strasse,* attendre à la station (taxi).

strobus n.m. Marchandise de dernier choix invendable.

strope. V. CHTROPPE.

stropia n.m. Invalide, estropié.

stuc n.m. Portion, part ; chtuc.

stup n.m. Stupéfiant (drogue).

style n.m. *Meuble de style,* copie moderne d'un meuble ancien.

sub n.m. Autobus, bus (verlan).

subclaquant adj. Moribond.

subito adv. Subitement.

sucer v.t. Pratiquer la fellation. / *Sucer la pomme,* embrasser. / *Sucer le bonbon,* baiser l'anneau épiscopal (ecclés.).

suçon n.m. Marque de baiser ou de morsure amoureuse.

sucre n.m. *Du sucre,* le meilleur : *Les vacances, c'est du sucre.* / *Casser du sucre sur le dos de quelqu'un,* médire. / *Recevoir son morceau de sucre,* être applaudi dès son entrée en scène (spect.).

sucrée (faire la) loc. Affecter un air modeste.

sucrer v.t. Supprimer : *On m'a sucré mon salé.* – *Sucrer un texte,* y apporter des coupures. / *Sucrer les fraises,* être atteint de tremblements séniles. / *Se faire sucrer,* se faire arrêter.
□ **se sucrer** v.pr. S'octroyer de larges bénéfices au détriment des autres, s'enrichir illicitement. / *Se sucrer la gaufre,* se maquiller.

suer v.i. et v.t. *Faire suer,* importuner, fatiguer. – *Faire suer le burnous,* faire travailler durement. / *En suer une,* danser.

suif n.m. Réprimande. – *Chercher du suif,* chercher querelle. – *Être en suif,* être fâché, être brouillé : *Ils sont en suif.* / *Jeter du suif,* être élégant.

suisse (en) loc.adv. De façon égoïste : *Boire en suisse.*

suite (de) loc.adv. Se dit pour : tout de suite.

sulfateuse n.f. Mitraillette.

sup adj.inv. Supplémentaire : *Faire des heures sup.*

Supélec n.pr. L'École supérieure d'électricité (étud.).

super n.m. ou n.f. Supercarburant : *De l'ordinaire ou du super ?*
□ adj. Formidable : *C'est super.*

super- préfixe indiquant le superlatif : *C'est le superpied.*

superbig n.m. Moto de compétition.

superflip n.m. Cafard, déprime, neurasthénie.

surbine n.f. Cellule de haute surveillance (prison). / Surveillance par la police.

surboum ou **surpatte** n.f. Surprise-partie, réunion dansante.

surface n.f. *Refaire surface,* réapparaître après avoir disparu un certain temps de son milieu ; surmonter ses embarras financiers. / *En boucher une surface,* étonner quelqu'un. / *Avoir de la surface,* être aisé.

surgé ou **survé** n. Surveillant général (étud.).

surin n.m. Poignard, couteau de combat.

suriner v.t. Tuer d'un coup de couteau.

surineur n.m. Qui joue du couteau.

surpatte. V. SURBOUM.

surprenante (à la) loc.adv. Par surprise.

sympa adj. Sympathique, gentil, agréable : *J'habite dans un petit coin sympa, rempli de gens sympas.*

syndicat n.m. Confrérie imaginaire des personnes atteintes de la syphilis : *Il est du syndicat.*

syphilo n.f. Syphilis.
☐ n.m. Syphilitique.

système n.m. *Taper* ou *courir sur le système,* agacer, énerver, importuner. / *Système D, système débrouille* ou *système démerde,* débrouillardise.
☐ n.pr. *Le Système,* l'ensemble des traditions de l'École militaire de Saint-Cyr. – *Le Père Système,* élève classé dernier au concours d'entrée et chargé de maintenir les traditions de cette école.

T

tabac n.m. Se dit pour bureau de tabac. / *Passer à tabac,* malmener, rouer de coups ; tabasser. / *Coup de tabac,* gros temps en mer. / *Faire un tabac,* remporter un succès immédiat (spect.). / *C'est le même tabac,* c'est la même chose.

tabasser v.t. Rouer de coups ; passer à tabac.

table n.f. *Se mettre à table,* avouer. / *Manger à la table qui recule,* jeûner.

tableau (vieux) n.m. Vieille femme maquillée.
□ interj. *Tableau !,* quel spectacle !

tablier n.m. *Rendre son tablier,* se démettre de ses fonctions. / *Tablier de sapeur* ou *de forgeron,* poils du pubis s'étendant sur le bas-ventre. / *Ça lui va comme un tablier à une vache,* ça ne lui va pas du tout.

tabourets n.m.pl. Dents.

tac ou **taco** n.m. Taxi.

tache ou **tachon** n.m. Pauvre type : *C'est un tache.*
□ n.f. *C'est la tache,* c'est nul.

tâcher moyen loc. S'efforcer : *Tâchez moyen d'être à l'heure.*

tacot n.m. Vieille automobile.

taf n.m. Peur : *Avoir le taf.* / Part de butin : *Donner le taf* (arg.). / Travail : *Aller au taf.* / *Faire le taf,* racoler. / *Prendre son taf,* jouir ; prendre son pied.

tafanard n.m. Cul.

taffe n.f. Bouffée (de tabac).

taffer v.i. Avoir peur.

taffeur adj. et n. Peureux.

taille (faire sa) loc. Gagner de quoi assurer sa subsistance quotidienne.

tailler v.t. *Tailler une bavette,* bavarder. / *Tailler une plume* ou *une pipe,* pratiquer la fellation.
□ **se tailler** v.pr. S'enfuir, partir.

tala n.m. et adj. Clérical (étud.).

talbin n.m. Billet de banque : *Palper un talbin.*

tambouille n.f. Cuisine : *Faire la tambouille.*

tampon n.m. *Coup de tampon,* coup de poing. / Ordonnance (milit.).

tamponner (s'en) ou **s'en tamponner le coquillard** loc. S'en moquer, s'en foutre.

tam-tam n.m. Publicité tapageuse.

tandem n.m. Association de deux personnes pour un même travail, un même but.

tangent adj. Tout juste : *C'est tangent.*

tangente n.f. Épée (École polytechnique). / Surveillant d'examen (étud.). / *Prendre la tangente,* s'éclipser, se tirer d'affaire adroitement.

tango n.m. Bière additionnée de grenadine.

tannant adj. Ennuyeux, importun.

tannée n.f. Volée de coups.

tanner v.t. Importuner avec insistance. / Donner des coups.

tante, tantouse n.f. Homosexuel.

tante (ma) loc. Mont-de-piété : *Ma montre, elle est chez ma tante.*

tant pire loc.adv. Tant pis.

tapant adj. Sonnant : *Il est midi tapant.*

tape n.f. Échec, insuccès : *Recevoir une tape.*

tapé adj. *C'est tapé, bien tapé,* bien dit, bien servi, bien réussi. / Fou.

tapecul n.m. Voiture mal suspendue.

tapée n.f. Grande quantité : *Des cons, j'en connais des tapées.*

taper v.t. Emprunter : *Il va encore me taper.* / Sentir mauvais : *Il tape des pieds.* / *Taper dans l'œil,* plaire.
□ **se taper** v.pr. S'octroyer, s'administrer : *Se taper une nénette.* / *S'en taper plein la lampe,* manger copieusement. / *Se taper de,* être privé. / *Se taper la colonne,* se masturber. / *S'en taper,* s'en moquer ; s'en foutre. / *S'en taper le cul par terre* ou *au plafond,* se tordre de rire.

tapette n.f. Langue. – *Avoir une sacrée tapette,* être très bavard. / Homosexuel.

tapeur n.m. Emprunteur.

tapin n.m. Prostitution. – Prostituée : *Un tapin fait le tapin.*

tapiner v.i. Racoler ; faire le tapin.

tapineuse n.f. Prostituée.

tapir n.m. Élève auquel un étudiant ou un professeur donne des leçons particulières (étud.).

tapis (amuser le) loc. Dire des choses plaisantes. / Attirer les badauds par un boniment. / Miser de petites sommes au jeu.

tapissage n.m. Identification ; retapissage.

tapisser v.t. Regarder avec attention pour identifier.

tapuscrit n.m. Manuscrit dactylographié.

taquemart n.m. Taxi ; tac.

taquet n.m. Coup de poing.

taquiner v.t. *Taquiner le goujon,* pêcher à la ligne. / *Taquiner la dame de pique,* jouer aux cartes.

tarabistouille n.f. Situation confuse créée dans des buts peu évidents.

tarbouif n.m. Nez.

tarde n.f. Nuit (arg.).

tarderie n.f. Femme très laide. / Objet très laid (brocante).

taré adj. et n. Crétin congénital.

targettes n.f.pl. Pieds. / Chaussures.

tarin n.m. Nez.

tarpé n.m. Cigarette roulée ; joint. / Arme ; pétard (verlan).

tarte n.f. Gifle : *Coller une tarte.* / *C'est de la tarte,* c'est facile, c'est du gâteau. – *C'est pas de la tarte,* c'est difficile. / *C'est la tarte à la crème,* c'est un lieu commun.

tarte, tartignole, tartouillard, tartouille, tartouzard adj. Laid, moche, ennuyeux.

Tartempion n.pr. Individu mal défini, Chose, Machin (péjor.).

tartine n.f. Chaussure. / Long article ; longue lettre : *Écrire toute une tartine.*

tartiner v.t. Écrire ; faire une tartine. / Emprunter de l'argent.

tartir v.i. Déféquer. / *Se faire tartir,* s'ennuyer.

tartisses, tartissoires n.f.pl. Lieux d'aisances.

tartissure n.f. Salissure, trace d'excrément.

tas n.m. *Un tas,* beaucoup : *Un tas de salauds.* / Lieu de travail : *Faire la grève sur le tas.* / Fille laide : *Quel tas !* / *Tas de ferraille, tas de boue, tas de tôle,* automobile usagée. / *Faire le tas,* racoler (prost.). / *Sur le tas,* immédiatement, sur-le-champ.

tasse n.f. Verre, consommation : *Prendre une tasse.* / *Boire une tasse,* manquer de se noyer (au pr. et au fig.). / *Tasse* ou *tasse à thé,* urinoir public fréquenté par les homosexuels. / *C'est pas ma tasse de thé,* ce n'est pas à mon goût. / *Tasse à café,* véhicule à deux roues de moins de 50 cm^3.

tassé adj. Bien servi : *Un Pernod bien tassé.*

tasseau n.m. Nez. – *Se sécher le tasseau,* se moucher.

tasser (se) v.pr. S'apaiser, se calmer : *Ça finira bien par se tasser.*

tata n.f. Tante (enfant). / Homosexuel ; tante.

tatane n.f. Chaussure : *Filer un coup de tatane.* / Paresse : *Jamais tatane dans le dodo.*

tâter v.t. *En tâter,* savoir y faire, avoir le tour de main. / *Va te faire tâter !* Insulte.
☐ **se tâter** v.pr. Hésiter à prendre une décision.

tâteuse n.f. Fausse clef (arg.).

tatouage n.m. Poinçon (brocante).

tatouille n.f. Coup ; volée de coups ; défaite : *1870, la grande tatouille.*

taulard n.m. Prisonnier.

taule ou **tôle** n.f. Prison : *Aller en taule.* / Domicile : *rentrer à la taule.*

taulier n.m. Logeur. / Patron, chef d'entreprise ; singe.

taupe n.f. Classe de mathématiques spéciales (étud.).

taupin n.m. Élève de taupe.

taxer v.t. Voler : *Il m'a taxé mon pébroque.*

taxi n.m. Véhicule quelconque : auto, avion, etc. / Prostituée. / Intermédiaire.

tchao ! interj. Au revoir ! (pataouète).

tchatche n.f. *Avoir de la tchatche,* avoir du bagout (pataouète).

tchatcher v.i. Avoir du bagout ; fanfaronner ; se vanter.

tchi (que) loc.adv. Rien ; que dalle.

tchin'-tchin' ! interj. Formule de toast.

tchouch n.m. Article en prime.

tebi ou **tébi** n.f. Membre viril, bite (verlan).

teddy ou **ted** n.m. Blouson en tissu, brodé dans le dos.

téfu n.f. Mobylette.

télé, téloche n.f. Télévision. – Récepteur de télévision.

téléguider v.t. Inspirer les actes de quelqu'un.

téléphone n.m. Lieux d'aisances. / *Téléphone arabe,* propagation d'une rumeur de bouche à oreille.

téléphoner v.i. *C'est téléphoné,* se dit d'un effet, d'un mot d'esprit prévisible longtemps à l'avance. / *Téléphoner au pape,* déféquer. / *Téléphoner dans le ventre,* fellation.

téléphonite n.f. Manie de téléphoner : *Avoir la téléphonite.*

température n.f. *Prendre la température,* prendre des renseignements, tâter le terrain.

temps (faire son) loc. Faire son service militaire : *J'ai fait mon temps dans la biffe.*

tendeur n.m. Grand amateur de femmes.

tenir v.t. *En tenir, en tenir une couche* ou *en tenir une,* être bête. / *En tenir une bonne,* être ivre. / *Tenir le crachoir,* accaparer la conversation.
☐ v.i. *En tenir pour,* être amoureux de. / *Tenir au corps,* se dit d'un aliment nourrissant.

terre jaune n.f. Sodomie.

terre-neuve n.m. Personne secourable à l'excès.

Terre sainte (la) n.pr. Quartier de Paris situé entre l'esplanade des Invalides et le Champ-de-Mars, où les pourboires sont rares (taxi).

terreur n.f. Individu redoutable : *Jouer les terreurs.*

terrible adj. Parfait, extraordinaire : *Un gars terrible.*
☐ adv. Beaucoup : *Ça chauffe terrible.*

terrine n.f. Tête, face ; crâne. / *Terrine de gelée de paf !* Insulte.

têtard n.m. Enfant. / Cheval bon à l'équarrissage. / *Être le têtard,* être la dupe, la victime.

tétasse n.f. Sein flétri.

tête n.f. *Tête de,* insulte. – *Tête de lard,* buté ; *tête de nœud,* imbécile ; etc. / *Tête d'œuf,* personne à la tête bien pleine, généralement sortie d'une grande école. / *Tête de pipe,* portrait dans un journal (presse). / *Petite tête,* formule ironique et affectueuse : *Ça va, p'tite tête ?* / *Avoir quelque chose derrière la tête,* des intentions cachées. / *Ça va pas la tête ?* T'es pas un peu fou ? / *Cause à mon cul, ma tête est malade,* refus d'écouter. / *Tête d'oreiller,* taie d'oreiller. / *Faire une grosse tête,* frapper violemment au visage.

téter v.i. Boire sans modération.

tétère n.f. Tête.

teube ou **teubi** n.f. Membre viril ; bite (verlan).

teuche n.m. Sexe de la femme ; chatte (verlan).

teuf-teuf n.f. Automobile ancienne.

texto adv. Textuellement.

tézig pr. et n. Toi.

thé n.m. *Marcher au thé,* s'adonner à la boisson. / *Tasse à thé,* urinoir fréquenté par les homosexuels. – *Prendre le thé,* pratiquer la pédérastie : *Ces messieurs prennent le thé.* / *Ce n'est pas ma tasse de thé,* ce n'est pas à mon goût.

théière n.f. Tête. / Urinoir ; tasse à thé.

thomas n.m. Pot de chambre.

thune n.f. Cinq francs.

ti particule interrogative inv. placée après le verbe : *Tu viens-ti ? T'as-ti fini de jouer au con ?*

tiber v.i. Ennuyer : *Ça me tibe,* ça m'ennuie.

ticket n.m. Billet de 100 F. / Invite, appel : *Faire un ticket.* – *Avoir le ticket,* plaire à quelqu'un ; avoir une touche. – *Prendre un ticket,* assister à un spectacle érotique ; prendre un jeton.

ticson n.m. Ticket, billet (de spectacle, de transport, etc.) ; biffeton.

tierce, belote et dix de der loc. Cinquante ans (âge).

tif n.m. Cheveu.

tiffier ou **tifman** n.m. Coiffeur.

tige n.f. Pied. / Chaussure. / Cigarette. / *Brouter la tige,* pratiquer la fellation. / *Vieille tige,* aviateur chevronné (aéron.).
□ n.m. Condamné effectuant une peine de substitution (travaux d'intérêt général) : *C'est un tige.*

tilleul n.m. Mélange de vin rouge et de vin blanc.

tilt (faire) loc. Comprendre brusquement, avoir une inspiration, une idée soudaine.

timbré adj. Fou.

tinche n.f. Quête : *Faire la tinche.*

tinette n.f. Vieille moto.

tintin (faire) loc. Être privé : *Tous les autres en ont eu, moi j'ai fait tintin.*

tir n.m. *Allonger le tir,* payer davantage que prévu.

tirage n.m. Difficulté, résistance : *Il y a du tirage.*

tirants n.m.pl. Bas (à jarretelles).

tire n.f. Automobile. / *Vol à la tire,* dans les poches.

tire-au-cul ou **tire-au-flanc** n.m. Paresseux, simulateur, qui s'arrange pour échapper aux corvées.

tire-bouchon (maison) loc. Les lesbiennes.

tire-bouchonner (se) v.pr. Se tordre de rire.

tirée n.f. Longue distance à parcourir, long trajet.

tire-fesses n.m. Remonte-pente (ski).

tire-jus n.m. Mouchoir ; tire-moelle.

tire-larigot (à) loc.adv. Beaucoup.

tirelire n.f. Bouche. – *Se fendre la tirelire,* rire. / Estomac : *Plein la tirelire !*

tire-moelle n.m. Mouchoir ; tire-jus.

tire-mômes n.f. Sage-femme.
☐ n.m. Médecin accoucheur, obstétricien.

tirer v.t. Subir une contrainte durant un temps déterminé : *Tirer un an de service.* / Voler : *Tirer une bécane, tirer les sacs.* / *Tirer les vers du nez,* faire avouer, faire donner des renseignements. / *Tirer la couverture à soi,* se réserver tous les avantages. / *Tirer la gueule,* être mal fait, bâclé : *Ton blouson, il tire la gueule.* / *Tirer l'échelle,* renoncer : *Après tes conneries, on peut tirer l'échelle.* / *Tirer un coup, une crampe,* forniquer.
☐ v.i. *Tirer au cul, tirer au flanc, tirer au renard,* simuler, échapper aux corvées. / *Tirer sur la ficelle,* exagérer.
☐ **se tirer** v.pr. Partir, s'en aller : *Se tirer des pieds.*

tireur n.m. Pickpocket, voleur à la tire.

tiroir n.m. *Avoir un polichinelle dans le tiroir,* être enceinte. / *Fourrer dans le tiroir,* placer le corps dans le cercueil (pompes fun.).

tisane n.f. Volée de coups, correction : *Filer une tisane.*

titi négro n.m. Petit nègre, langage élémentaire attribué aux Noirs (péjor.).

toc adj. et n.m. Faux, imitation : *C'est du toc.* / *Marcher sous un toc,* vivre sous un faux nom. / *Ne pas manquer de toc,* avoir du culot, de l'aplomb, du courage. – *Manquer de toc,* manquer de courage, mais aussi manquer d'à-propos.

tocante ou **toquante** n.f. Montre.

tocard adj. Laid, mauvais.
☐ n.m. Mauvais cheval (turf).

toctoc adj.inv. Fou.

toile n.f. Carré de toile verte dans lequel le brocanteur ou le bouquiniste entasse ses achats : *Une bonne toile.* / *Se faire une toile,* aller au cinéma. / Au pl., draps de lit : *Se fourrer dans les toiles.* / *Enlever les toiles d'araignée,* séduire une femme sérieuse.

toise n.f. Coup : *Filer une toise.*

toiture n.f. Crâne.

tôler (se) v.pr. Rire.

tomate n.f. Nez rouge. / Apéritif anisé additionné de grenadine. / Rosette de la Légion d'honneur.

tombeau ouvert (à) loc.adv. À toute allure, au risque de se tuer (auto).

tomber v.i. Être arrêté (arg.). / Accepter de se laisser corrompre. / *Tomber sur le paletot,* surprendre. / *Tomber sur un bec, sur un manche,* rencontrer un obstacle inattendu. / *Tomber dans les pommes,* s'évanouir. / *Laisser tomber quelqu'un,* l'abandonner, le quitter. / *Laisser tomber,* ne plus s'occuper, négliger.
☐ v.t. Séduire : *Tomber les filles.* / *Tomber la veste,* retirer sa veste.

tombeur n.m. Séducteur.

tondre v.t. Couper les cheveux : *Je vais me faire tondre.* / Dépouiller de son argent : *Se faire tondre au jeu.*

Tonkin n.pr. Une des pelouses du champ de courses d'Auteuil (turf).

tonneau n.m. Accident au cours duquel la voiture roule sur elle-même : *Faire un, plusieurs tonneaux.*

tonnerre n.m. *Le tonnerre* ou *du tonnerre,* très bien, excellemment : *Ça gaze le tonnerre ! C'est du tonnerre !* / *Au tonnerre de Dieu,* très loin.

topo n.m. Discours, rapport : *Vous me ferez un topo.* / *C'est toujours le même topo,* c'est toujours pareil, toujours aussi décevant.

Topol (le) n.pr. Boulevard Sébastopol, à Paris ; le Sébasto.

toqué adj. et n. Maniaque, fou. – Épris : *Un toqué de cinoche.*

torche (se mettre en) loc. Pour un parachute, s'ouvrir sans se déployer. – Au fig., faire une chute brutale : *Mon banquier s'est mis en torche.*

torche-cul n.m. Journal sans intérêt, ou mal imprimé.

torcheculatif adj. Qui a rapport à la mauvaise presse.

torchée n.f. Correction sévère. – Bref combat ; coup de torchon.

torchon n.m. Travail écrit mal fait, mal présenté. / Journal : *Acheter le torchon.* / *Coup de torchon,* combat rapide et violent ; coup de vent en mer ; rafle de police. / *Lever le torchon,* lever le rideau ; assurer le lever de rideau, le premier numéro d'une représentation (spect.). / *Le torchon brûle,* il y a brouille dans le ménage.

torchonner v.t. Exécuter mal et sans soin.

tord-boyaux n.m.inv. Eau-de-vie très forte.

tordu adj. Mal bâti. / Injure : *Va donc, tordu !* / Ivre. / Fou. / Esprit vicieux, bizarre : *Faut être tordu pour inventer des trucs pareils !*
☐ n.f. *Une tordue,* une femme peu respectable.

torgnole n.f. Coup, gifle : *Recevoir une torgnole.*

torpille n.f. Emprunt : *Marcher à la torpille.* / Mendiant professionnel ; torpilleur.

torpiller v.t. Emprunter de l'argent ; taper. / Faire échouer un projet ; faire perdre sa réputation à quelqu'un.

torpilleur n.m. Emprunteur ; tapeur. / Démarcheur à domicile.

tortillard n.m. Petit train lent. / Café express.
□ n. et adj. Boiteux.

tortiller (il n'y a pas à) loc. Il n'y a pas à hésiter, on ne peut pas faire autrement. (Formulé aussi : *Il n'y a pas à tortiller du cul pour chier droit dans une bouteille,* d'où les loc. syn. : *Il n'y a pas à chier,* ou simplement : *Y a pas.*)

tortore n.f. Nourriture, repas.

tortorer v.t. et v.i. Manger.

total adv. Par conséquent : *Il glisse, il rate une marche, total il se casse la gueule.* / Complètement : *C'est total ringard.*

totale n.f. Hystérectomie et ovariectomie.

toto n.m. Pou.

toubib n.m. Médecin.

touche n.f. Allure, attitude ; dégaine : *Avoir une drôle de touche.* / Goulée de fumée de tabac : *File-moi une touche.* / ***Rester sur la touche,*** être oublié, ne pas prendre le départ (fig.). / ***Avoir une touche, faire une touche,*** plaire à quelqu'un. / ***Se faire une touche,*** se masturber. / ***Touche de piano,*** dent.

touche-pipi (jouer à) loc. Caresser, se caresser mutuellement (surtout appliqué aux adolescents).

touche-piqûre n.m. ou adj. Drogué.

toucher v.i. Pratiquer (un métier, un art) : *Il touche à la gratte.* – ***Toucher à mort,*** être très doué.
□ **se toucher** v.pr. Se masturber.

touche-touche (à) loc.adv. Serrés à se toucher presque : *Sur l'autoroute, on roule à touche-touche.*

touchette n.f. Petit choc, ou marque de petit choc (sur une carrosserie d'automobile, par ex.).

touffe n.f. Toison pubienne. / ***Onduler de la touffe,*** être fou.

toufiane n.f. Opium (drogue).

touiller v.t. Mélanger, remuer.

toupie (vieille) n.f. Vieille femme ennuyeuse.

tourlousine n.f. Coup.

tournanche n.f. Tournée (de consommations).

tournant n.m. ***Sur le tournant de la gueule,*** sur la figure : *Il a pris quelque chose sur le tournant de la gueule.*

tournante n.f. Clef.

tourner la page loc. Pratiquer le coït anal. / Retourner le partenaire amoureux.

tourniquet n.m. Tribunal militaire : *Passer au tourniquet.*

Tour pointue (la) n.pr. Dépôt de la préfecture de police, à Paris.

tourtières n.f.pl. Cymbales (musique).

tousser v.i. Protester, rouspéter.

/ Pour un moteur, avoir des ratés.

toutime n.m. et adv. Tout. – *Le toutime,* le tout, la totalité. – *Et tout le toutime,* et le reste, et cetera.

toutou n.m. *Peau de toutou,* sans valeur. – *À la peau de toutou,* mal fait.

touzepar n.f. Partouse (verlan). On dit aussi « zetoupar ».

toxico n.m. Toxicomane.

trac, tracos ou **tracsir** n.m. Peur, appréhension : *Avoir le trac.*

tracassin n.m. Érection matinale.

tracer v.i. Aller vite : *Une tire qui trace.*

traduc n.f. Traduction.

trafiqué adj. Se dit d'un moteur dont la puissance a été augmentée par un bricolage (auto).

trafiquer v.i. Faire quelque chose de louche : *Qu'est-ce qu'il trafique ?*

train n.m. Cul : *Coup de pompe dans le train.* – *Filer le train,* suivre, prendre en filature. / *Prendre le train onze,* aller à pied.

traîne-cons n.m. Automobile.

traîne-lattes ou **traîne-patins** n.m. Vagabond.

traîner v.i. Se promener sans but : *Traîner dans les rues.* / *Ça traîne les rues,* ce n'est pas rare, on en trouve partout.

tralala n.m. Apparat.

tram n.m. Tramway.

tranche n.f. *Tranche de cake,* insulte d'origine marseillaise pour *tronche de quique,* littéralement : tête de nœud. / *S'en payer une tranche,* bien s'amuser.

trans' ou **transpoil** adj. Parfait ; transcendant.

trapu adj. Difficile, très savant.

traquer v.i. Avoir peur ; avoir le trac.

traquette n.f. Peur ; trac.

traqueur n. et adj. Peureux.

trav n.m. Travesti ; travelo.

travailler du chapeau ou **de la touffe** loc. Être fou.

travelo ou **trave** n.m. Homosexuel travesti en femme.

travers (passer au ou **à)** loc. Ne pas profiter, être privé. / Ne pas commencer à vendre.

traviole (de) loc.adj. De travers.

trèfle n.m. Tabac. / Argent ; fric. / *As de trèfle,* anus.

tremblote n.f. Fièvre : *Avoir la tremblote* ou la *bloblote.*

trempe n.f. Correction : *Recevoir une trempe.*

tremper v.t. *Tremper son biscuit,* forniquer.
□ v.i. *Tremper dans un coup,* participer à une affaire délictueuse.

trempette n.f. Bain rapide. – *Faire trempette,* séjourner dans l'eau du bain.

trèpe n.m. Foule, public rassemblé.

tréteau n.m. Mauvais cheval (turf).

tricard n.m. et adj. Interdit de séjour. / Indésirable : *Je ne vais plus là, je suis tricard.*

tricoter v.i. Marcher vite ; pédaler. / Pour un facteur, changer constamment de trottoir (postes). / *Tricoter des gambettes,* danser.

trimard n.m. Vagabondage : *Faire le trimard.* – Route (pour le chemineau).

trimarder v.i. Vagabonder ; aller à pied sur les routes.

trimardeur n.m. Vagabond ; ouvrier nomade.

trimbalage n.m. Action de transporter, de trimbaler.

trimbaler v.t. Porter. – *Trimbaler sa viande,* se promener, se déplacer. / *Qu'est-ce qu'il trimbale !,* quel abruti !

tringle n.f. *Se mettre la tringle,* se priver, être privé. / *Avoir la tringle,* être en érection.

tringler v.t. Posséder sexuellement.
□ **se tringler** v.pr. Exercer sur soi des manœuvres abortives.

tringlomane n.m. Qui aime tringler.

tringlot ou **trainglot** n.m. Soldat du train.

trinquer v.i. Subir un dommage.

trip n.m. Voyage au L.S.D. (drogue).

tripaille n.f. Boyaux ; tripes.

tripatouillage n.m. Trucage d'une comptabilité. / Remaniement.

tripatouiller v.t. Truquer une comptabilité. / Remanier un texte sans autorisation de l'auteur.

tripatouilleur n.m. Qui tripatouille.

triper v.i. Faire un trip, un voyage (drogue).

tripes n.f.pl. Les intestins, les organes de l'abdomen.

tripette (ça ne vaut pas) loc. Ça ne vaut pas grand-chose.

tripeur n. Adonné au L.S.D. (drogue).

tripotage n.m. Opération financière ou boursière plus ou moins honnête.

tripotailler v.t. Faire de petits tripotages ; toucher avec insistance avec les mains.

tripotée n.f. Volée de coups.

tripoter v.i. Faire des opérations malhonnêtes, des tripotages.
□ v.t. Manipuler, toucher : *Vous avez bientôt fini de me tripoter, espèce de satyre !*
□ **se tripoter** v.pr. Se masturber.

tripoteur n.m. Qui tripote (dans les divers sens).

trique n.f. *Mener à la trique,* avec brutalité, sans ménagement. / *Sec comme un coup de trique,* très maigre et sec. / *Avoir la trique,* être en érection. / Interdiction de séjour du tricard.

triquer v.i. Être en érection.

trisser v.i. Courir très vite : *Ladoumègue, fallait le voir trisser !*
□ **se trisser** v.pr. S'enfuir.

triste adj. Employé négativement, mais par antiphrase : gai, drôle, joyeux, animé. *Les élections, c'est pas triste.*

tristounet adj. Triste, pas gai.

Troca (le) n.pr. La piste de patins du Trocadéro.

trognon n.m. Terme d'affection : *Mon trognon.* / *Jusqu'au trognon,* jusqu'au bout.
☐ adj. Mignon : *Il est trognon, ton clebs.*

trôleur n.m. Contrôleur.

trombine n.f. Tête, visage.

tromblon n.m. Arme à feu encombrante. – Fusil de guerre.

tromboner v.t. Posséder une femme.

tromé n.m. Métro (verlan).

trompe-couillon n.m. Tromperie : *La publicité, c'est un trompe-couillon.* / Verre à boire qui contient moins qu'il ne paraît.

trompe-la-mort n.m. Malade âgé.

trompette n.f. Nez ; visage.

trompinette n.f. Petite trompette.

tronc n.m. *Ne pas se casser le tronc,* ne pas réfléchir ; ne pas se faire de souci. / *Tronc* ou *tronc de figuier,* Arabe (péjor. et raciste).

tronche n.f. Tête. – *Tronche plate,* injure. (V. TRANCHE.)

troncher v.t. Posséder sexuellement.

trône n.m. Siège des lieux d'aisances.

troquet n.m. Débit de boissons, mastroquet ; bistro. / Patron de bistrot.

trotte n.f. Longue distance à parcourir : *Ça fait une trotte !*

trotter (se) v.pr. S'en aller ; s'enfuir.

trotteuse ou **trottineuse** n.f. Prostituée qui fait le trottoir.

trottinet n.m. Pied. / Soulier.

trottinette n.f. Automobile.

trottoir n.m. *Faire le trottoir,* racoler dans la rue, vivre de prostitution.

trou n.m. Petite localité : *Ton patelin, c'est un trou.* / Prison : *Aller au trou.* / Tombe : *Il est dans le trou.* / *Faire son trou,* réussir socialement. / *Trou de balle,* anus. – *Trou du cul.* Injure : *Qu'est-ce que c'est que ce trou du cul ?* / *Ça ne te fera pas un trou au cul* (sous-entendu : tu en as déjà un), c'est sans danger. / *Se dévisser, se décarcasser, se démancher le trou du cul,* se donner de la peine.

trouduc n.m. Imbécile.

trouduculier adj. Pornographique.

trouducuter v.t. Posséder sexuellement.

troufignard ou **troufignon** n.m. Anus.

troufion n.m. Soldat : *Quand j'étais troufion.*

trouiller v.i. Avoir peur : *Tu trouilles ?*

trouillomètre à zéro (avoir le) loc. Avoir très peur.

trouilloter v.i. Sentir mauvais. / Avoir peur, avoir la trouille.

troussée n.f. Volée de coups : *Filer une troussée.* / Acte sexuel rapide.

troussequin n.m. Cul.

trousser v.t. Posséder sexuellement.

trouver v.t. *La trouver mauvaise,* juger que le procédé est malhonnête, désagréable : *Quand il m'a vidé, je l'ai trouvée mauvaise.* / ***Se trouver mal sur quelque chose,*** le chaparder.

truand n.m. Gangster.

truander v.t. Escroquer.

truc n.m. Chose dont on ignore ou dont on a oublié le nom : *Passe-moi ce truc-là.* / ***Faire le truc,*** vivre de prostitution. / ***Repiquer au truc,*** recommencer ; rengager.

truffe n.f. Nez épaté. / Imbécile, niais : *Quelle truffe !*

trumeau n.f. Femme laide. / Personne âgée : *Un vieux trumeau.*

truqueur n.m. et adj. Maître chanteur (chantage aux mœurs). / Marchand de faux meubles anciens.

truster v.t. Accaparer, monopoliser, garder tout pour soi : *Qu'est-ce que tu fous ? Tu trustes les chiottes ?*

tsoin-tsoin adj.inv. Mignon.

tubard n.m. Marchand dans les couloirs du métro.
□ adj. *Tubard, tube,* tuberculeux.

tube n.m. Renseignement confidentiel, tuyau. / Chanson à succès. / Téléphone : *Un coup de tube.* / Métro. / Tuberculose pulmonaire. / Boyau de bicyclette.
□ adj. Tuberculeux, tubard.

tuber v.t. Renseigner ; donner un tuyau, un tube ; vendre des pronostics.

tuile n.f. Événement imprévu et fâcheux. / 10 000 F.

tulette n.f. Automobile.

tune n. et adj. Tunisien : *Un restau tune.*

tune n.f. V. THUNE.

tunnel n.m. Long monologue (spect.). / ***Être dans le tunnel,*** être dans une mauvaise passe.

turbin n.m. Travail (licite ou non).

turbine n.f. ou **turbine à chocolat** loc. Anus.

turbiner v.i. Travailler.

turbo-prof n.m. Professeur amené à prendre régulièrement le train.

turf n.m. Lieu de travail. – ***Aller au turf,*** aller au travail (petits métiers, prostitution, etc.).

turlu n.m. Sexe de la femme. / Téléphone : *Un coup de turlu.*

turlute n.f. Fellation.

turne n.f. Chambre. / Maison mal tenue : *Pas moyen de se faire servir, quelle turne !*

tutoyer (se faire) loc. Se faire sévèrement réprimander.

tutu n.m. Vin ordinaire : *Un coup de tutu.* / Téléphone ; tube ; turlu : *Un coup de tutu.*

tuyau n.m. Renseignement confidentiel : *Filer un tuyau.* / *La famille tuyau de poêle,* couples qui pratiquent l'adultère réciproque ; les invertis.

tuyauter v.t. Renseigner ; donner un tuyau ; tuber.

tuyauterie n.f. Organes de la digestion et de la respiration.

type, typesse n. Homme ou femme quelconque. / Individu original : *Quel type !*

U V

u adj. Abrév. pour universitaire : *Cité u, restau u.*

-uche suff. argotique. Pantin, *Pantruche ;* gauloise, *galuche ;* médaille, *méduche.*

une adj. numér. *Et d'une !* D'abord. – *Ne faire ni une ni deux,* ne pas hésiter. / *En suer une,* danser.
☐ n.f. *La une d'un journal,* la première page. / *La Une,* la première chaîne (télévision).

unième adj.num.ord. Premier : *La unième fois.* (V. ÉNIÈME.)

unité n.f. 10 000 F, un million de centimes.

urger v.i. Presser, être urgent : *Ça urge.*

usine à gaz n.f. Carburateur (auto).
☐ n.pr. Le Centre Pompidou, à Paris, le Pompidolium, la Raffinerie.

usiner v.i. Travailler, s'activer.

utilité n.f. Petit rôle : *Jouer les utilités* (spect.).

va impératif. du v. aller. *Va donc !* Interj. précédant une injure. / *Va pour,* d'accord sur ces conditions : *Va pour une brique.* / *À la va-vite,* fait rapidement, bâclé, sans soin.

vacant adj. Sans le sou : *Je suis vacant.*

vacciné adj. Endurci, prévenu : *Moi, je suis vacciné.* / *Vacciné avec une aiguille de phono,* bavard. / *Vaccinée* ou *vaccinée au pus de génisse,* déflorée (contrepèterie obscène, étud.).

vachard adj. Paresseux. / Dur, sévère.

vache n.f. Agent, policier : *Mort aux vaches !* – *Vache à roulettes,* agent cyclomotoriste. / *Croix des vaches,* cicatrice en forme de croix faite au rasoir sur le visage d'un traître. / *Une vache* ou *une peau de vache,* un individu dur, sévère, cruel. / *Une vache à lait,* personne dont on tire un profit constant. / *Bouffer de la vache enragée,* passer par une période de pauvreté avant de réussir dans la vie.
☐ adj. Dur, sévère, cruel : *Le singe est vache avec nous* (et non *pour* nous).

/ Difficile : *Un problème vache.* / Important : *Un vache de coup.* / Accompagné de coups : *Amour vache.*

vachement adv. Beaucoup, extrêmement : *C'est vachement bath.*

vacherie n.f. Acte de méchanceté, perfidie : *Faire des vacheries.* / Événement désagréable : *C'est une vraie vacherie.* / Difficulté : *Tomber sur une vacherie.*

vacs n.f.pl. Vacances.

vague n.f. Poche, fouille. / ***Être dans le creux de la vague,*** subir une baisse.

vaisselle n.f. ou **vaisselle de fouille** loc. Petite monnaie, argent de poche.

valade n.f. Poche ; vague ; fouille.

valda n.f. Balle (projectile). / Feu vert de signalisation.

valdingue n.f. Valise : *Faire les valdingues.* / Chute. – ***Aller à valdingue,*** faire une chute, valdinguer.

valdinguer v.i. Tomber, s'étaler, valser. – ***Envoyer valdinguer,*** éconduire ; faire tomber.

valise (se faire la) loc. S'en aller, abandonner ; faire la malle.

valiser v.t. Mettre à la porte ; s'en aller.

valoche n.f. Valise : *Porter les valoches.*

valouser v.t. Abandonner, mettre à la porte : *Tu vas pas faire la gueule parce qu'on t'a valousé ?*

valse n.f. Mouvement de personnel : *La valse des cadres supérieurs.* / ***Valse chaloupée,*** valse populaire. / ***Lâchez-les, valse lente !*** Invitation à payer. / Bière additionnée de menthe.

valser v.i. Jeter, projeter ; balancer : *Envoyer valser.*

valseur n.m. Cul. – ***Filer du valseur,*** tortiller des fesses en marchant ; être homosexuel. / Pantalon.
☐ n.f.pl. ***Les valseuses,*** les testicules.

vanne n.f. Paroles outrageantes, mensonges : *Dire des vannes.* – Plaisanterie, repartie : *Lancer une vanne* (souvent au masculin).

vanné adj. Fatigué.

vanner v.t. Épuiser, fatiguer.

vape n.f. Hébétude. – ***Être dans les vapes*** ou ***en pleine vape,*** abruti de fatigue, d'ivresse, de drogue ; rêvasser.

vase n.f. Pluie.
☐ n.m. Anus. / Chance : *Avoir du vase.*

vaseliner v.t. Flatter.

vaser v.i. Pleuvoir.

vaseux adj. Obscur, difficile à comprendre. – ***Astuce vaseuse,*** mauvais jeu de mots. / ***Être vaseux,*** être fatigué, abruti par la maladie ou un excès.

va-te-laver n.f. Gifle.

veau n.m. Véhicule lent. / Mauvais cheval (turf).

vécés n.m.pl. Lieux d'aisances, W.-C.

veilleuse n.f. ***La mettre en veilleuse,*** baisser la voix ; se taire.

veine n.f. *Faire un aller et retour sur la veine bleue,* pratiquer la fellation.

vélo n.m. Bicyclette.

velours n.m. Bénéfice : *Je l'ai acheté dix francs, laisse-moi un petit velours.* / Boisson (stout et champagne brut). / *Sur le velours,* sans risque.

vendange n.f. Produit d'un cambriolage (arg.).

vendre v.t. Dénoncer.

vendu n.m. Traître, dénonciateur.

venin (lâcher son) loc. Éjaculer.

vent n.m. Rien, néant : *C'est du vent ! – Faire du vent,* s'agiter sans efficacité. / *Du vent !* Allez-vous-en ! / *Un vent,* un pet.

ventrée n.f. Grande quantité de nourriture : *Se foutre une ventrée.*

ver n.m. *Tuer le ver,* boire un verre d'alcool le matin à jeun. / *Tirer les vers du nez,* réussir à obtenir des renseignements de quelqu'un malgré lui.

verdine n.f. Roulotte de gitans.

verdure (faire la) loc. Se prostituer dans un parc.

verjo adj. Veinard ; verni.

verlan n.m. Jargon obtenu par retournement des syllabes d'un mot. (V. LANVÈRE.)

vermicelles n.m.pl. Cheveux.

verni adj. Chanceux, veinard ; verjo.

vérole n.f. Syphilis. / Ennui, difficulté : *Quelle vérole ! / Comme la vérole sur le bas clergé,* brusquement et avec acharnement.

vérolé adj. Qui a la vérole. / Rayé, troué, percé : *Un disque vérolé.* / Se dit de tout appareil malade : *Un ordinateur vérolé.*

Versigo n.pr. Versailles.

vert adj. Dupé, trompé, déçu, privé : *Être vert.*

vesse n.f. Pet silencieux et malodorant. / *Vesse!,* interj. Attention ! Alerte !

vesser v.i. Péter silencieusement, lâcher une vesse.

veste n.f. Échec, perte d'argent : *Ramasser une veste.* / *Retourner sa veste,* changer d'opinion.

véto n.m. Vétérinaire.

veuve n.f. *La veuve,* la guillotine. / *La veuve Poignet,* la masturbation.

viande n.f. Corps humain. – *Amener sa viande,* venir. – *Mettre la viande dans le torchon,* se mettre au lit. / Épouse, concubine : *Ma viande.* / *Viande froide,* cadavre, corps (pompes fun.). / *Sac à viande,* sac de couchage ; chemise. / *Viande à pneu,* piéton imprudent.

viander (se) v.pr. Avoir un grave accident (auto, moto).

vibure (à toute) loc.adv. À toute vitesse.

vice n.m. *Avoir du vice,* être rusé, débrouillard. – *Boîte à vice,* individu très débrouillard. / *Aller au vice,* se rendre chez une prostituée.

vicelard ou **viceloque** n. et adj. De mœurs dépravées ; voyeur ; exhibitionniste. / Débrouillard, habile ; qui a du vice.

vidage n.m. Action de vider.

vidangeur n.m. Employé chargé de vider la monnaie des parcmètres.

vider v.t. Faire sortir, renvoyer, licencier.

vide-ordures n.m. Minitel. (Le clavier se rabat sur l'écran comme le couvercle d'un vide-ordures.)

videur n.m. Homme fort chargé d'expulser les clients indésirables.

videuse n.f. Avorteuse.

vieille n.f. Mère : *Ma vieille.*

vieux n.m. Père. – Au pl. Parents : *Mes vieux.* / Patron. / ***Prendre un coup de vieux,*** vieillir brusquement. / ***Mon vieux, ma vieille,*** termes d'affection, de camaraderie.
□ adj.péjor. : *Vieille vache, vieux con,* etc.

Villetouse (la) n.pr. Quartier de la Villette, à Paris.

vinaigre (faire) loc. Se dépêcher.

vingt-deux ! interj. Attention ! (Signale l'arrivée de la police ou d'un supérieur.)

vioc ou **vioque, viocard** adj. et n. Vieux. – Au pl. Parents : *Mes viocs.*

violette n.f. Cadeau, gratification ; fleur ; pourboire. / ***Avoir les doigts de pied en bouquet de violettes,*** jouir de l'orgasme ; paresser sans souci.

violon n.m. Prison d'un poste de police ou d'un poste de garde.

vioquir v.i. Vieillir : *Je me sens vioquir.*

vipère broussailleuse n.f. Membre viril.

virage n.m. ***Prendre le virage,*** changer d'attitude, de façon d'agir, avant que les événements viennent contrarier vos projets.

virée n.f. Promenade seul ou en groupe : *On va faire une virée.*

virer v.t. Faire sortir, congédier, mettre à la porte : *Virer quelqu'un à coups de latte dans le cul.* / Changer d'opinion, de bord : *Il a viré.* / ***Virer sa cuti,*** subir un changement radical dans son existence.

virguleux n.m. Correcteur (impr.)

virolo n.m. Virage (moto).

viron n.m. Petit voyage ; petite tournée ; petite virée.

viscope n.f. Casquette à visière.

viser v.t. Regarder : *Vise un peu la nénette.*

visser v.t. Contraindre, serrer la vis, punir. / ***Être bien*** ou ***mal vissé,*** être de bonne ou de mauvaise humeur.

vite fait loc.adv. Rapidement : *Prendre un verre vite fait.*

vitriol n.m. Mauvais alcool ou mauvais vin : *Son beaujolpif, c'est du vitriol.*

vitesse grand V (à la) loc. Très vite, très rapidement : *Il a filé à la vitesse grand V.*

voile n.f. ***Mettre les voiles,*** s'en aller, s'enfuir. / ***Avoir du vent dans les voiles,*** être ivre. / ***Être à voile et à vapeur,*** être indifféremment homosexuel ou non (se dit des hommes comme des femmes).

voir v.t. *Va te faire voir, va te faire voir par les Grecs,* va-t'en (*voir* évoque ici la sodomie).

volaille n.f. Femme (péjor.). / La police ; les poulets.

volée n.f. Correction, volée de coups.

voler v.t. *Il ne l'a pas volé,* il a bien mérité ce qui lui arrive.
□ v.i. *Voler dans les plumes,* attaquer. / *Voler au secours de la victoire,* n'agir qu'en étant sûr que d'autres ont déjà acquis le succès. / *Voler bas,* ne pas être d'un très haut niveau (intellectuel ou de valeur morale).

volet n.m. *Mettre les volets à la boutique,* mourir.

vouloir v.t. *Je veux !* Interj. Acquiescement : *Il fait rudement chaud. Je veux !* / *En vouloir,* montrer de l'ardeur, de l'ambition.

voyage n.m. État hallucinatoire dû à la drogue. / Vie nomade : *Les gens du voyage.*

voyageur n.m. Petit verre de vin blanc. (Il ne fait que passer.)

voyeur n.m. Qui se plaît à regarder des spectacles érotiques.

vrai n.m. Homme sûr, compétent, loyal. – *Un vrai de vrai,* un authentique truand. / *Pour de vrai,* pour de bon.

vrille n.f. Lesbienne.

W X Y Z

whisky soviétique n.m. Verre de vin rouge.

X n.m. Polytechnicien.
□ n.f. L'École polytechnique.

y pr. Il, *i* (rien ne justifie cet usage orthographique).

yaouled n.m. Jeune Arabe (pataouète).

yèche v.i. Orthographe fantaisiste de ièche, verlan de chier.

yéyé adj. et n.m. Aux yeux des adultes, jeune excentrique et bruyant. (Au f. *yéyette*.)

yoc n.f. Testicules ; couilles (verlan).

youpin, youtre ou **youvance** n. Juif (péjor. et raciste).

youvoi n.m. Voyou (verlan).

yoyo n.m. Suite de passes.

zeb ou **zébi** n.m. Membre viril, zob. / *Peau de zébi,* rien : *Avoir peau de balle et peau de zébi.*

zéber v.t. Baiser (verlan).

zèbre n.m. Individu quelconque : *Un drôle de zèbre.*

zef n.m. Vent : *Ya du zef.*

zéro n.m. Nullité, élève nul, individu sans valeur. – *À zéro,* très bas, nul : *Avoir le moral à zéro.* – Complètement, près du zéro. / *La boule à zéro, tondu à zéro,* à ras. / *Les avoir à zéro,* avoir peur. / *Zéro pour la question,* refus.

zetoupar n.f. Partouze (verlan).

ziber v.t. Frustrer : *Je suis zibé.*

zicmu n.f. Musique (verlan).

zieuter ou **zyeuter** v.t. Regarder, voir. – *Zyeuter de la merde,* avoir une mauvaise vue.

zig ou **zigue** n.m. Individu, type, camarade : *Un bon zigue.*

zigomar n.m. Individu quelconque ; joyeux zig ; zigoto.

zigoto n.m. Individu quelconque, fantaisiste, suspect.

zigouiller v.t. Tuer. / Abîmer, casser : *J'ai zigouillé la pédale de frein.*

zigounette n.f. Membre viril.

zigouzi n.m. Objet quelconque ; bidule ; machin. / *Faire des zigouzis,* faire des caresses, chatouiller.

ziguer v.t. Raser, ruiner : *Être zigué.*

zinc n.m. Comptoir de café. / Avion. / Cliché typographique.

zinzin n.m. Objet quelconque ; bidule ; machin. Violon. / Au pl., surnom donné en Bourse aux investisseurs institutionnels, également appelés gendarmes.
☐ adj. *Être zinzin,* être un peu fou.

zizi n.m. Membre viril. – *Faire zizi-panpan,* forniquer.

zizique n.f. Musique.

zob ou **zobi** n.m. Membre viril ; zeb.
☐ loc.exclam. *Zob ! Mon zob ! Peau de zob !,* rien !

zomblou n.m. Blouson (verlan).

zonard n.m. Sans abri. / Loulou de banlieue ; narzo.

zoner v.i. Errer à l'aventure (plus fort que glander).
☐ **se zoner** v.pr. Se coucher.

zonga n.m. Marijuana, herbe (verlan de gazon, synonyme d'herbe).

zozo n.m. Individu peu recommandable par manque d'intelligence, d'honnêteté ou d'équilibre mental : *Ton copain, c'est un zozo.*

zozores n.f.pl. Oreilles.

À CONSULTER

H. BAUCHE. *Le Langage populaire,* Payot, 1951.

H. FREI. *La Grammaire des fautes,* 1929 (réédition Slatkine).

J. LACASSAGNE et P. DEVAUX. *L'Argot du milieu,* Albin Michel, 1948.

J. GALTIER-BOISSIÈRE et P. DEVAUX. *Dictionnaire historique, étymologique et anecdotique d'argot,* Le Crapouillot, 1950.

G. SANDRY et M. CARRÈRE. *Dictionnaire de l'argot moderne,* Éditions du Dauphin, 1953.

R. QUENEAU. *Bâtons, Chiffres et Lettres,* Gallimard, 1950 (nouvelle édition 1965).

A. LE BRETON. *Langue verte et noirs desseins,* Presses de la Cité, 1960 (nouvelle édition : *Argotez, argotez,* Vertiges-Carrère, 1987).

G. ESNAULT. *Dictionnaire historique des argots,* Larousse, 1965.

P. GUIRAUD. *L'Argot,* « Que sais-je ? », Presses universitaires de France, 4e édition, 1966.

A. SIMONIN. *Petit Simonin illustré par l'exemple,* Gallimard, 1968.

P. GUIRAUD. *Le Français populaire,* « Que sais-je ? », Presses universitaires de France, 2e édition, 1969.

A. BOUDARD et L. ÉTIENNE. *La Méthode à Mimile (L'argot sans peine),* La Jeune Parque, 1970.

J. ARNAL. *L'Argot de police,* Eurédif, 1975.

P. GUIRAUD. *Les Gros Mots,* « Que sais-je ? », Presses universitaires de France, 1975.

P. GUIRAUD. *Dictionnaire érotique,* Payot, 1978.

J. CELLARD et A. REY. *Dictionnaire du Français non-conventionnel,* Hachette, 1980.

P. PERRET. *Le Petit Perret,* Jean-Claude Lattès, 1982.

H. OBALK, A. SORAL, A. PASCHE. *Les Mouvements de mode expliqués aux parents,* Laffont, 1984.

G. A. MARKS et C.B. JOHNSON. *Harrap's Slang Dictionary (English-French/French-English),* revised by J. PRATT, Harrap, 1984.

J. CELLARD. *Anthologie de la littérature argotique des origines à nos jours,* Mazarine, 1985.

P. MERLE. *Dictionnaire du français branché,* Le Seuil, 1986.

J. ALEXANDRE. *L'Argot de la prostitution du XIXe siècle à nos jours,* Nigel Gauvin, 1987.

J.-L. et G. GRÉVERAND. *Les Portugaises ensablées,* Duculot, 1987.

DU MÊME AUTEUR

Biographies :
Isidore Ducasse, comte de Lautréamont (« Idées », Gallimard)
Vie de Raymond Roussel (Jean-Jacques Pauvert)
Christophe (Pierre Horay)
Feu Willy (Carrère-Pauvert)

Bandes dessinées en prose :
La Compagnie des Zincs (Ramsay)
Nous deux mon chien (Pierre Horay)

PHOTOCOMPOSITION MAURY-MALESHERBES
MAME Imprimeurs - 37000 Tours
Dépôt légal Septembre 1988 – N° de série éditeur 14819
Imprimé en France (Printed in France) 330006 Septembre 1988